親切な

棒針編みの教科書

基本の編み方から、なわ編み・編み込み模様まで、
豊富な手順写真とイラストで失敗ナシ！

CONTENTS

基本編

テクニック編

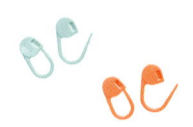

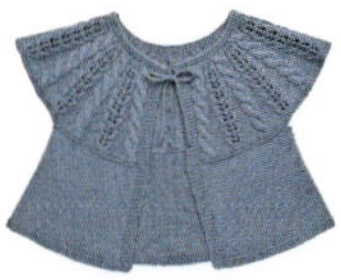

事典編

作品編

作品作りに役立つテクニック

スタッフ

撮　影　浅香知輝
ブックデザイン　鶴田めぐみ
トレース　呉屋まゆみ　たきがわしずる
編み図製作　せばたやすこ　齋藤奉子
製作協力　宮尾千賀子
企画・編集　新星出版社
編集助力　加藤ますこ　しまりすこ

基本編

この章では、初心者の方でも棒針編みを楽しめるよう、棒針編みに必要な道具や棒針の持ち方から、基本の編み方やテクニックまでを、ひととおり覚えられるように構成してあります。また、２つのレッスンを通して、実際に手を動かして、効率的に基本の編み方を身につけられるように工夫しました。最後には小さな作品もでき上がります。

2目かのこ編みのマット（作り方と編み図p.154～155）

1目かのこ編みのコースター（作り方と編み図p.154）

1 糸と棒針について

棒針編みを始めるには、まず糸と棒針の準備から。その種類や特性を知って、これから作りたい作品にふさわしい糸と棒針を準備しましょう。

糸の素材

毛

ウールをはじめ、カシミヤ、アルパカ、アンゴラ、キャメルなど動物の毛でできた糸は、保温性や吸湿性に優れ、型くずれしにくいなど、さまざまな長所があります。

綿・麻

いずれも植物の繊維で作られた糸で、夏糸と呼ばれるのは、これらの繊維で作られた毛羽のない糸のことです。

アクリル

羊毛に似た肌触りの合成繊維で、保温性や染色性、耐久性などに優れています。ほかの繊維と混紡されることもあります。

シルク

蚕《かいこ》の繭《まゆ》からとった繊維で、光沢があり、やわらかく、保温性や通気性などに優れています。

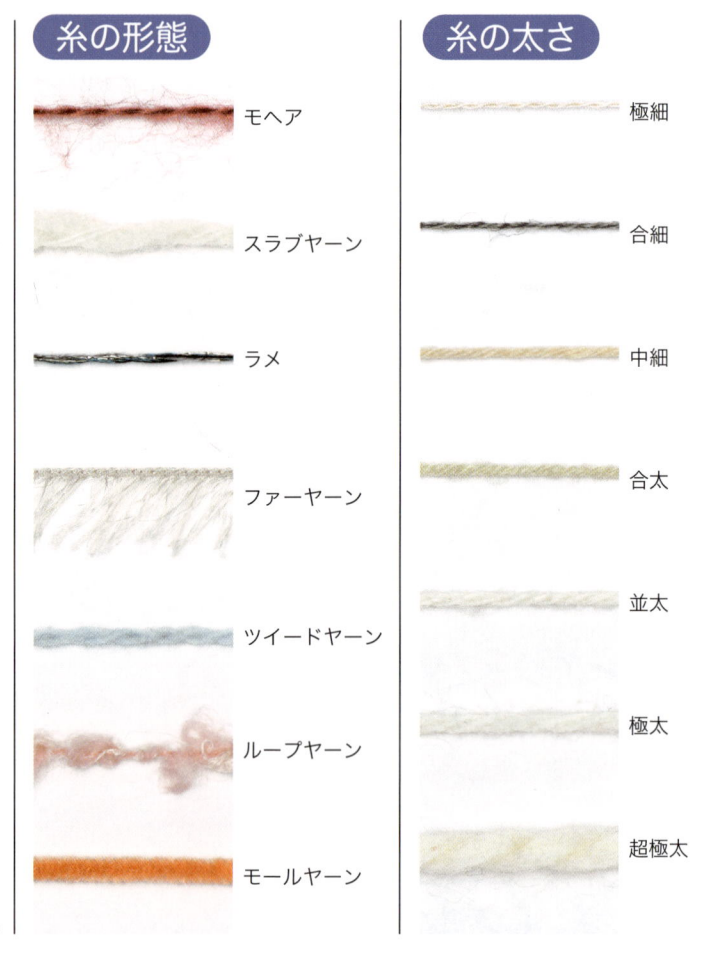

糸の形態

モヘア

スラブヤーン

ラメ

ファーヤーン

ツイードヤーン

ループヤーン

モールヤーン

糸の太さ

極細

合細

中細

合太

並太

極太

超極太

糸のラベルをチェックしてみよう

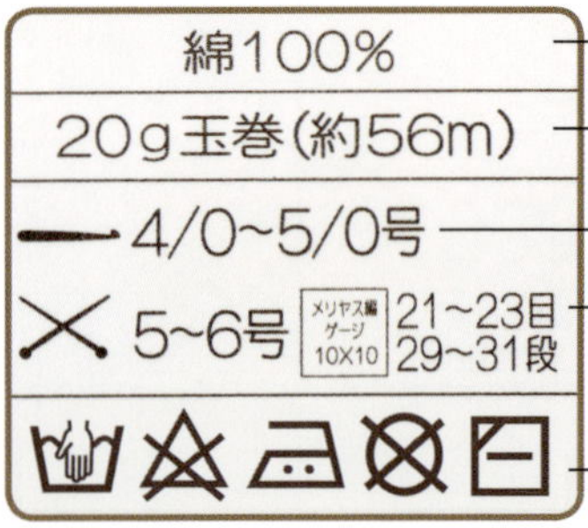

- 糸の素材を示しています。
- 1玉の重さと糸の長さを示しています。
- この糸に適したかぎ針の号数です。
- この糸に適した棒針の号数と、適した針で編んだ場合の10cm四方の標準的な目数と段数です(p.65参照)。
- 洗濯するときの注意点です(p.88参照)。

このほか、ラベルには色番号とロット番号(染めの生産番号)が表示されています。糸を買い足すときは、この2つの番号を確認しましょう。

針の種類

玉つき2本針

棒の片端に、編み目が抜け落ちてしまうのを防ぐための玉がついています。往復編みをするときに用います。

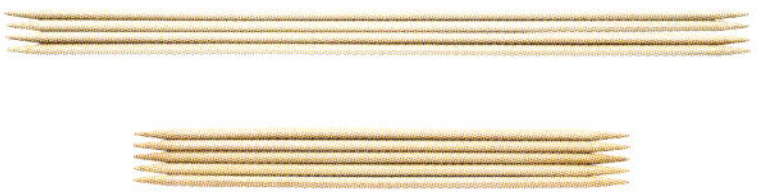

4本針・5本針

棒の両端がとがっていて、どちらからでも編むことができます。輪編みをするときに用います。

輪針

2本の針をビニールのコードでつないだもので、輪編みをするときに用います。

かぎ針

片側もしくは両側の針先がかぎ状になっていて、作り目の鎖編みを編むときや、とじたり、はいだりするときに用います。

とじ針

毛糸用の太めの針で、針先に丸みがあり、針穴も縫い針に比べて大きいのが特徴です。編み地をとじたり、はいだり、糸始末をするときなどに用います。

棒針の太さの目安

<table>
<tr><th rowspan="2">実物大</th><th rowspan="2">号数</th><th colspan="6">糸</th></tr>
<tr><th>極細</th><th>合細</th><th>中細</th><th>並太</th><th>極太</th><th>超極太</th></tr>
<tr><td></td><td>0</td><td rowspan="2">1本どり</td><td></td><td></td><td></td><td></td><td></td></tr>
<tr><td></td><td>1</td><td rowspan="2">1本どり</td><td></td><td></td><td></td><td></td></tr>
<tr><td></td><td>2</td><td rowspan="2">1～2本どり</td><td rowspan="2">1本どり</td><td></td><td></td><td></td></tr>
<tr><td></td><td>3</td><td rowspan="2">1～2本どり</td><td rowspan="7">1本どり</td><td></td><td></td></tr>
<tr><td></td><td>4</td><td></td><td rowspan="2">1～2本どり</td><td></td><td></td></tr>
<tr><td></td><td>5</td><td></td><td>2本どり</td><td></td><td></td></tr>
<tr><td></td><td>6</td><td></td><td></td><td rowspan="2">2本どり</td><td></td><td></td></tr>
<tr><td></td><td>7</td><td></td><td></td><td></td><td></td></tr>
<tr><td></td><td>8</td><td></td><td></td><td></td><td rowspan="8">1本どり</td><td></td></tr>
<tr><td></td><td>9</td><td></td><td></td><td></td><td></td></tr>
<tr><td></td><td>10</td><td></td><td></td><td></td><td rowspan="4">1～2本どり</td><td></td></tr>
<tr><td></td><td>11</td><td></td><td></td><td></td><td></td></tr>
<tr><td></td><td>12</td><td></td><td></td><td></td><td></td></tr>
<tr><td></td><td>13</td><td></td><td></td><td></td><td></td></tr>
<tr><td></td><td>14</td><td></td><td></td><td></td><td></td><td></td></tr>
<tr><td></td><td>15</td><td></td><td></td><td></td><td></td><td></td></tr>
<tr><td></td><td>ジャンボ7ミリ</td><td></td><td></td><td></td><td></td><td rowspan="4">1～2本どり</td><td></td></tr>
<tr><td></td><td>ジャンボ8ミリ</td><td></td><td></td><td></td><td></td><td></td></tr>
<tr><td></td><td>ジャンボ9ミリ</td><td></td><td></td><td></td><td></td><td rowspan="6">1本どり</td></tr>
<tr><td></td><td>ジャンボ10ミリ</td><td></td><td></td><td></td><td></td></tr>
<tr><td></td><td>ジャンボ11ミリ</td><td></td><td></td><td></td><td></td><td></td></tr>
<tr><td></td><td>ジャンボ12ミリ</td><td></td><td></td><td></td><td></td><td></td></tr>
<tr><td></td><td>ジャンボ15ミリ</td><td></td><td></td><td></td><td></td><td></td></tr>
<tr><td></td><td>ジャンボ20ミリ</td><td></td><td></td><td></td><td></td><td></td></tr>
</table>

※ジャンボ10ミリまでが実物大です。

資料提供：クロバー株式会社

2 そろえておくと便利な道具

必ずしもすべて用意する必要はありませんが、棒針編みをより快適にしてくれる便利な助っ人たちを紹介します。

なわ編み針

なわ編みやアラン模様などの交差編みを編むときに使います。針についたくぼみで、編み目が止まるようになっています。釣り針状のものなどもあります。

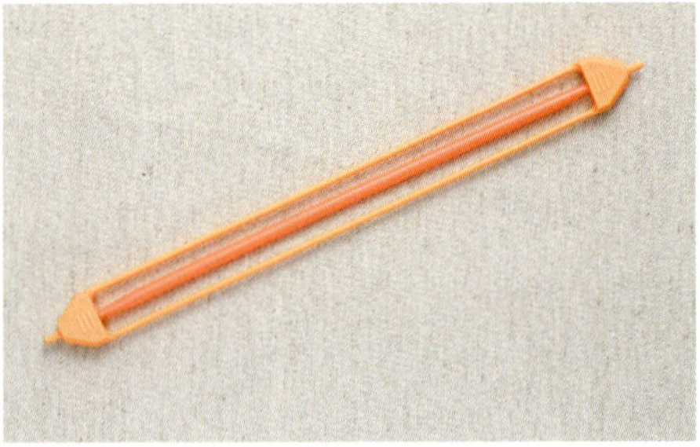

ほつれ止め

セーターの肩はぎなど、編み目をそのままの状態で休ませておきたいときに便利な道具です。写真のように両側が開くものと、安全ピンのように片側が開くものがあります。

目数リング・段数リング

目数リング（写真左）は、棒針に通して目数を数えるときの目印などに使います。段数リング（写真右）は、編み目にかけて段数を数えるときの目印などに使います。

棒針キャップ

編み目が棒針からはずれないように止めておくために、棒針の先にはめて使います。編んでいる手を休めるときや、4本針・5本針を玉つき針のように使う際にも使えます。

段数マーカー

段数リングと同様に、編み目にかけて段数を数えるときの目印などに使います。安全ピンのようなロック式になっていて、編み目から外れないように工夫されています。

目数・段数カウンター

目数や段数を記録するのに使います。ボタンを押すと1つずつ数字がカウントされていきます。目数や段数を数え慣れない初心者や、大きな作品を編むときなどに便利です。

3 棒針の持ち方と糸のかけ方

棒針の持ち方には、「フランス式」といわれる方法と、「アメリカ式」といわれる方法があります。この本では基本的に「フランス式」の持ち方で編んでいますが、どちらでもやりやすい方法でかまいません。配色糸を編むときには、両方の持ち方で２色の糸を持って編むこともあります。

フランス式

左手の人さし指に糸をかけて、小指と薬指の間にはさみ、右針で糸をかけて編んでいきます。

アメリカ式

右手の人さし指に糸をかけて、1目ずつ右手で糸をかけながら編んでいきます。

Column 編み目はどう数えるの？

編み目は横方向に並んでいる単位を「1 目」、縦方向に並んでいる単位を「1 段」と数えます。

表目

裏目

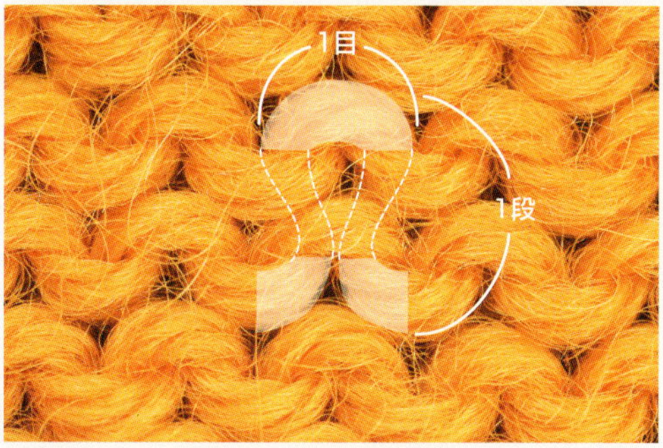

4 基本の編み方で編んでみましょう

糸と棒針が用意できたら、まずは実際に編んでみましょう。ここでは、Lesson1 とLesson2 の2つのステップで、ひととおりの流れに沿って、棒針編みにチャレンジします。

Lesson 1 ● 6枚の編み地を編む

棒針編みのもっとも基本といえる6 種類の編み方で、編み地を編みながら流れに沿って編んでみましょう。

一般的な作り目

＊どの編み地にも共通です。

作品を編み始めるときに必要な編み目を「作り目」といいます。ここで紹介するのは、どんな編み地にも使える、もっとも一般的な作り目の方法です。

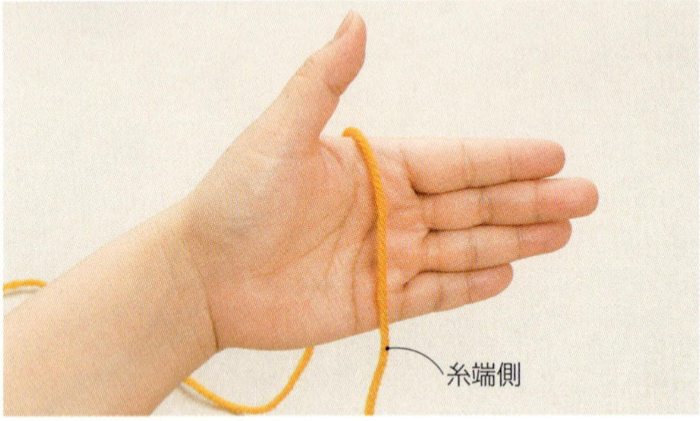

＊ここでは、幅7cmのモチーフを編むので、「7cm×3倍」＋「糸始末分の7cm」で、約30cm糸端を残します。

1 左手に糸をかけます。糸端の長さは、編む幅の約3倍（とじ・はぎが必要ならその分も長さを足す）とります。

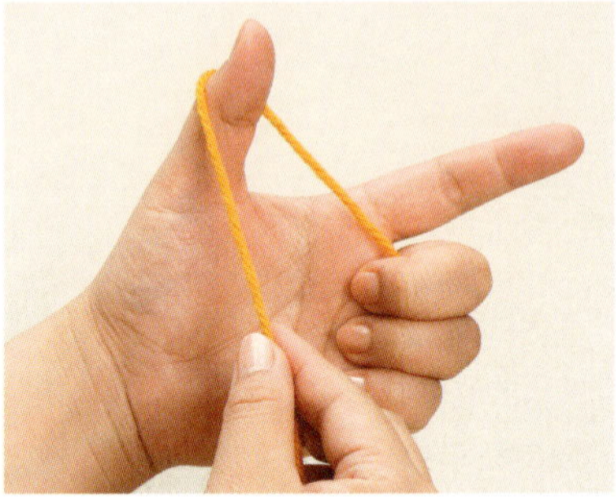

2 糸端側を中指・薬指・小指の3本の指で押さえ、糸玉側の糸を親指にかけます。

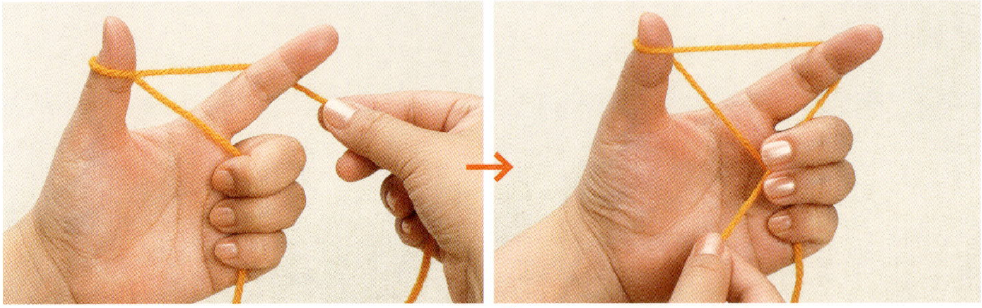

3 続けて人さし指にかけます。

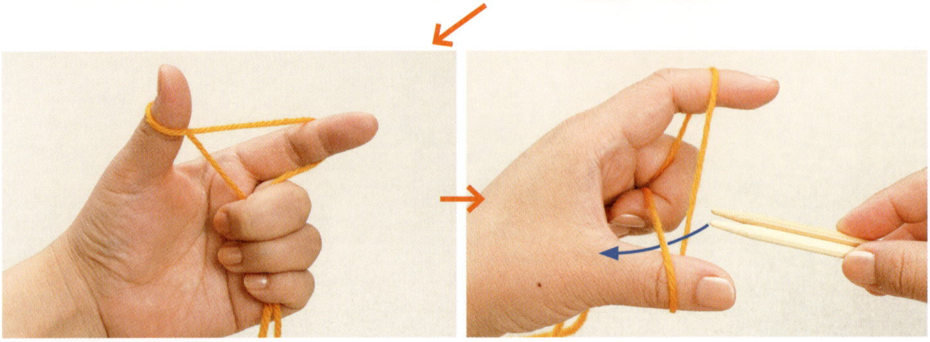

4 かけた糸を3本の指で押さえたら（写真左）、左手の向きを変え、2本そろえて持った棒針で、矢印のように親指にかかっている糸をすくいます。（写真右）

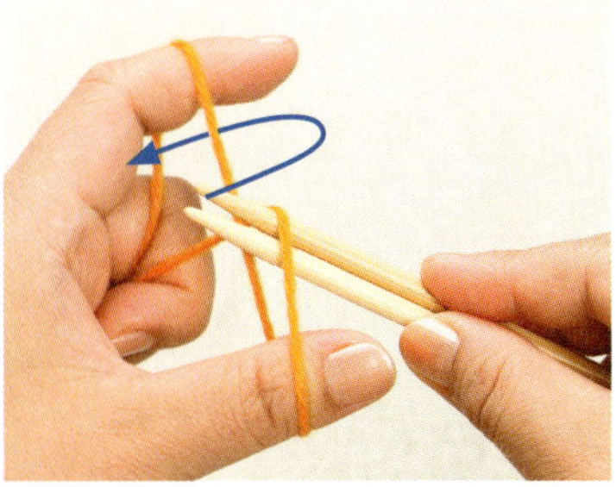

5 矢印のように棒針を動かして、人さし指にかかっている糸をすくいます。

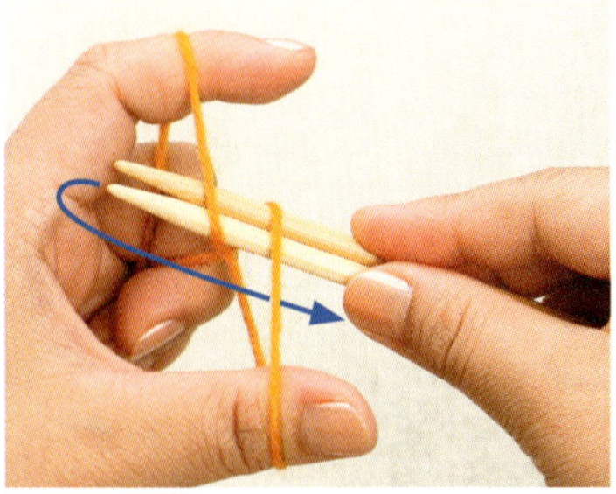

6 針先を、矢印のように親指のループの中に入れます。写真右は、左手の向きを横にしたところです。

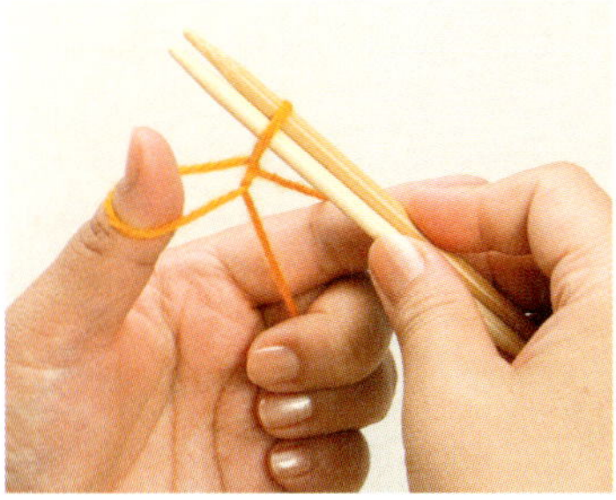

7 針先をループから出して（写真左）、親指にかかっている糸をはずします（写真右）。

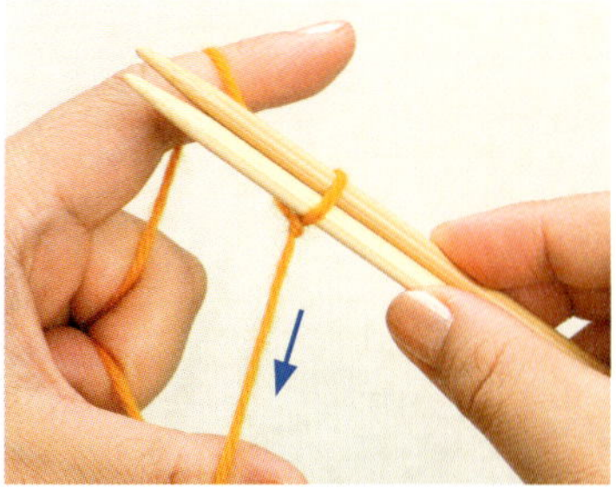

8 親指で糸を引き締めて、作り目が1目できました。

こ・ん・な・方・法・も！

指で作る作り目

ここで紹介した手順 1 ～ 8 までを、別の方法で作ることもできます。どちらでも、やりやすい方法でかまいません。

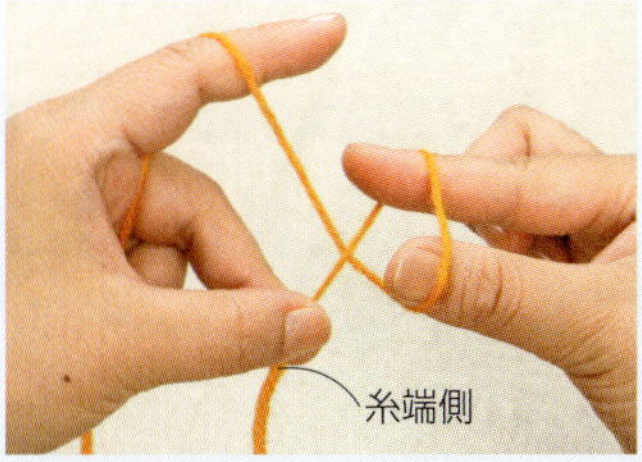

1 写真のように、右手の親指と人さし指に糸をかけて、ループを作ります。

2 ループの中から、左手の人さし指にかかった糸をつまみます。

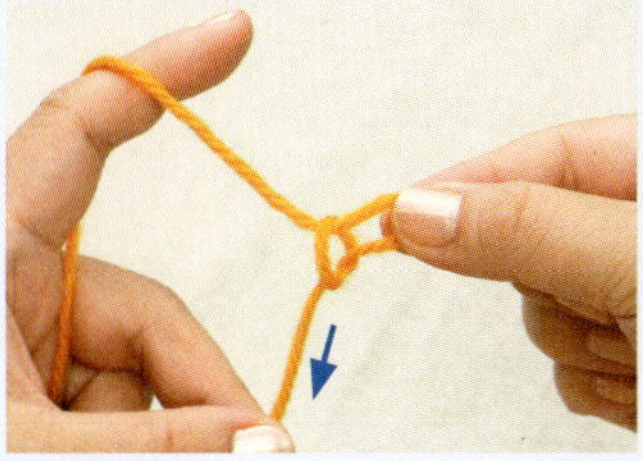

3 つまんだ糸をループの中から引き出し、端を引いてループを締めます。

4 ループの向こう側から棒針を入れ、作り目が1目できました（一般的な作り目の8と同じ状態です）。

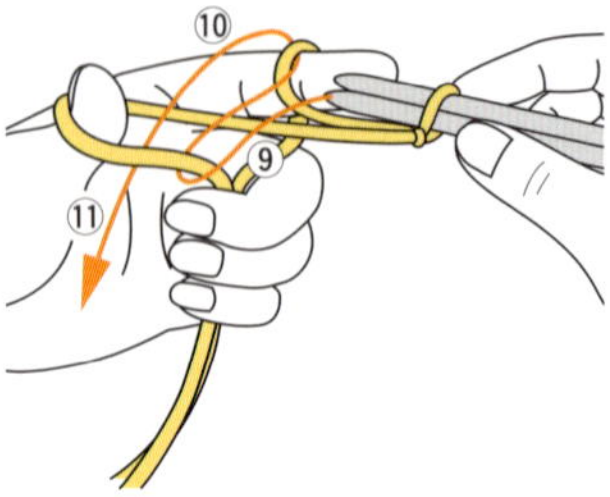

9〜11の棒針の動かし方

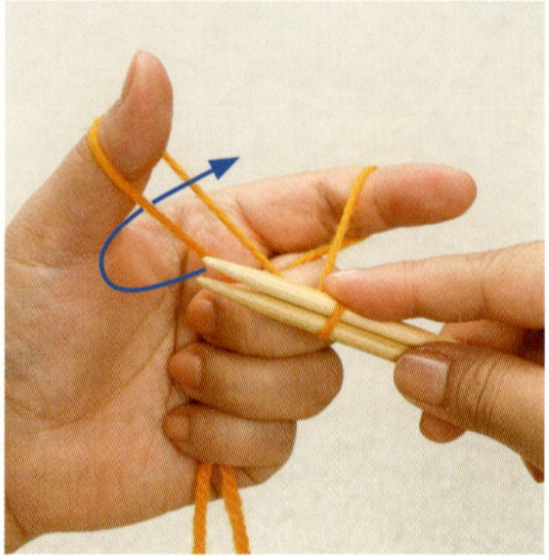

9 棒針を矢印のように動かして、親指の手前側の糸をすくいます。

10 続けて、矢印のように人さし指の手前側の糸をすくいます。

11 棒針を矢印のように動かして、親指のループの中をくぐらせます。

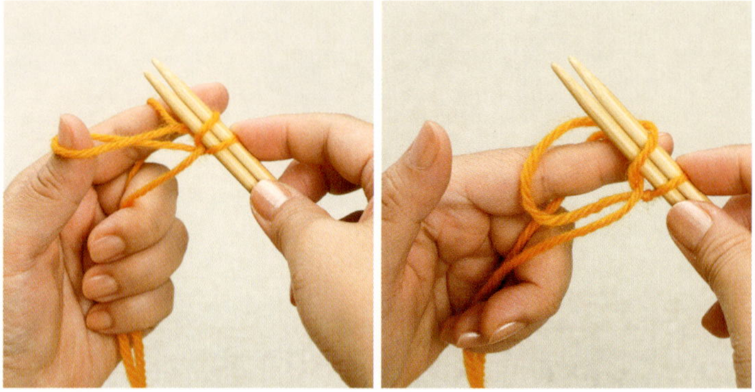

12 針先をループから出して（写真左）、親指にかかっている糸をはずします（写真右）。

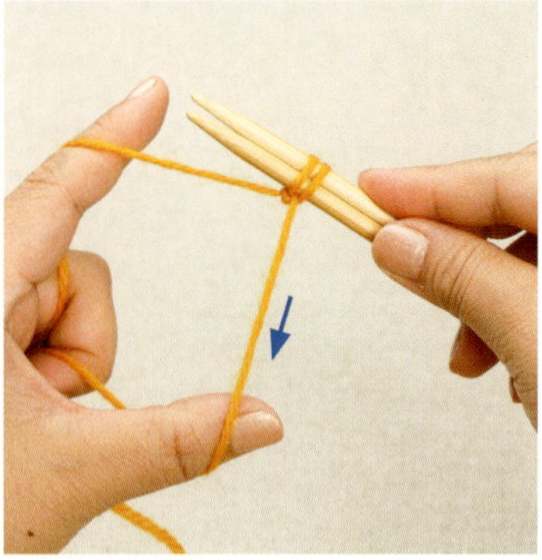

13 親指で糸を引き締めて、2目めの作り目ができました。

14 以降、9〜13を繰り返し、必要な数の作り目をします。

ポイント

メリヤス編み・裏メリヤス編みを編むときに、棒針2本で作り目をする場合は、指定の棒針の号数よりも、2号細い棒針を使うと、ちょうどよい目の大きさの作り目ができます。たとえば、本体を10号の棒針で編む場合は、8号の棒針2本で作り目をします。ガーター編みのときは、同じ号数の棒針を使います。

Column 作り目の糸のよりがあまくなったら…

続けて作り目をしていると、糸のよりがあまく（ゆるく）なってくることがあります（写真左の手前の糸）。そのときには、親指から糸を離せば元に戻ります（写真右）。たくさんの数の作り目をするときは、ときどき糸のよりを確かめましょう。

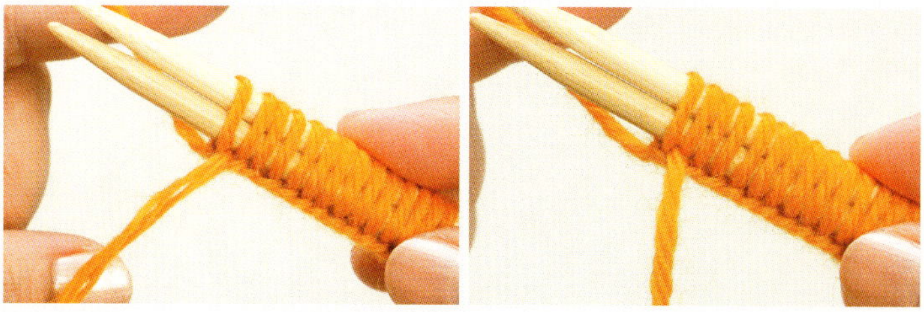

15 ここでは、次のページ（p.16）のガーター編みのモチーフを編むのに必要な、16目の作り目ができました。

16 棒針を１本引き抜きます。

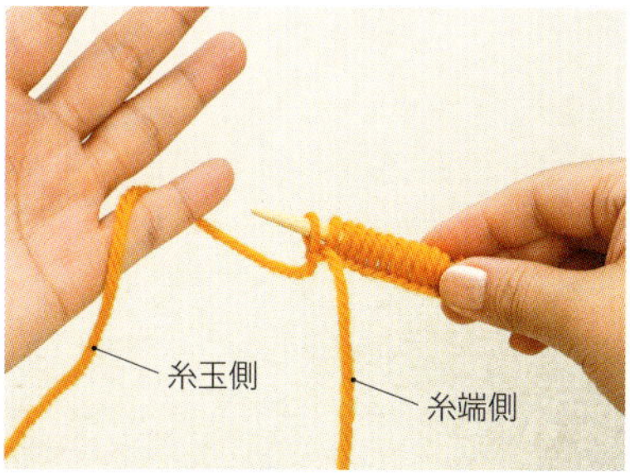

17 糸玉側の糸を小指にかけます。

18 続けて糸を人さし指にかけます。

19 作り目をした棒針の向きを変えて、左手に持ち替えます。

20 右手でもう1本の棒針を持ち、写真のように構えて編み始めます。

編み方①
ガーター編み

表側から見ると、表目と裏目が1段ずつ交互に編まれた編み地です。往復編み*（平編み）の場合は、どの段でも表目を編みます。編み地に裏表がないため、メリヤス編みに比べて、平らで反り返りがなく、縦に縮んだ仕上がりになります。

＊往復編み（平編み）＝編み地を平らに編む方法で、段ごとに表・裏と編み地を返しながら編みます。

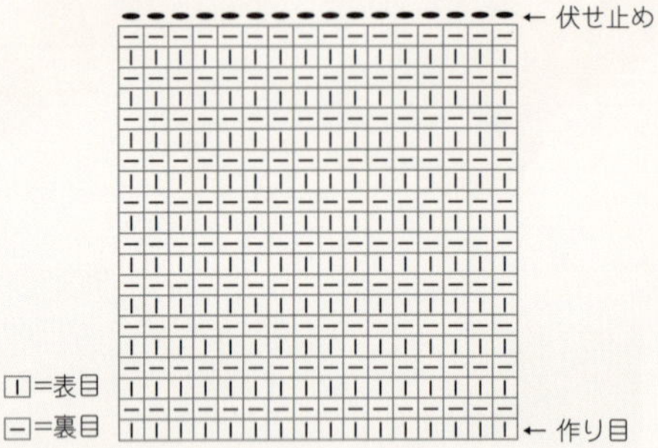

2段め：裏側を見て編む段

1 p.12〜15の要領で必要な数の作り目（ここでは16目）をし、1目めに矢印のように手前側から右針を入れます。
＊作り目を1段めに数えるので、この段は2段めになります。

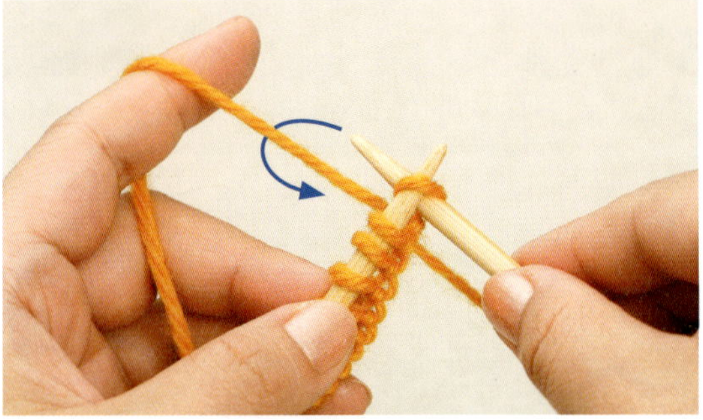

2 矢印のように右針を動かして、糸をかけます。

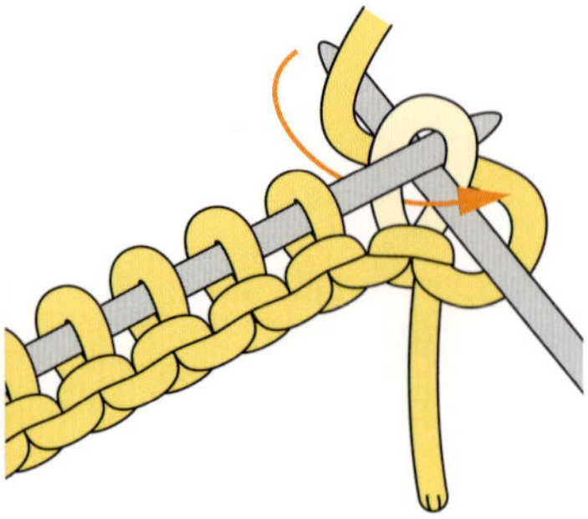

3 矢印のように、右針にかけた糸を引き出し、表目を編みます。

4 糸を引き出したところです。

5 左針から目をはずして、表目が１目編めました。

6 次の目以降も同じように、段の端まで、表目を繰り返し編みます。

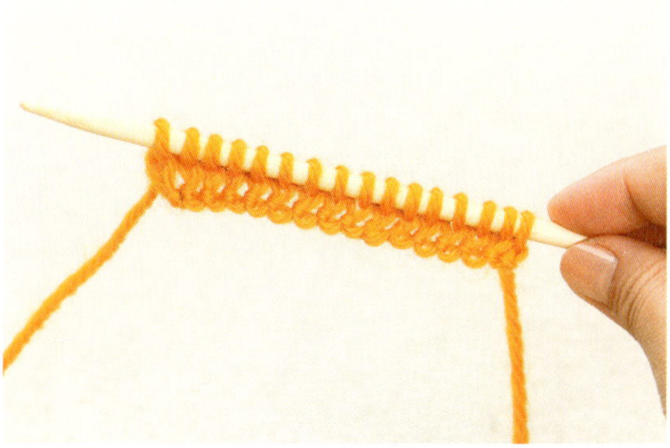

7 ２段めの端まで、表目が編めたところです。

3段め：表側を見て編む段

8 編み地を表に返して、1と同じように手前側から右針を入れます。

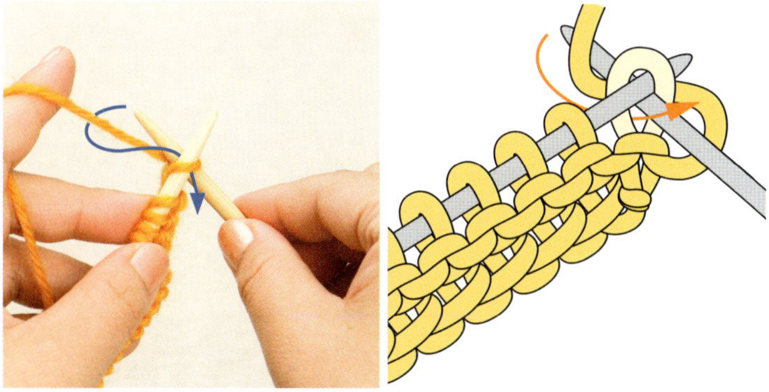

9 矢印のように、右針にかけた糸を引き出し、表目を編みます。
次の目以降も同じように、段の端まで、表目を繰り返し編みます。

10 ３段めの端まで編めたところです。
次の段からも1〜9の要領で、毎段繰り返して、表目を編みます。

編み方②

メリヤス編み

棒針編みの基本的な編み方で、表側から見ると、すべて表目になっている編み地です。往復編み（平編み）の場合は裏目と表目を１段ずつ交互に編み、輪編みの場合はすべて表目で編みます。「表編み」と呼ぶこともあります。

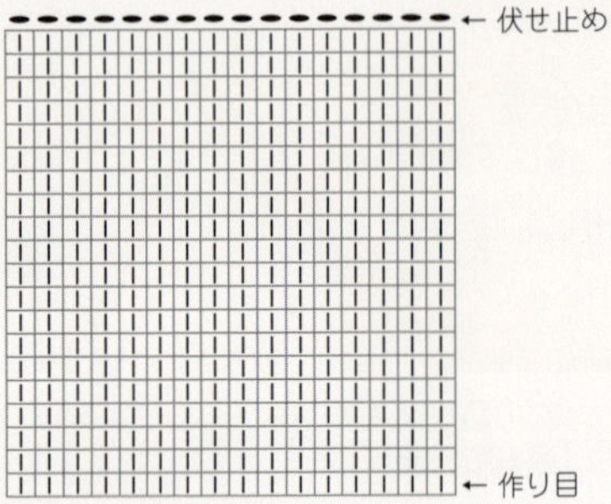

2段め：裏側を見て編む段

1　p.12～15の要領で必要な数の作り目（ここでは16目）をし、１目めに矢印のように向こう側から右針を入れます。
＊作り目を１段めに数えるので、この段は２段めになります。

2　矢印のように右針を動かして、糸をかけます。

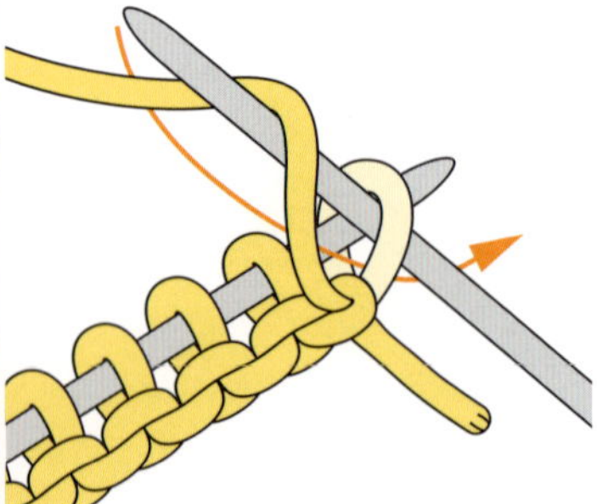

3　矢印のように、右針にかけた糸を引き出し、裏目を編みます。

4　糸を引き出したところです。

5 左針から目をはずして、裏目１目が編めました。

6 次の目以降も同じように、段の端まで、裏目を繰り返し編みます。

7 ２段めの端まで、裏目が編めたところです。

３段め：表側を見て編む段

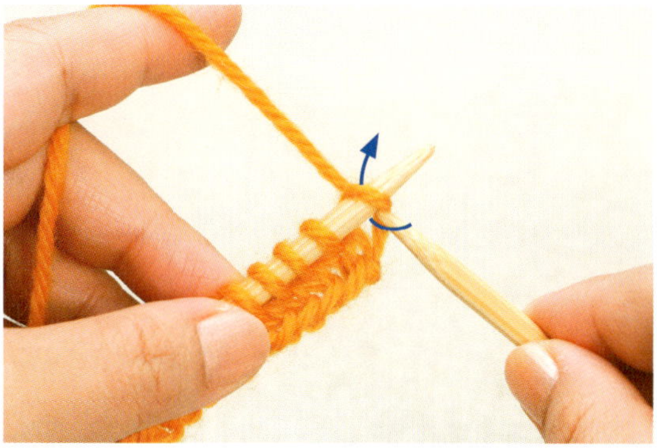

8 編み地を表に返して、1とは逆に手前側から右針を入れます。

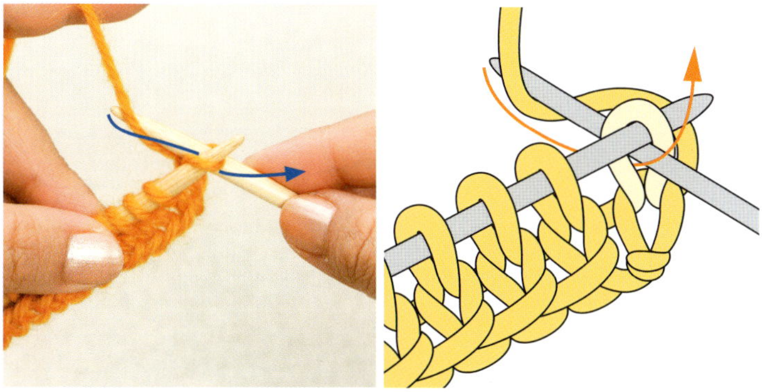

9 矢印のように、右針にかけた糸を引き出し、表目を編みます。
次の目以降も同じように、段の端まで、表目を繰り返し編みます。

10 ３段めの端まで編めたところです。次の段からも、1～9の要領で、編み地の裏側では裏目を、編み地の表側では表目を、交互に繰り返し編みます。

編み方③
裏メリヤス編み

メリヤス編みと反対で、表側から見ると、すべて裏目になっている編み地です。往復編み（平編み）の場合は表目と裏目を1段ずつ交互に編み、輪編みの場合はすべて裏目で編みます。「裏編み」と呼ぶこともあります。

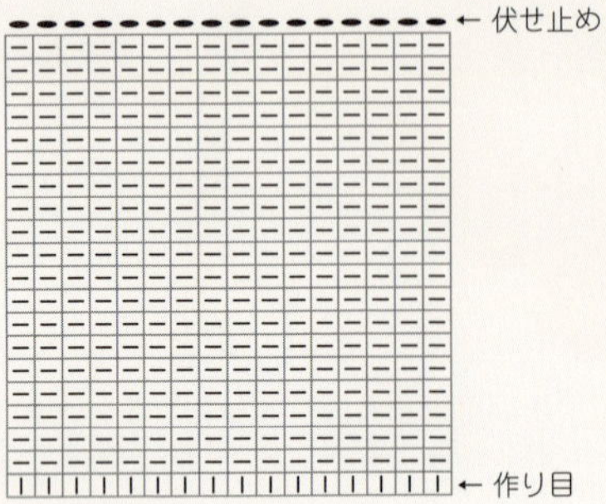

2段め：裏側を見て編む段

1 p.12〜15の要領で必要な数の作り目（ここでは16目）をし、1目めに写真のように手前側から右針を入れます。
＊作り目を1段めに数えるので、この段は2段めになります。

2 矢印のように右針を動かして、糸をかけます。

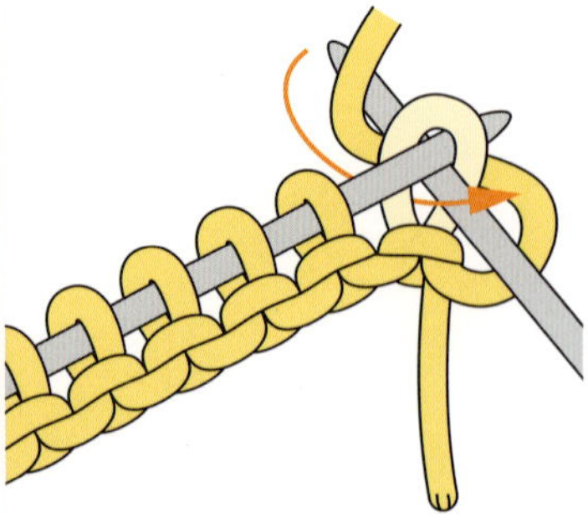

3 矢印のように、右針にかけた糸を引き出し。表目を編みます。

4 糸を引き出したところです。

5 左針から目をはずして、表目が１目編めました。

6 次の目以降も同じように、段の端まで、表目を繰り返し編みます。

3段め：表側を見て編む段

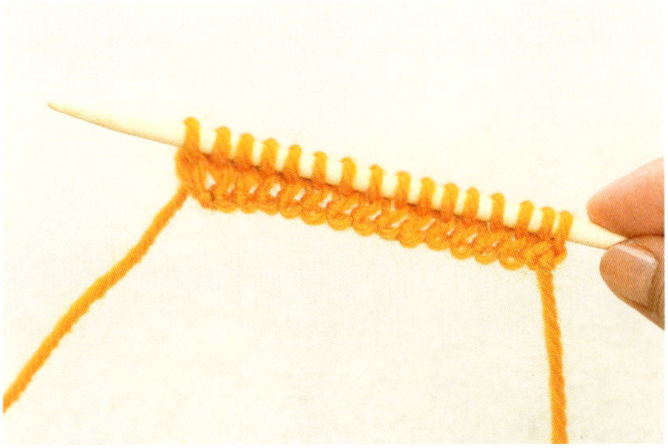

7 ２段めの端まで、表目が編めたところです。

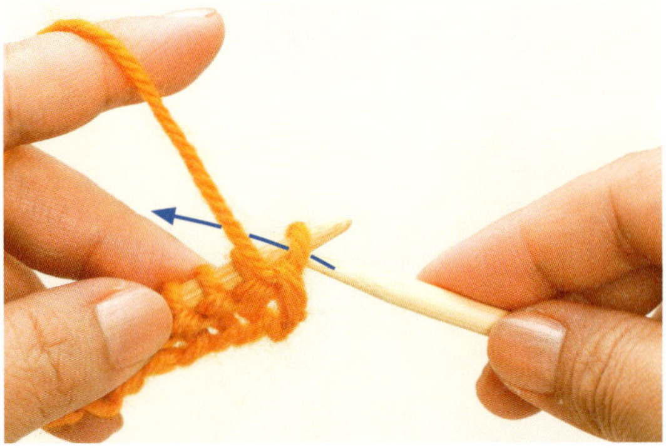

8 編み地を表に返して、1とは逆に向こう側から右針を入れます。

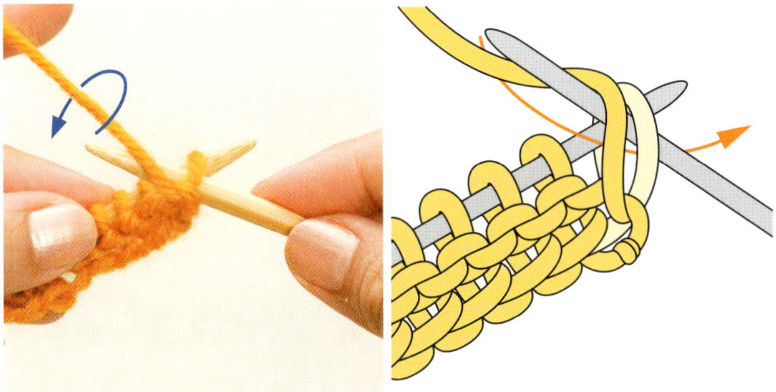

9 右針で糸をかけて引き出し、裏目を編みます。次の目以降も同じように、段の端まで、裏目を繰り返し編みます。

10 3段めの端まで編めたところです。次の段からも、1〜9の要領で、編み地の裏側では表目を、編み地の表側では裏目を、交互に繰り返し編みます。

編み方④
1目ゴム編み

表目と裏目を1目ずつ交互に、縦方向にそろえて編んだ編み地で、縦方向の畝（うね）状の編み目が現れるのが特徴です。その名前のとおり伸縮性に富んでいるので、セーターの裾や袖口などに用いられます。

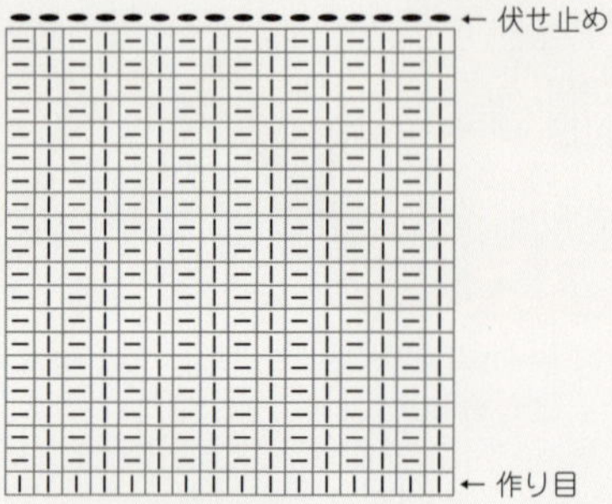

2段め：裏側を見て編む段

1　p.12～15の要領で必要な数の作り目（ここでは16目）をし、1目めに写真のように手前側から右針を入れ、表目を編みます。

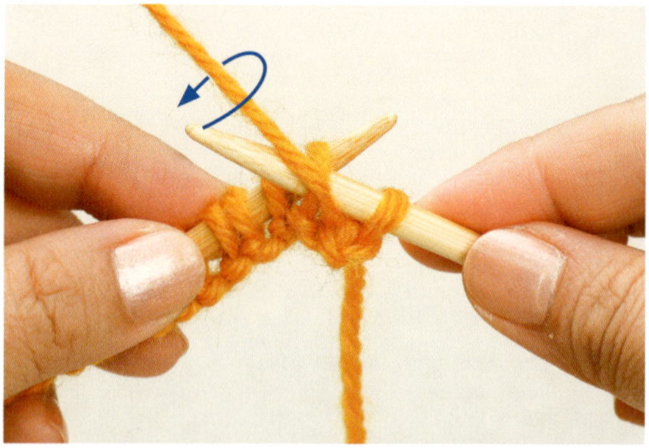

2　2目めは、向こう側から右針を入れ、裏目を編みます。

3　次の目以降は、1～2の要領で段の端まで、表目と裏目を交互に繰り返し編みます。

4　2段めの端まで編めたところです。

3段め：表側を見て編む段

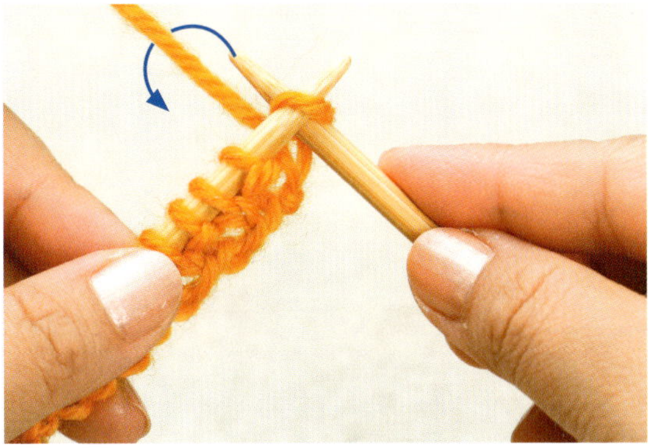

5 編み地を表に返して、1と同じように手前側から右針を入れて、表目を編みます。

6 次の目は、2と同じように向こう側から右針を入れ、裏目を編みます。

7 次の目以降は、5～6の要領で段の端まで、表目と裏目を交互に繰り返し編みます。

8 3段めの端まで編めたところです。次の段以降も1～7の要領で、表目と裏目を交互に繰り返し編みます。

Column 編み方図の見方

編み目記号を使って表された「編み方図」は、編み地を表側から見た編み目の状態を表しています。
往復編み（平編み）の場合は、1段編むごとに、編み地を裏返して編むので、奇数段（＝編み地の表側を見て編む段）では編み方図のとおりに編みますが、偶数段（＝編み地の裏側を見て編む段）では編み方図に描かれている記号を裏から見た状態で編みます。
たとえば、ガーター編みの場合は、表側から見ると、表目の段（奇数段）と裏目の段（偶数段）が交互にありますが、段が変わっても続けて表目だけを編み続けることになります。

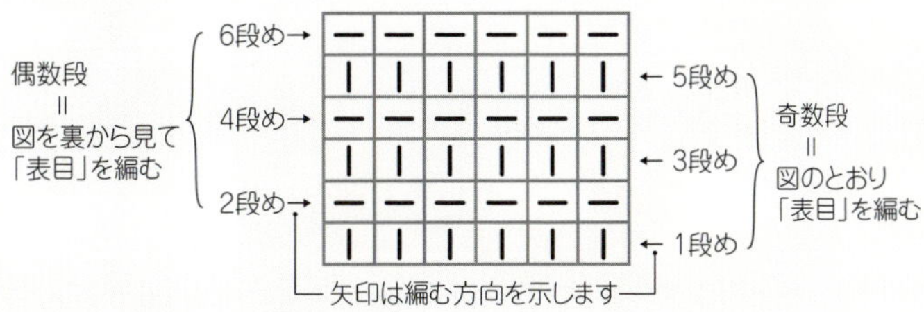

＊編み目記号と編み方は、P.108～の事典編にまとめてあります。

編み方⑤

2目ゴム編み

表目と裏目を2目ずつ交互に、縦方向にそろえて編んだ編み地です。1目ゴム編み同様に、伸縮性に富んでいるので、セーターの裾や袖口などに使われます。1目ゴム編みに比べて、縦の畝状の編み目がよりはっきり現れます。

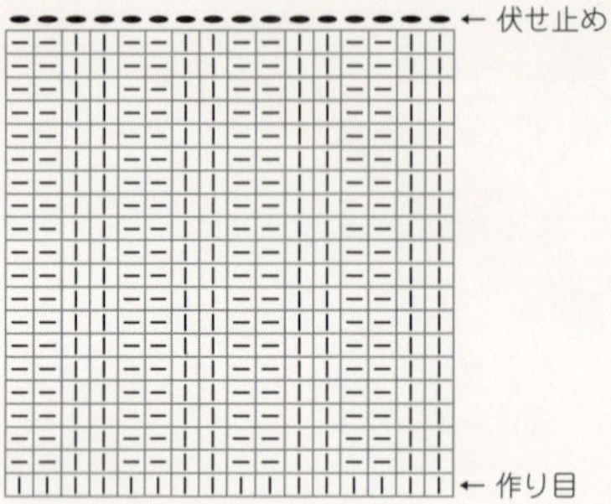

2段め：裏側を見て編む段

1　p.12〜15の要領で必要な数の作り目（ここでは16目）をし、1目めに写真のように手前側から右針を入れ、表目を編みます。

2　2目めも、1と同様に、表目を編みます。

3　3目めは、向こう側から右針を入れ、裏目を編みます。

4　4目めも、3と同様に、裏目を編みます。

5 以降、1～4を繰り返して、端まで編みます。

6 2段めの端まで編めたところです。

3段め：表側を見て編む段

7 編み地を表に返して、1と同じように手前から右針を入れ、表目を編みます。

8 2目めも、7と同様に、表目を編みます。

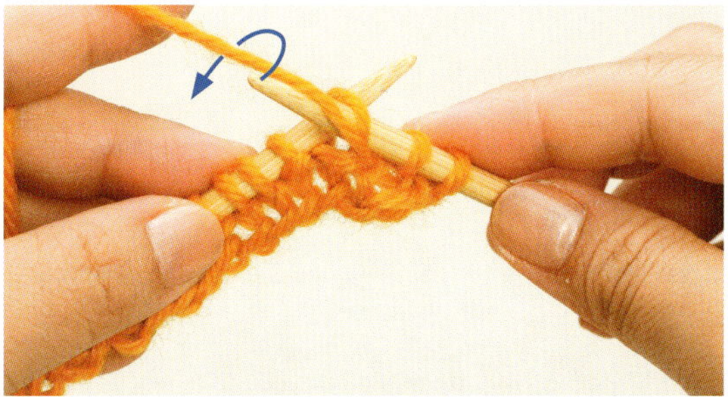

9 3目めは、向こう側から右針を入れ、裏目を編みます。

10 4目めも、9と同様に、裏目を編みます。

11 以降、7～10を繰り返して、端まで編みます。

12 3段めの端まで編めたところです。次の段以降も1～11の要領で、表目・表目・裏目・裏目の順で繰り返し編みます。

編み方⑥

1目かのこ編み

表目と裏目を1目ずつ、上下左右に交互に並べた編み地です。つぶつぶとした凹凸のある模様が現れるのが特徴です。このほかに、2目ずつ交互に並べた「2目かのこ編み」もあります。

1～4 2段め(裏側を見て編む段)は、p.22「1目ゴム編み」の1～4と同様に編みます。

3段め：表側を見て編む段

5 編み地を表に返して、1とは反対に向こう側から右針を入れて、裏目を編みます。

6 次の目は、手前側から右針を入れ、表目を編みます。

7 次の目以降は、5～6の要領で段の端まで、裏目と表目を交互に繰り返し編みます。

8 3段めの端まで編めたところです。次の段以降も1～7の要領で、毎段表目と裏目を交互に繰り返し編みます。

伏せ止め

最後に編み終わりの目がほどけないように始末して、編み地を完成させます。「伏せ止め」は、目の止め方のうち、もっともよく使われる方法です。

●ガーター編み・メリヤス編みの場合（写真は、メリヤス編みで説明しています）

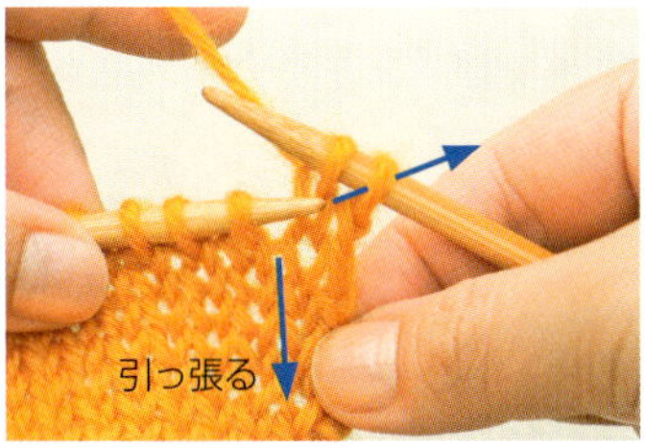

1 最初の２目は表目を編み、右側の目に矢印のように左針を入れます。このとき、右手で編み地を少し下へ引っ張ると、目に隙間ができて、棒針が入れやすくなります。

2 左針を使って、右側の目を左側の目にかぶせます。

3 かぶせ終わったところです。

4 次の目を表目で編みます。

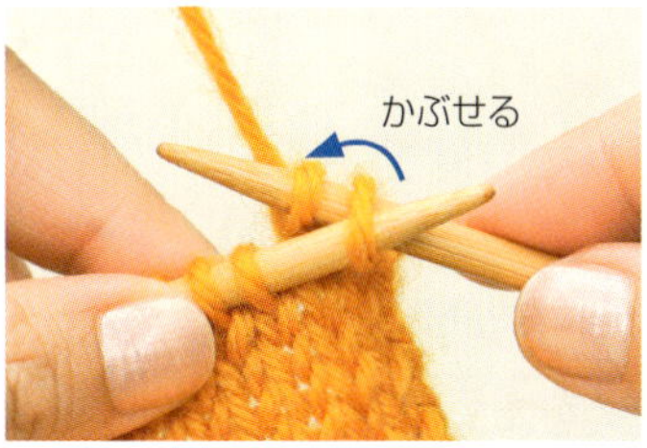

5 表目が編めたら、左針を使って2と同様に右側の目を、今編んだ左側の目にかぶせます。以降、4〜5の要領で、「表目を編んでからかぶせる」を段の端まで繰り返します。

6 段の端まで伏せ止めが終わったら、糸端を10cmぐらい残して糸を切ります。

7 棒針を抜き、棒針に残っていた目を指で引っ張って、輪を少し広げます。

8 輪の中に切った糸端をくぐらせてから、引き締めます。

9 糸端をとじ針に通し、編み地の一番端の糸に何針かくぐらせて、糸を始末します。

●裏メリヤス編みの場合

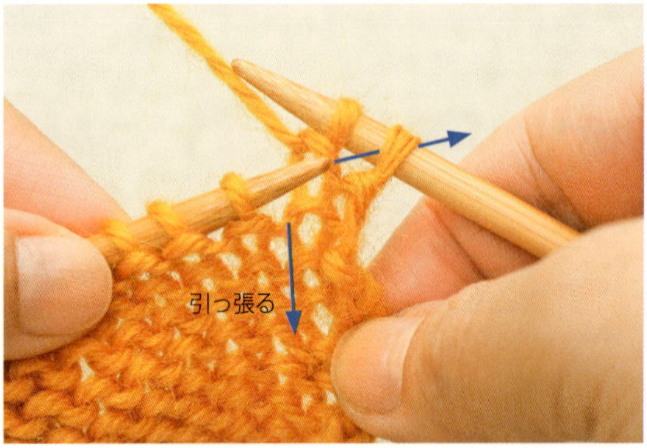

1 最初の２目は裏目を編み、右側の目に矢印のように左針を入れます。このとき、右手で編み地を少し下へ引っ張ると、目に隙間ができて、棒針が入れやすくなります。

2 左針を使って、右側の目を左側の目にかぶせます。

3 かぶせ終わったところです。

4 次の目を裏目で編みます。

5 裏目が編めたら、左針を使って2と同様に右側の目を、今編んだ左側の目にかぶせます。以降、4～5の要領で、「裏目を編んでからかぶせる」を段の端まで繰り返します。

6 段の端まで伏せ止めが終わったら、糸を切り、最後の目に糸端をくぐらせて、引き締めます。p.27の9の要領で糸始末をします。

こ・ん・な・方・法・も！

かぎ針を使って伏せ止めをする方法～引き抜き止め

目数が多いときは、かぎ針を使うと比較的手早くできます。これを「引き抜き止め」と呼びます。
ただし、かぎ針を使うと伏せた目がきつくなりやすいので、力加減には注意しましょう。

●ガーター編み・メリヤス編みの場合

1 棒針と同じようにかぎ針を持ちます、表目を編む要領で矢印のように、手前側からかぎ針を入れます。

2 かぎ針に糸をかけ、2目を一度に引き抜きます。以降、1～2を繰り返します。

●裏メリヤス編みの場合

1 棒針と同じようにかぎ針を持ち、裏目を編む要領で矢印のように、向こう側からかぎ針を入れます。

2 かぎ針に糸をかけて、矢印のように引き抜き、裏目を編みます。

3 左側の目を、右側の目の中にくぐらせます。以降、1～3を繰り返します。

Lesson 2 ● ポーチを編む

棒針編みでよく使われるテクニックにひととおりチャレンジしながら、小さなポーチを完成させます。

◆用意するもの
糸：パピー　ミニスポーツ　ブルー(679)　20g
　　パピー　ミニスポーツ　オフ白(420)　5g
＊作り目の別鎖に使った糸は、分量外です。
針：棒針　10号

◆サイズ
横 10cm × 縦 15cm

◆ゲージ(→ p.65 参照)
メリヤス編み 18目・24段= 10cm 平方

この編み図を見ながら、９つのSTEPで編んでみましょう。

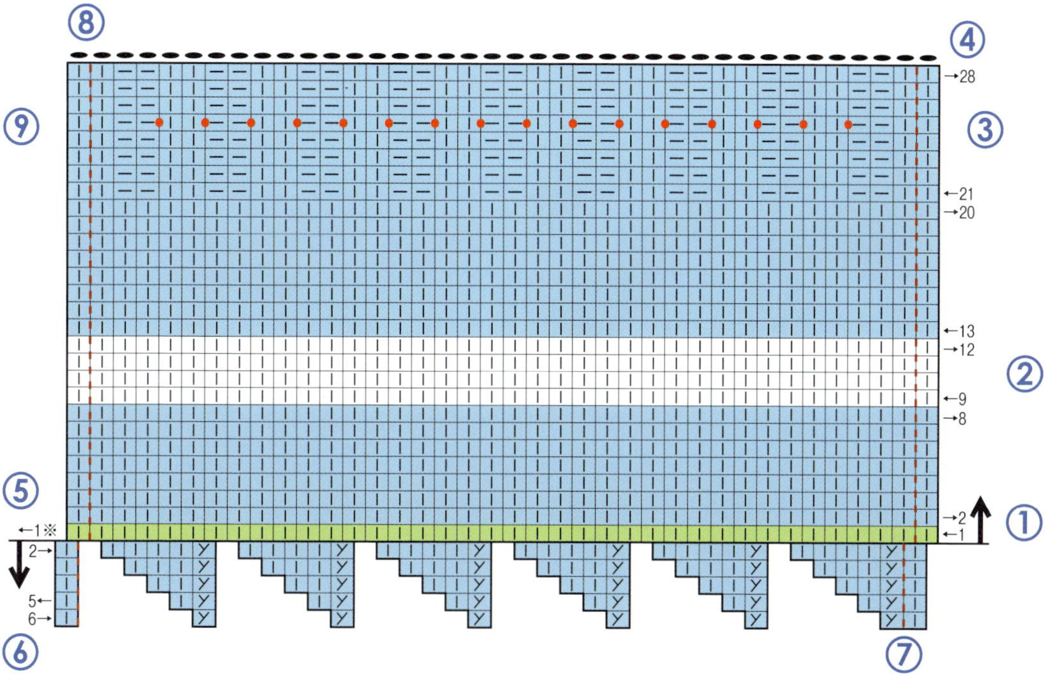

- - - - - すくいとじをする位置
1※ 別鎖の作り目をほどいて棒針に戻す
● 鎖ひもを通す位置

STEP 1 別鎖の作り目をする

STEP 2 糸の色を替える

STEP 3 2目ゴム編みを編む

STEP 4 2目ゴム編みの伏せ止めをする

STEP 5 別鎖の作り目をほどいて、目を拾う

STEP 6 減らし目をしながら編む

STEP 7 しぼり止めで底を、すくいとじでわきをとじる

STEP 8 糸始末をする

STEP 9 鎖ひもをつける

STEP 1 別鎖の作り目をする

作り目をあとからほどく必要があるときは、別糸で鎖編みを編んで、鎖編みの裏山を拾って作り目をします。

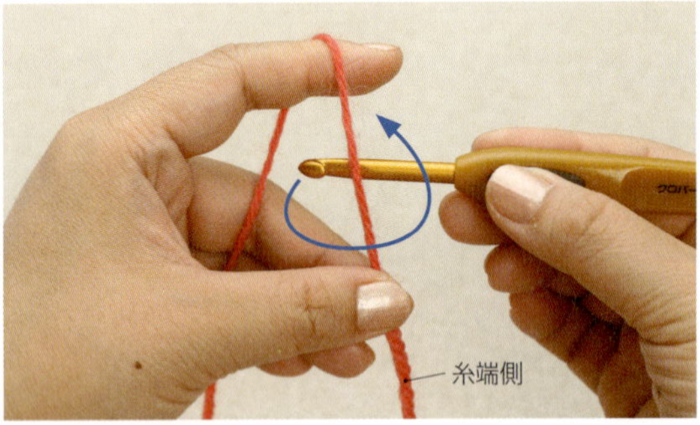

1 写真のように左手に糸をかけ、右手に持ったかぎ針を矢印のように回転させて、糸をかけます。

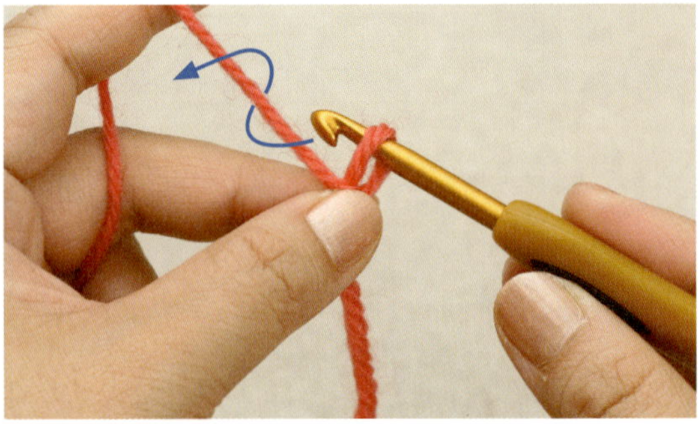

2 かぎ針を回転させて糸が巻き付いたら、糸が交差している部分を押さえながら、矢印のようにかぎ針を動かして、糸をかけます。

3 かけた糸を矢印のように、引き抜きます。

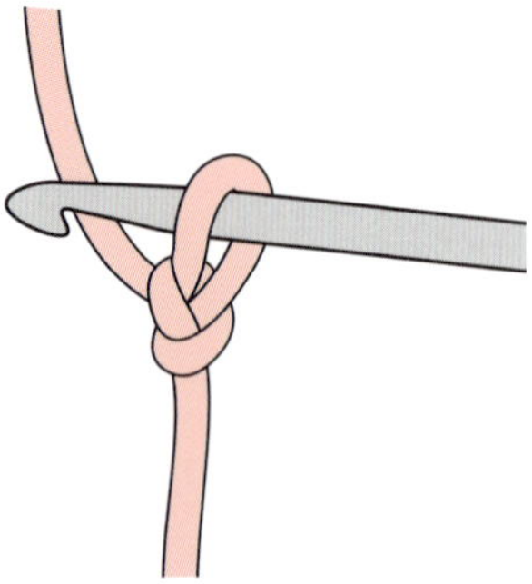

4 鎖の作り目ができたところです。これは1目と数えません。

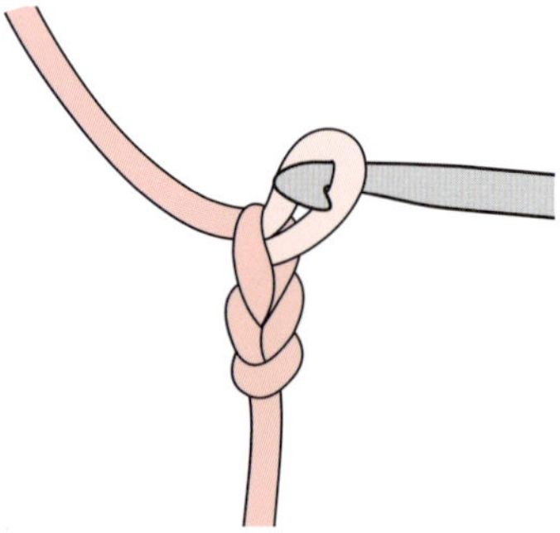

5 2〜3と同じ要領で、必要な数の鎖目を編みます。ここでは、編み方図にある作り目38目を編みます。

6 必要な数の鎖目が編めたら、5cmぐらいの長さを残して、糸を切ります。

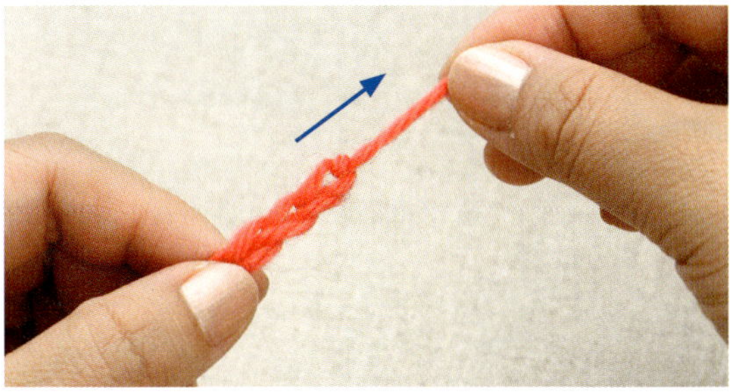

7 切った糸端を最後の目の中にくぐらせて、引き締めます。

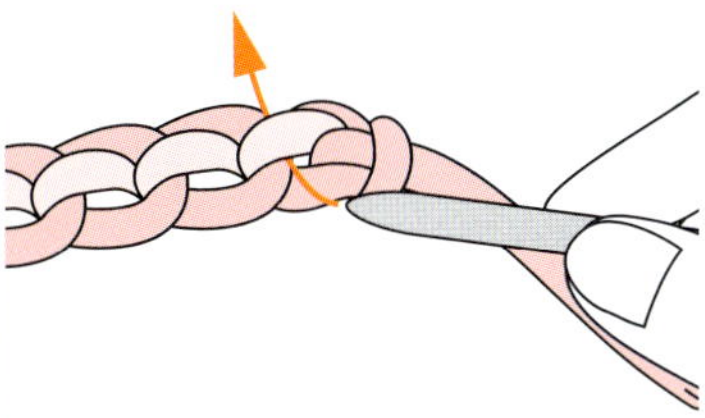

8 棒針に持ち替えて、鎖編みの編み終わり側の裏山に、矢印のように針を入れます。

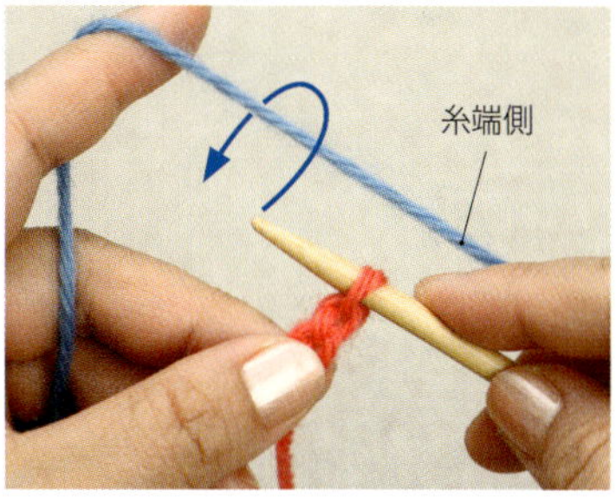

9 左手に編み糸をかけ、矢印のように棒針を動かして、糸をかけます。

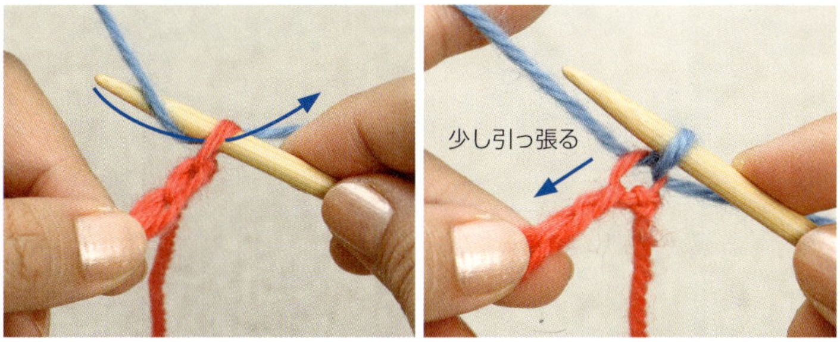

10 かけた糸を鎖目から引き出して、作り目が１目できました。糸を手前に引き出すときに、鎖編みを少し引っ張ると、糸が引き出しやすくなります。

11 隣の裏山も同じように、棒針を入れて糸を引き出し、必要な数の作り目をします。

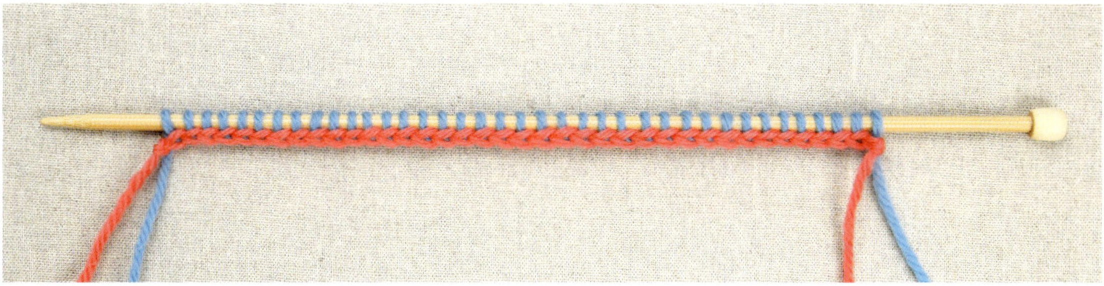

12 38目作り目ができたところです。

STEP 2

糸の色を替える

基本となるメリヤス編みを編みながら、途中で糸の色を替えて、細い横縞模様を編んでみましょう。

1 STEP1の12でできた作り目を、向きを変えて左手に持ち替えます。右手に棒針を持ち、2段めを裏目で端まで編みます。

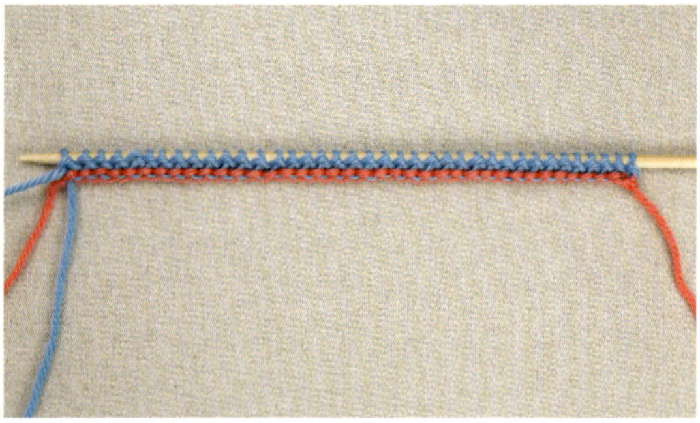

2 2段めが端まで編めたところです。

3 3段めは、表目で端まで編みます。

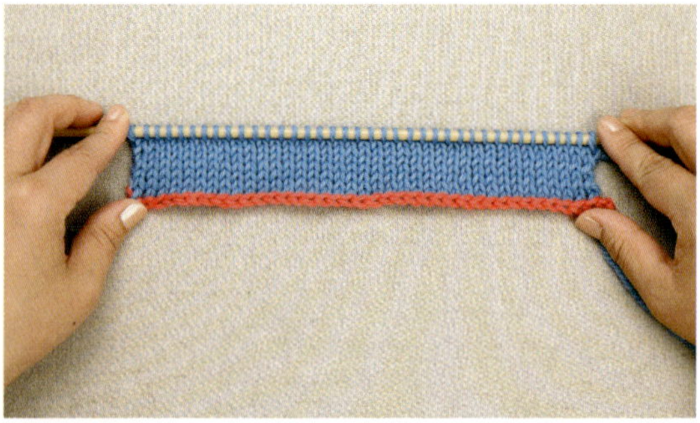

4 1～3の要領で、8段めまで編めたところです。

5 今まで編んできた青い糸（地糸）と、これから編む白い糸（配色糸）の両方を右手で持ち、写真のように構えます。矢印のように手前から右針を入れ、白い糸をかけて、表目を編みます。
＊配色糸の糸端は、10～15cm（糸始末ができるぐらい）残しておきます。

6 編み図のとおり、白い糸（配色糸）で4段編めたところです。ここで再び青い糸（地糸）に替えるので、白い糸は10～15cm糸端を残して切ります。

7 5と同じ要領で、糸を替えて、表目を編みます。

8 さらに8段編めたところです。

STEP 3 2目ゴム編みを編む

メリヤス編みから2目ゴム編みに変えて、ポーチの口の部分を編みます。

1 最初の2目は表目を、次の2目は裏目を編みます。

2 表目2目・裏目2目を繰り返し、最後は表目2目を編んで、段の端まで編めたところです。

3 続けて2目ゴム編みを編み、8段編めたところです。

STEP 4

2目ゴム編みの伏せ止めをする

2目ゴム編みで編んだ編み地の端を、伏せ止めで始末します。

1 最初の2目は、下の段と同じように、表目を編みます。

2 右側の目に左針を入れ、左側の目にかぶせます。

3 伏せ目が1目できました。

4 次の目は、下の段の編み方にならって、裏目を編みます。

5 右側の目に左針を入れ、左側の目にかぶせます。

6 伏せ目が2目できました。以降、「下の段の編み方に合わせて裏目もしくは表目を編み、右側の目をかぶせる」を繰り返し、段の端まで伏せ止めをします。

7 端まで伏せ止めが終わったら、10cmぐらい糸端を残して糸を切り、最後の目に糸端をくぐらせて、引き締めます（p.27の8参照）。写真右は、伏せ止めの最後の目の部分です。

ポイント

伏せ止めをするとき、「1目ゴム編み」「2目ゴム編み」の場合は、下の段と同じように編んで前の目をかぶせます。「かのこ編み」の場合は、下の段と反対（表目なら裏目）に編んで前の目をかぶせます。

こ・ん・な・方・法・も！

かぎ針を使って伏せ止めをする方法〜引き抜き止め

伏せ止めは、かぎ針を使うと比較的手早くできます。どちらでもやりやすい方法でかまいません。

1 右の棒針をかぎ針に持ち替えます。最初の目は、下の段が表目なので、手前からかぎ針を入れて糸をかけ、表目を編みます。

2 次の目も、同様に表目を編みます。

3 左側の目を、右側の目から引き出します。

4 次の目は、下の段が裏目なので、かぎ針を向こう側から入れて糸をかけ、裏目を編みます。

5 今編んだ左側の目をかぎ針にかけ、右側の目から引き出します。

6 以降、「下の段の編み方に合わせて裏目もしくは表目を編み、右側の目から引き出す」を繰り返し、段の端まで伏せ止めをします。

STEP 5

別鎖の作り目をほどいて、目を拾う

別糸で編んだ鎖編みをほどいて、ポーチの底になる部分を編むための目を棒針に拾います。

1 編み終わり側の鎖編みの裏山に棒針を入れます。

2 糸端を引き出します。

3 2を引き出し終わったところです。

4 ピンクの糸を引っ張ると目がほどけていくので、1目ずつ向こう側から棒針を入れて目を拾いながら、鎖目をほどいていきます。

5 最後の1目も、矢印のように棒針を入れ、拾います。

6 最後の1目を拾い終わったところです。

STEP 6

減らし目をしながら編む

ポーチの底が丸くなるように、減らし目をしながら編んでいきます。

1 新しい糸を左手にかけて、表目を編みます。続けて４目表目を編みます。

2 ５目表目を編み終わったら、次の２目は矢印のように２目一緒に右針を入れ（写真左）、２目一緒に表目を編みます（左上２目一度）。

3 左上２目一度が編めたところです。

4 ４目表目を編んだら左上２目一度を繰り返し、段の端まで編めたところです。１段で６目減らし目ができました。

5 編み地を裏返して、最初の１目を裏目で編んだら、次の２目は写真のように２目一緒に右針を入れて（写真左）、裏目を編みます（裏目の左上２目一度）。目を減らすときは、前の段と同じところで減らし目をします。

6 裏目の左上２目一度が編めたところです。

7 ３目裏目を編んだら裏目の左上２目一度を繰り返し、段の端まで編めたところです。この段で、さらに６目減らし目ができました。

8 以降、８目になるまで、減らし目を繰り返します。どの段でも端の左右１目ずつはとじ代になるので、２目一度はせずに、表目もしくは裏目を編みます。

STEP 7 しぼり止めで底を、すくいとじでわきをとじる

底の頂点の部分はしぼり止めで、わきの部分はすくいとじでとじ、ポーチを完成させます。

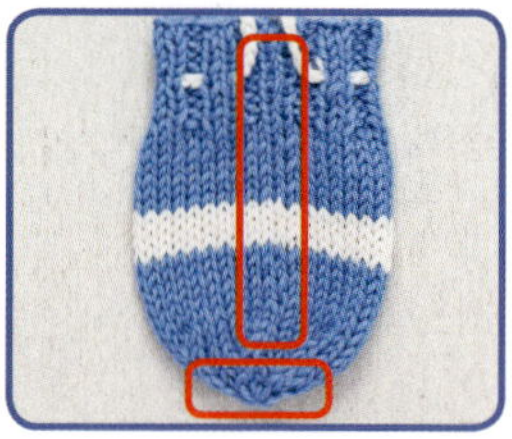

●底をとじる

1 編み終わりの糸（とじる部分の2.5倍程度の長さをとっておく）をとじ針に通し（糸の針への通し方は、p.41のコラム参照）、針に残ったすべての目に、とじ針を通します。

2 すべての目に糸が通ったら、とじ針を抜き、軽く糸を引きます。

3 もう一度、すべての目にとじ針を通します。

4 今度はしっかりと糸を引き締めます。

5 しぼり止めができました。写真は表側から見たところです。

ポイント

ここでは目の数が少ないので、全目に2周、糸を通しましたが、目数が多いものの場合は、1周めで1目おきに糸を通し、2周めでとばした目に糸を通してしぼり止めをします。

Column 糸の針への通し方

とじ針に毛糸を通すときには、そのままでは針穴に通りにくいので、糸を半分に折ってから、折り目の部分を針穴に通すと、通しやすくなります。

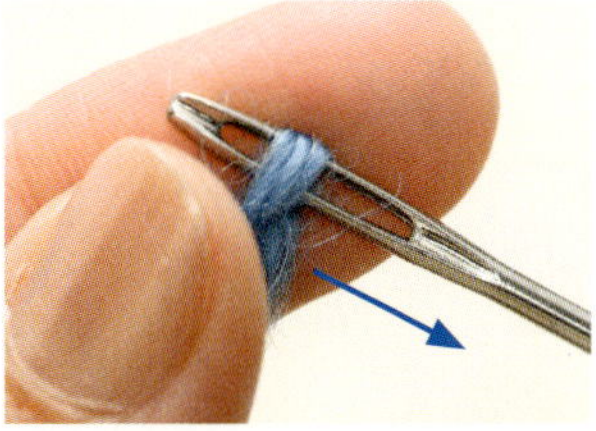

1 毛糸でとじ針をはさむようにして、二つ折りにします。

2 折った糸をしっかり指で押さえたまま、とじ針を抜き、針穴を折り目の部分に押し当てるようにして、毛糸を針穴に通します。

3 折り目の部分がある適度とおったら、指を離します。

●わきをとじる

6 そのまま同じ糸で、わきのすくいとじをします（ここではわかりやすいように糸の色を変えて説明します）。下側の編み地の端目から１目内側の横に渡った糸を、とじ針ですくいます。

7 とじ針を引き抜いて、糸を引きます。

8 上側の編み地も、同じように端目から１目内側の横に渡った糸を、とじ針ですくいます。

9 とじ針を引き抜いて、糸を引きます。

10 以降、同じ要領で、左右の編み地の目を交互にすくって、とじていきます。

11　２目一度を始めたところまできたら、すくう位置を半目ずらしてとじていきます。

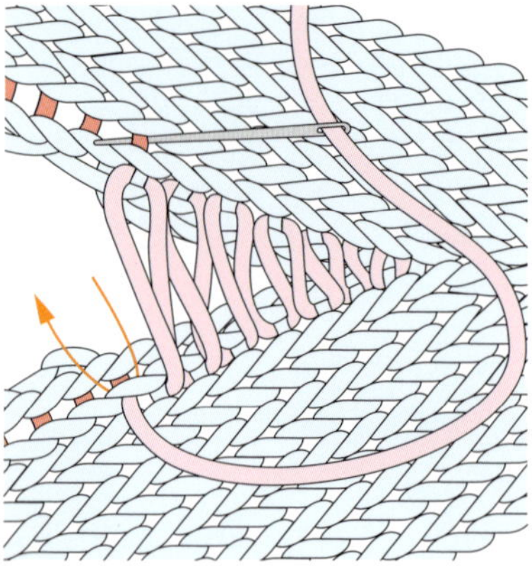

下側の編み地は半目外側をすくう

正しい例

間違った例

上側の編み地は半目内側をすくう

正しい例

間違った例

12　以降、半目ずらしたところをすくって端までとじていきます。

２目一度のところから、半目ずれたところをとじているのがわかります。

13　すくいとじが端まで終わったところです。

STEP 8 糸始末をする

とじ終わったら、糸がほどけないように、最後に糸始末をします。

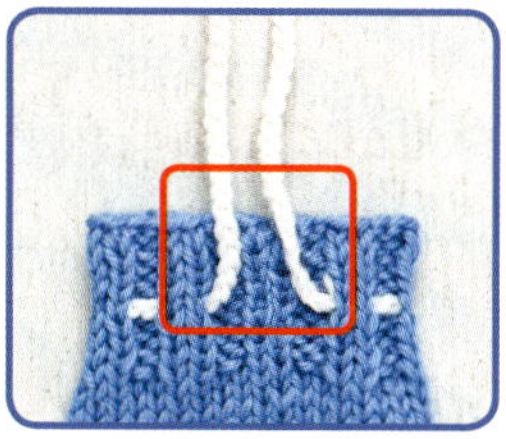

1 編み地の裏側で、とじ代の口の部分の糸を1～2回すくい、糸がほどけないようにしっかりと糸を引き締めます。

2 とじ代の端の糸を割り（糸のよりの間をくぐらせる）ながら、とじ針ですくいます。

3 4cmくらい糸を通したら、5mmほど残して、糸を切ります。

STEP 9 鎖ひもをつける

仕上げに、鎖編みで編んだひもを、ポーチの口の部分に通します。

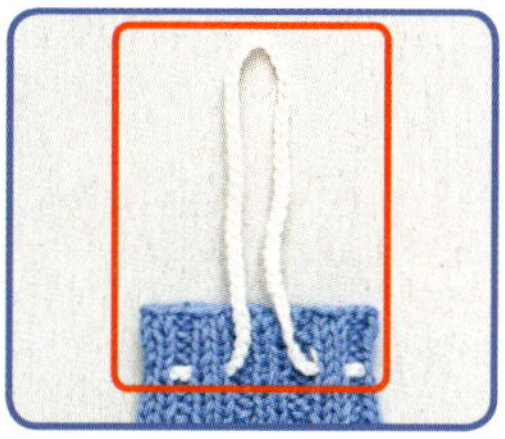

きつめに鎖編みを編んで、適当な長さの鎖ひもを用意しておきます。鎖ひもをとじ針に通して、編み図の指定の位置に通します。

でき上がり！

• テクニック編 •

棒針編みの基本的な編み方をマスターしたら、今度は作品を編むときに必要な、さまざまなテクニックを取り入れて、作品作りの幅を広げていきましょう。なかでも、よく使われる方法ばかりを集めて、初心者にもわかりやすく、丁寧にステップを追って解説しました。編んでいてつまずいたときなどにも、ぜひこのページを活用してください。

ガーター編みと2目ゴム編みのミニマフラー（作り方と編み図p.156～157）

スモッキングのバッグ（作り方と編み図p.158〜161）

1 編み込み模様を編む

糸の色を替えることで、さまざまな模様を編み込むことができます。これを「編み込み模様」といいます。模様によって、裏側の糸の渡し方が異なります。それぞれの模様に適した編み方を選びましょう。

縦に糸を渡す編み込み模様

縦縞模様や縦に模様が並んでいる場合など、編み地の裏側に縦に糸を渡して編む方法です。糸を替える分だけ、別の糸玉を用意して編みます（ここでは地糸A・地糸B・配色糸の3つの糸玉を使っています）。

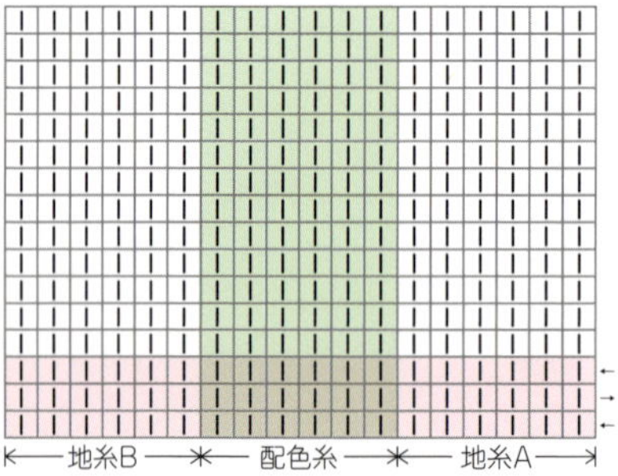

※ピンクで示した部分は、手順写真で説明しているところで、右端の矢印は、編む方向を表しています。

表側を見て編む段

1 ここでは、別鎖の作り目で編んでいきます。色を替える目のところまできたら、写真のように、配色糸（グリーンの糸）を左手にかけます。

2 鎖編みの裏山に右針を入れ、配色糸をかけて、糸を引き出します。

3 糸を引き出して、配色糸の目が1目編めました。

4 続けて必要な目数を編みます。ここでは、配色糸で6目編んだら、再び地糸（白い糸）に替えます。色を替えるところまできたら、1で編んでいた（地糸A）のとは別の白い糸（地糸B）を左手にかけて、2〜3と同様に編みます。

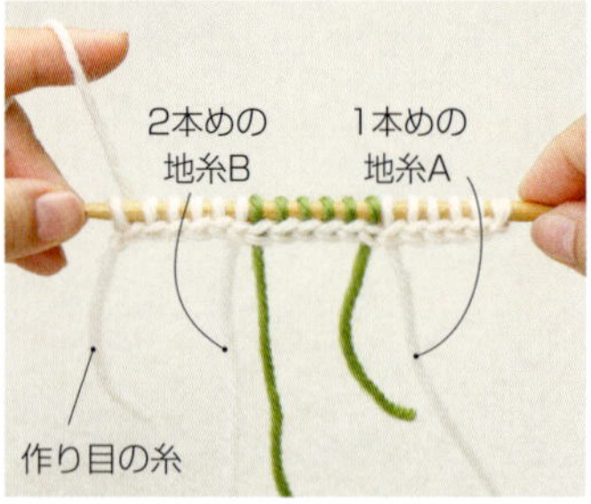

5 1段めが端まで編めました。

裏側を見て編む段

6 裏に返して、配色糸に替えるところでは、地糸Bを配色糸ではさんで、裏目を編みます。

7 配色糸で裏目が編めました。

8 地糸Aに替えるところでは、配色糸を地糸Aではさんで、裏目を編みます。

9 地糸Aで裏目が1目編めました。

10 2段めが編めたところです。

表側を見て編む段

11 表に返して、配色糸に替えるところでは、配色糸の上に地糸Aをのせるようにしてはさみ、表目を編みます。

12 配色糸で表目が1目編めました。

13 地糸Bに替えるところでは、地糸Bに配色糸をのせるようにしてはさみ、表目を編みます。

14 3段めが編めたところです。

15 以降、6〜13の要領で、模様を編んでいきます。

横に糸を渡す編み込み模様

模様が横に並んでいる場合や、細かな模様を編み込むときの編み方です。編み地の裏側で横に糸が渡ります。

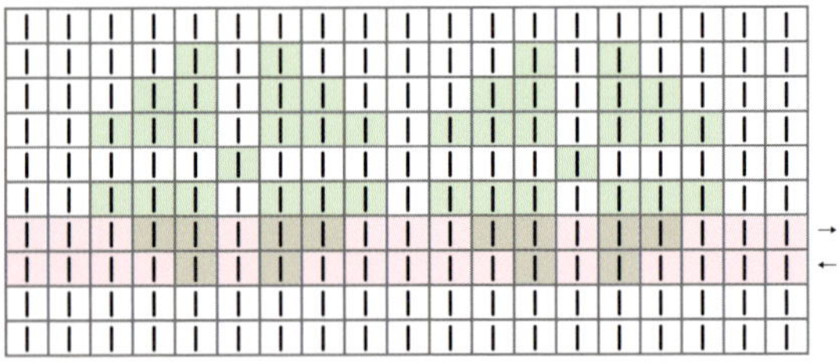

表側を見て編む段

1 模様を編み込む段の最初の目を編むとき、写真のように地糸（白い糸）に配色糸（グリーンの糸）をのせるようにしてはさんでから、表目を編みます。

2 配色糸で編む目では、右針を手前側から入れたあと、配色糸を向こう側から手前側にかけて、表目を編みます。

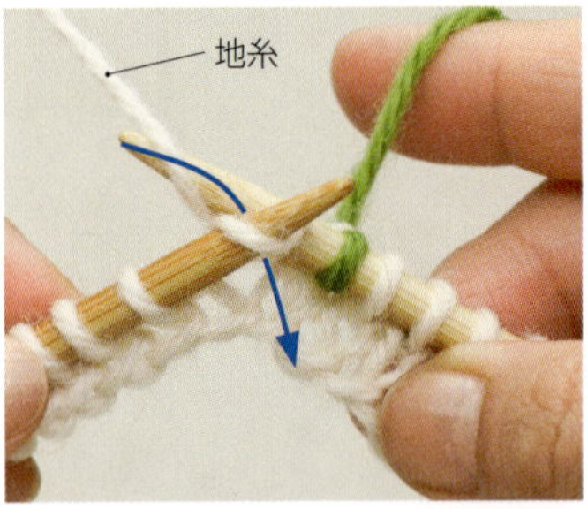

3 地糸で編むところでは、写真のように右針で地糸をかけて表目を編みます。

裏側を見て編む段

4 端まで編めたら、編み地を裏返します。最初の目を編むとき、写真のように地糸に配色糸をのせるようにしてはさんでから、裏目を編みます。

5 2段めの最初の裏目が編めたところです。配色糸が横に渡っているのがわかります。

6 配色糸で編む目では、右針を向こう側から入れたあと、配色糸を右針へ向こう側から手前側にかけて、裏目を編みます。

7 2段めが端まで編めたところです。

8 以降、1～6の要領で、模様を編みます。

Column 糸が横に長く渡る場合

横に糸を渡す編み込み模様で、柄が離れていて、裏側で横に糸が長く渡ってしまう場合は、渡り糸の途中で編み地にからめながら編んで、糸が引っかからないようにします。

裏側を見て編む段

1 横に渡った糸の適当な長さ（3～4目）のところで、渡る糸（ここではグリーンの糸）を、写真のように右針に乗せます。

2 渡る糸をはさむようにして、地糸で裏目を編みます。

3 裏目が編めました。渡り糸が編み地にからめられているのがわかります。

4 編み上がった編み地の裏側です。しるしの部分が糸をからめて編んだ部分です。

編みくるむ編み込み模様

カウチン編み（カナダの伝統的なセーターの編み方）などに用いられる方法で、裏側に糸を渡さず、渡り糸を編みくるみながら編んでいきます。

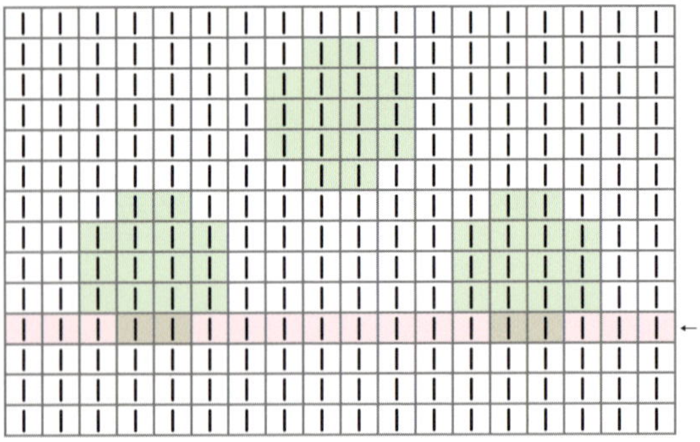

表側を見て編む段

1 編み地の端でp.48の 1 のように糸端をはさみ、模様を編む段にきたら、2目めで、裏に渡る糸（ここでは配色糸）を右針の上において、表目を編みます。

2 糸を引き出したところです。

3 3目めでは、裏に渡る糸を下において、表目を編みます。

4 糸を引き出したところです。

5 配色糸に替えるところでは、写真のように地糸を下において、表目を編みます。

6 次の目では、裏に渡る糸(ここでは地糸)を右針の上において表目を編みます。

7
同じように繰り返して、段の端まで編めました。写真は、裏側から見たところです。糸が編みくるまれているのがわかります。裏側を見て編む段も同じ要領で編みます(p.49のコラム1～3参照)。

8
以降、裏に渡る糸を上下交互におきながら、模様を編みます。

2 目を増やす

編み地の幅を広げるために、目数を増やすことを「増し目」といいます。デザインや素材に応じて、増やした目ができるだけ目立たない方法を選びます。

端で1目増やす

もっとも一般的な増し目の方法です。左右の端の目を1目立てて（端から1目内側で）増し目をすると、とじやはぎがしやすくなります。

●表目

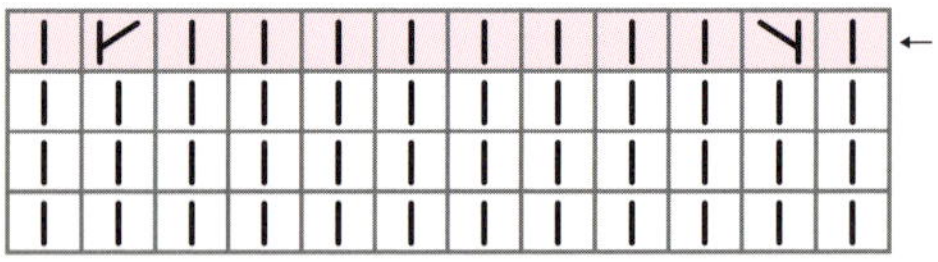

編み始め側

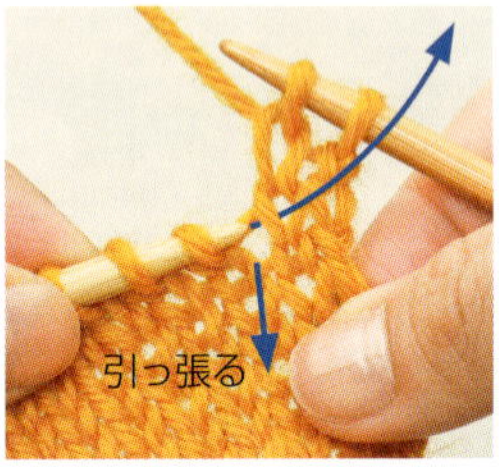

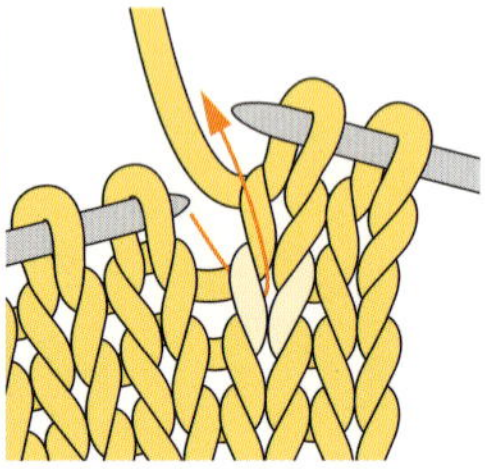

1 表目2目を編んだら、2目めの1段下の目に、矢印のように左針を入れて引き上げます。このとき、右手で編み地を下方向に少し引っ張ると、目が広がって、針が入れやすくなります。

2 引き上げた目を表目で編みます。

3 1目、増し目ができました。

編み終わり側

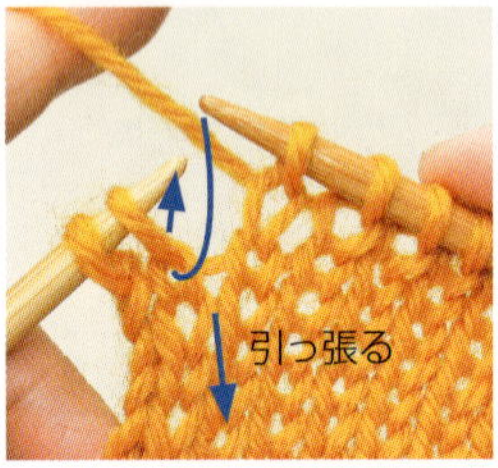

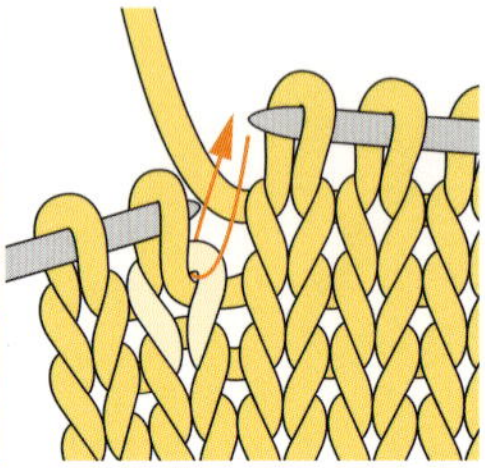

4 左端の2目手前まで編んだら、1段下の目に、矢印のように右針を入れて引き上げます。このとき、1と同様に編み地を下方向に少し引っ張ると、針が入れやすくなります。

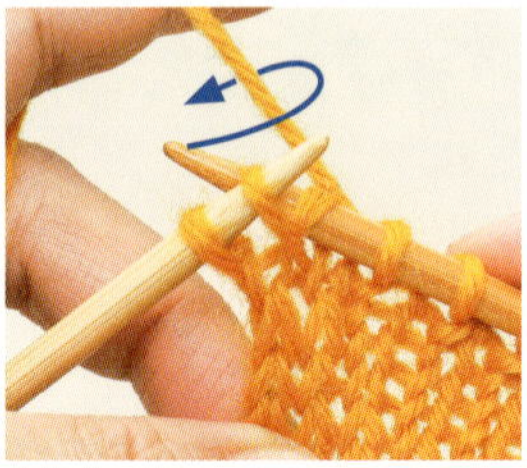

5 引き上げた目を表目で編みます。

6 表目が編めて、1目、増し目ができました。

7 端まで編めたところです。

8 両側で1目ずつ増し目ができました。

●裏目

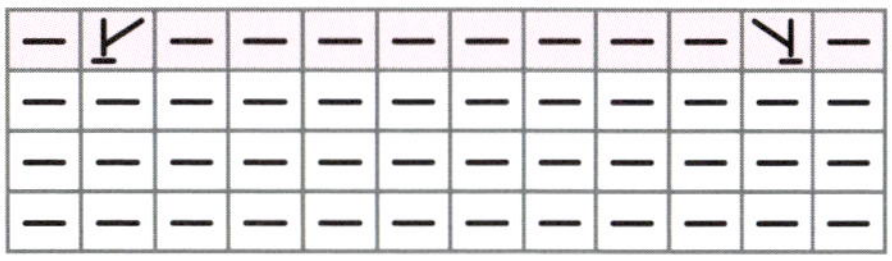

編み始め側

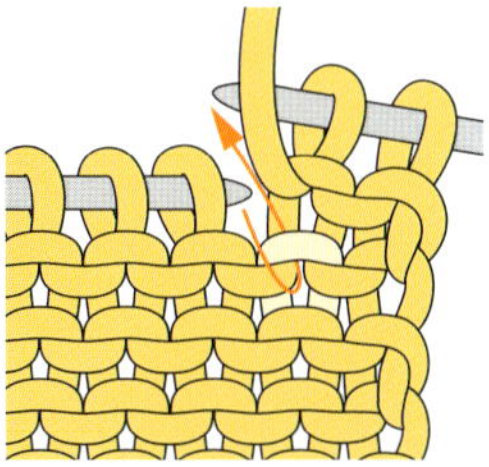

1　裏目２目を編んだら、２目めの１段下の目に、矢印のように左針を入れて引き上げます。

2　引き上げた目を裏目で編みます。

編み終わり側

3　１目増し目ができました。

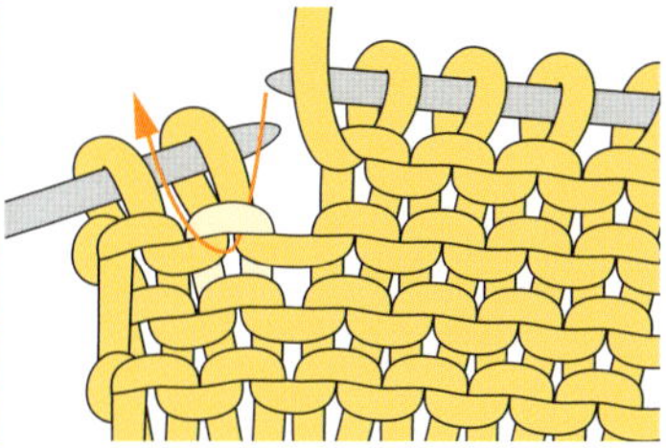

4　左端の２目手前まで編んだら、１段下の目に、矢印のように右針を入れて引き上げます。

5　引き上げた目を裏目で編み、１目増し目ができました（写真右）。

6　端まで編めたところです。

7　両側で１目ずつ増し目ができました。

ねじり増し目

「端で 1 目増やす方法」に比べて、目立たずに目を増やすことができます。細めの糸に向いています。

●表目

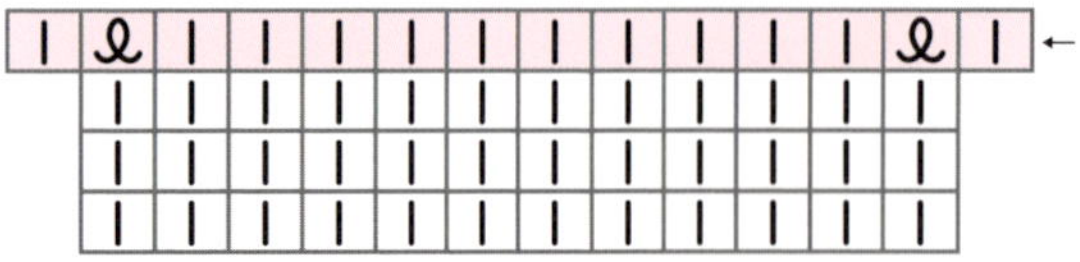

編み始め側

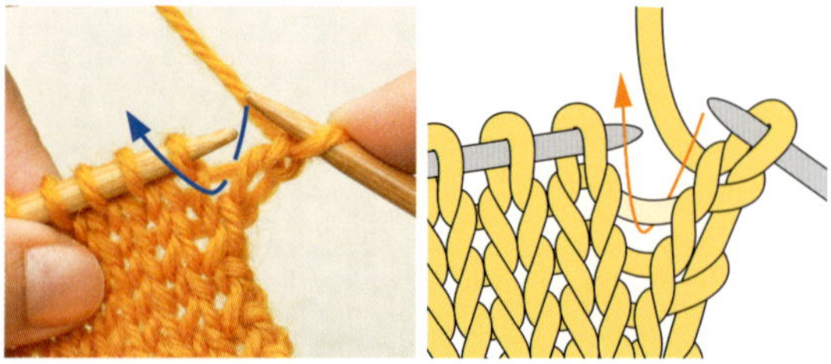

1 表目を 1 目編んだら、横に渡る糸を、図のように右針で引き上げます。

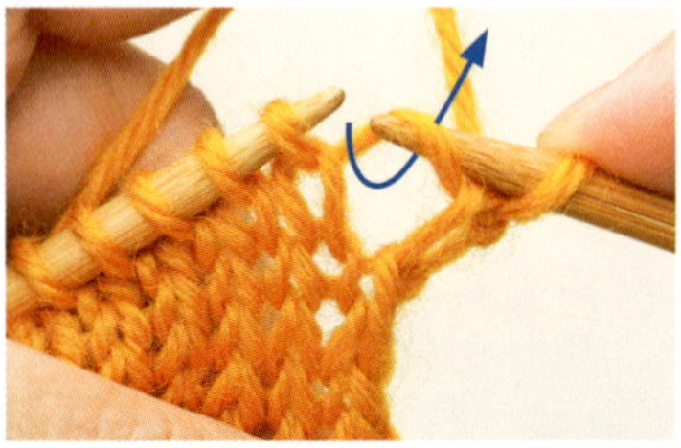

2 引き上げた目を、編まずに左針へ移します。

3 左針へ移した目に向こう側から右針を入れ（写真左）、糸をかけてねじり目（表目）を編みます（写真右）。

4 ねじり増し目が編めました。

編み終わり側

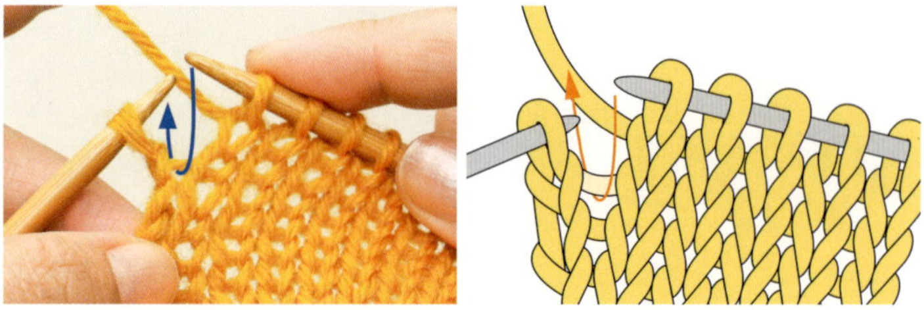

5 左端の 1 目手前まで編んだら、横に渡る糸を、図のように右針で引き上げます。

6 引き上げた目を、編まずに左針へ移します。

7 左針へ移した目に、手前から右針を入れ（写真左）、糸をかけて、ねじり目を編みます（写真右）。

8 ねじり増し目が編めました。

9 最後の1目は表目で編み、両側で1目ずつねじり増し目ができました。

●裏目

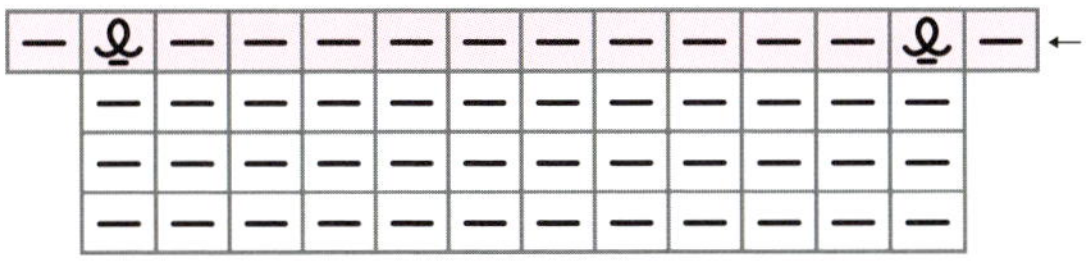

編み始め側

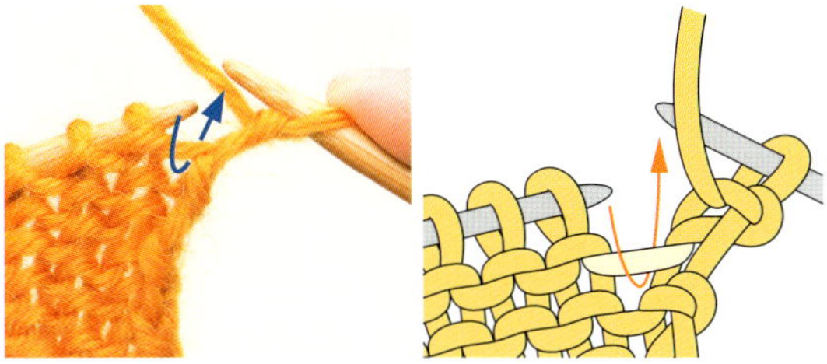

1 裏目を1目編んだら、横に渡る糸を、図のように左針で引き上げます。

2 引き上げた目に、図のように、右針を入れます。写真右は、右針を入れたところです。

3 糸をかけてねじり目を編み、裏目のねじり増し目が編めました。

編み終わり側

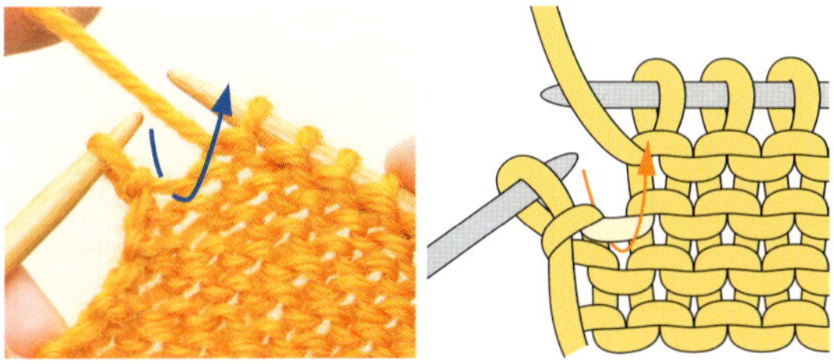

4 左端の1目手前まで編んだら、横に渡る糸を、矢印のように左針で引き上げます。

5 引き上げた目に、矢印のように向こう側から右針を入れ（写真左）、糸をかけてねじり目を編みます（写真右）。

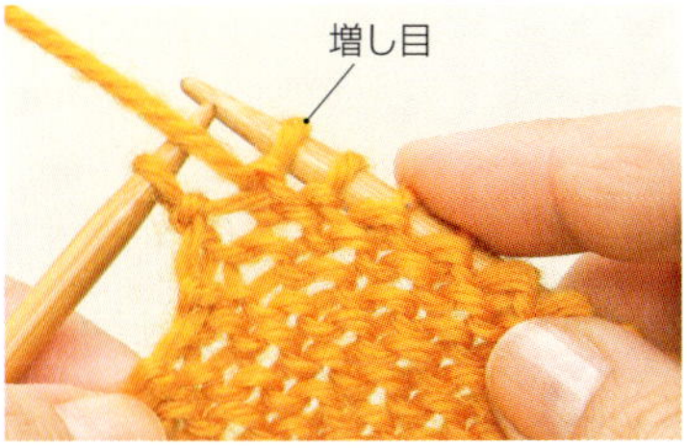

6 裏目のねじり増し目が編めました。

7 両側で1目ずつ裏目のねじり増し目ができました。

かけ目とねじり目で増やす

仕上がりは「ねじり増し目」と同じですが、目を増やす段でかけ目をして、次の段でその目をねじるので、ウールなどの太い糸に適した方法です。

●表目

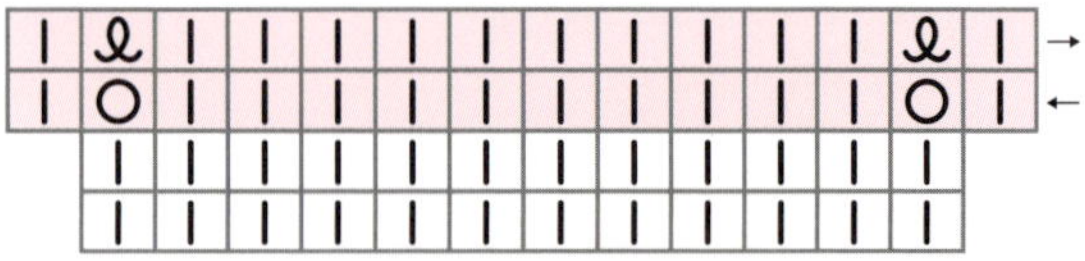

編み始め側：表側を見て編む段

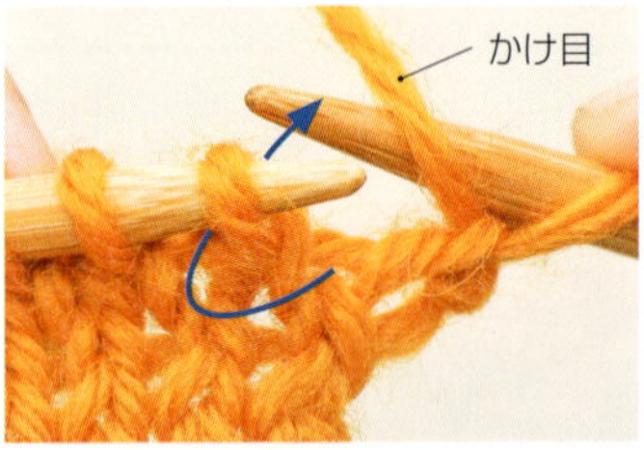

1 表目を１目編んだら、かけ目をして、表目を編みます。

2 表目が編めたところです。

編み終わり側：表側を見て編む段

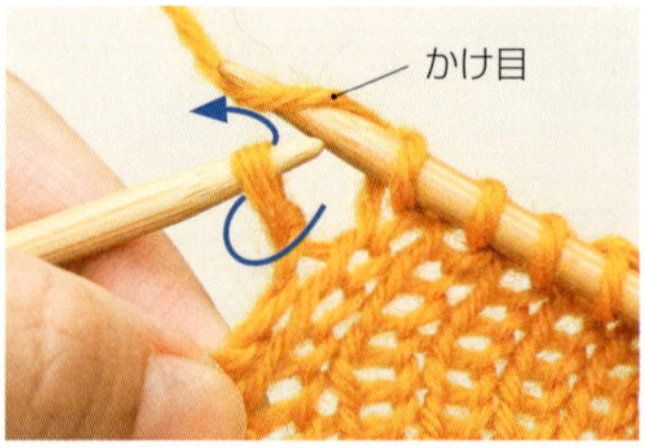

3 左端の１目手前まで編んだら、かけ目をして、最後の１目を表目で編みます。

4 最後の１目を表目で編んだところです（写真左）。段の両端１目内側でかけ目ができました（写真右）。

編み終わり側：裏側を見て編む段

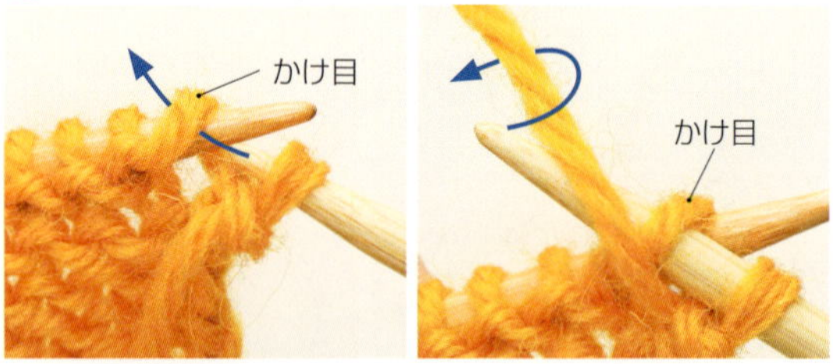

5 編み地を裏返して、１目めは裏目を編み、かけ目をした目に矢印のように右針を入れ（写真左）、糸をかけて裏目のねじり目を編みます（写真右）。

6 裏目のねじり目が編め、１目増し目ができました。

編み始め側：裏側を見て編む段

7 左端の2目手前（＝前段でかけ目をした目の手前）まで編んだら、矢印のように、右針を入れます。写真右は、右針を入れたところです。

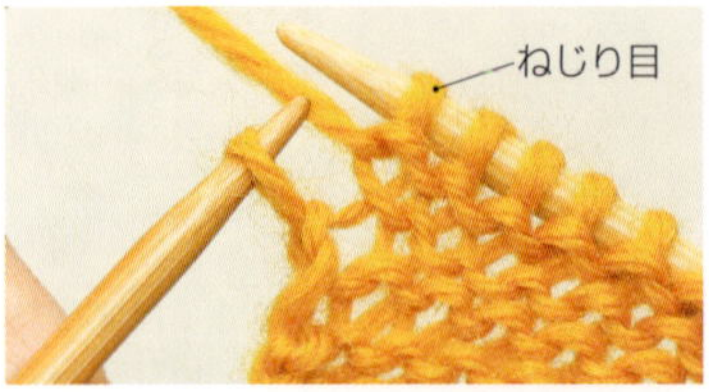

8 糸をかけて裏目のねじり目を編み、１目増し目ができました。

9 最後の１目を裏目で編んだところです（写真左）。段の両端の1目内側で1目ずつ増し目ができました（写真右）。

●裏目

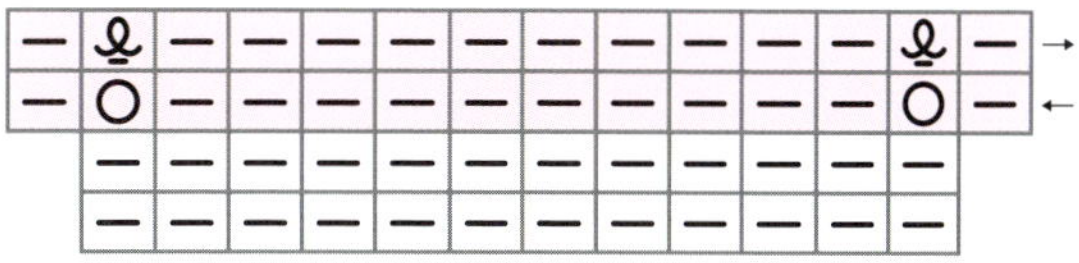

編み始め側：表側を見て編む段

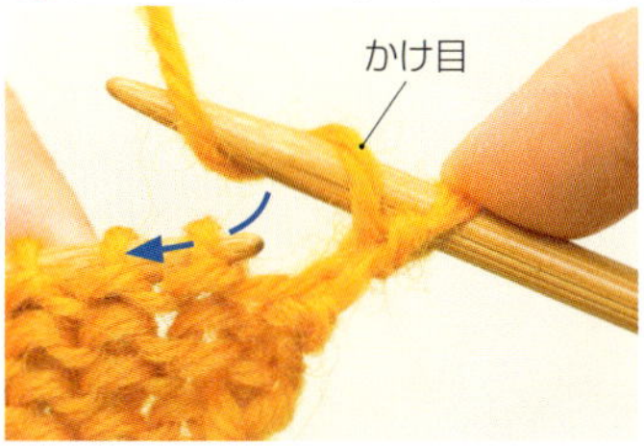

1 裏目を１目編んだら、かけ目をして、裏目を編みます。

2 裏目が編めたところです。

編み終わり側：表側を見て編む段

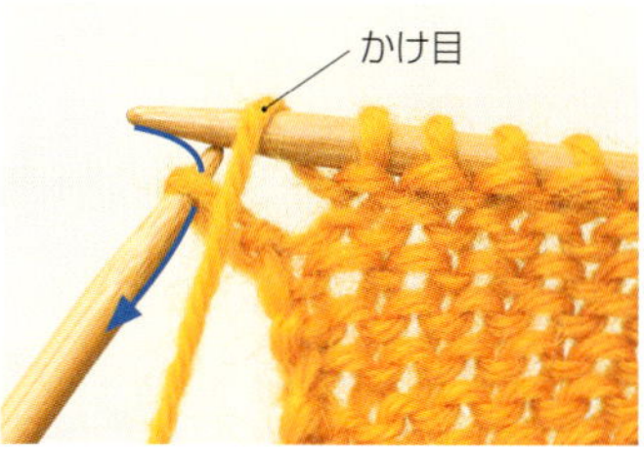

3 左端の１目手前まで編んだら、かけ目をして、最後の1目を裏目で編みます。

4 最後の1目を裏目で編んだところです（写真左）。段の両端１目内側でかけ目ができました（写真右）。

編み終わり側：裏側を見て編む段

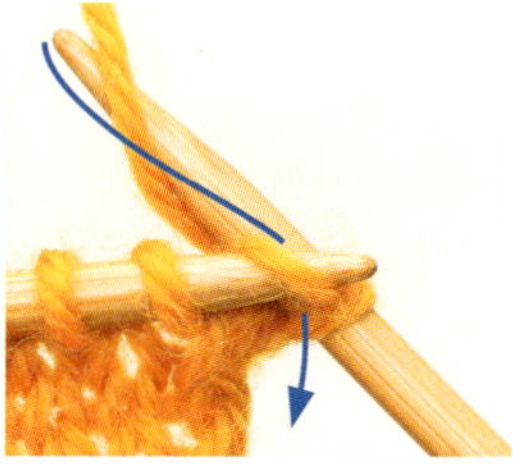

5 編み地を裏返して、1目めは表目を編み、かけ目をした目に矢印のように右針を入れ（写真左）、糸をかけてねじり目を編みます。

6 ねじり目が編め、1目増し目ができました。

編み始め側：裏側を見て編む段

7 左端の２目手前（＝前段でかけ目をした目の手前）まで編んだら、矢印のように右針を入れます。写真右は、右針を入れたところです。

8 糸をかけてねじり目を編み、１目増し目ができました。

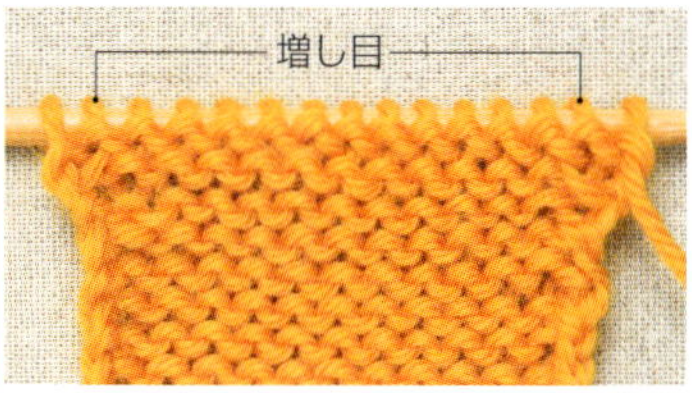

9 最後の１目を表目で編んだところです（写真左）。段の両端の１目内側で1目ずつ増し目ができました（写真右）。

巻き目の増し目

端で2目以上増やす場合の方法です。増やしたい目数の分だけ、糸を巻きつけて目を増やします。
端で２目以上増やすときは、増し目ができる段は両端で１段ずれます。

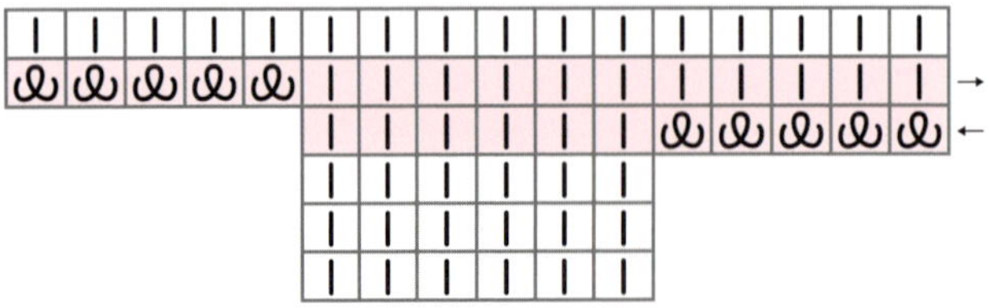

編み始め側：表側を見て編む段

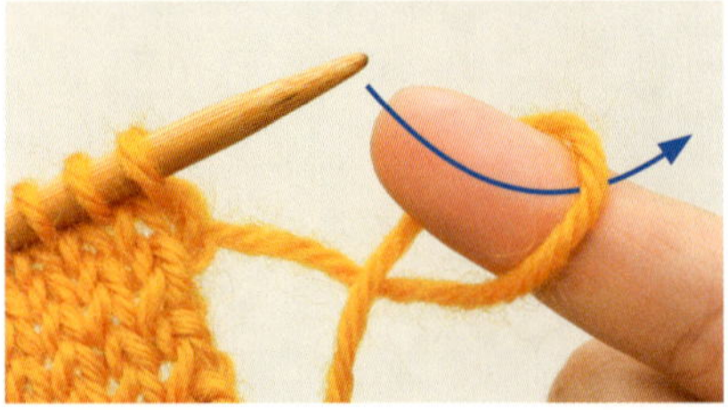

1 段のはじめで、写真のように右手で糸をひねって、右針にかけます。

2 １目巻き目ができました。巻き目がゆるまないよう、糸端はしっかり引きます。

3 同じ要領で、必要な数の巻き目を作ります。ここでは、５目増やします。

4 表目を編みます。巻き目の部分の表目が編め、５目増し目ができました。

編み終わり側：表を見て編む段

5 端まで編めたら、写真のように左手で糸をひねって、右針にかけます。

6 １目巻き目ができました。巻き目がゆるまないように、糸端はしっかり引きます。

7 同じ要領で、必要な数の巻き目を作ります。ここでは、５目増やします。

編み終わり側：裏を見て編む段

8 編み地を裏返して、裏目を編みます。巻き目の部分の裏目が編め、５目増し目ができました。

別鎖の増し目

端で２目以上増やす場合で、あとから目をほどく必要があるときに別に編んだ鎖目を使って作り目をする方法です。巻き目の増し目と同様に、端で２目以上増やすときは、増し目ができる段は両端で１段ずれます。

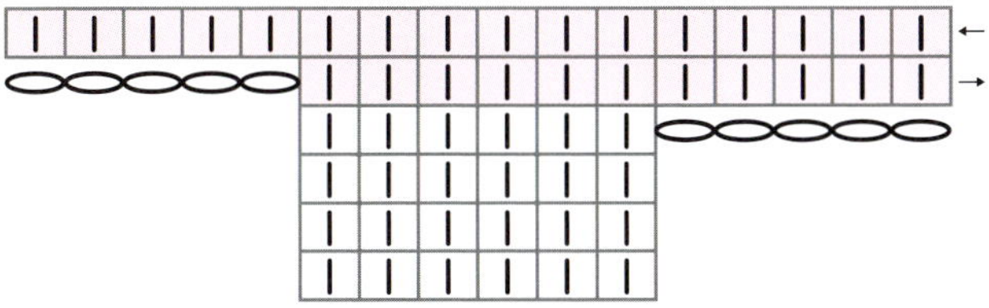

編み始め側：裏側を見て編む段

1 編み地の右端で増し目をするときは、裏側を見て編む段で操作します。編んでおいた別鎖の裏山から、必要な目数を拾います。

2 １目拾えたところです。

3 同じ要領で、必要な目数を拾います。ここでは、5目増し目ができました。

編み終わり側：表側を見て編む段

4 編み地の左端で増し目をするときは、表側を見て編む段で操作します。編んでおいた別鎖の裏山から、必要な目数を拾います。

5 1目拾えたところです。

6 同じ要領で、必要な目数を拾います。ここでは、5目増し目ができました。

3 目を減らす

編み地の幅を狭くするために、目数を減らすことを「減らし目」といいます。デザインや素材で、減らした目ができるだけ目立たない方法を選びます。

端で1目立てて減らす

上下の目のつながりを崩さないでそのまま通すことを「目を立てる」といいます。端目を立てることでとじ代ができ、はぎ・とじがしやすくなります。

●表目

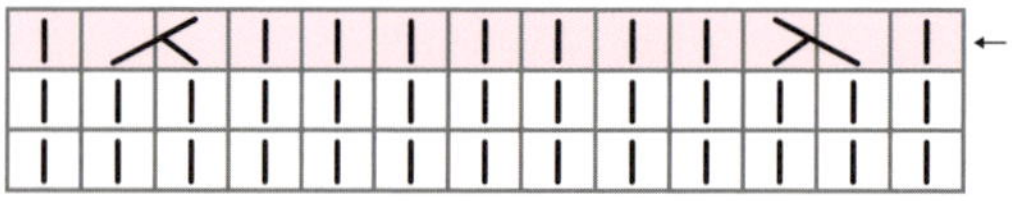

編み始め側

1 表目を1目編んだら、矢印のように、2目めと3目めに順番に右針を入れて、右針へ目を移します。

2 移した2目に、矢印のように左針を入れます。

3 2目一緒に、表目を編みます（右上2目一度）。

4 右上2目一度が編めて、1目減らし目ができました。

編み終わり側

5 左端の3目手前まで編んだら、矢印のように、2目に右針を入れます。

6 2目一緒に、表目を編みます（左上2目一度）。

7 左上2目一度が編めて、1目減らし目ができました。

8 最後の1目を表目で編んで、両端で1目ずつ減らし目ができました。

●裏目

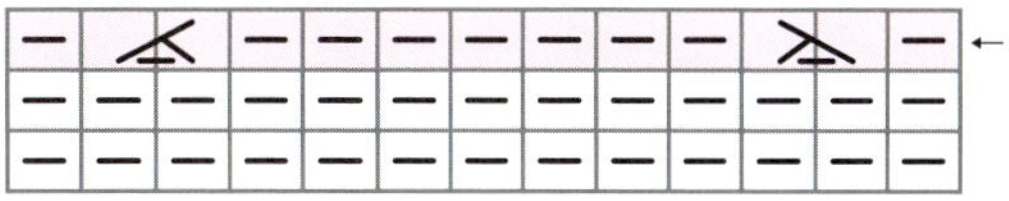

編み始め側

1 裏目１目を編んだら、矢印のように、２目めと３目めに順番に右針を入れて、右針へ目を移します。

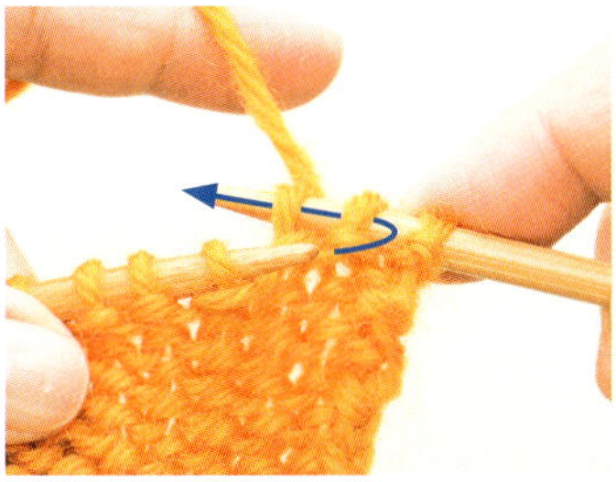

2 移した2目に、矢印のように左針を入れて、左針へ戻します。

3 戻した２目一緒に、裏目を編みます（裏目の右上２目一度）。

4 裏目の右上2目一度が編めて、１目減らし目ができました。

編み終わり側

5 左端の３目手前まで編んだら、矢印のように、2目に右針を入れます。

6 2目一緒に、裏目を編みます（裏目の左上2目一度）。

7 裏目の左上2目一度が編めて、1目減らし目ができました。

8 最後の1目を裏目で編んで、両端で1目ずつ減らし目ができました。

端で減らす

端で減らしているので、とじたときに、減らした目がとじ代に入って、目立ちにくくなります。袖ぐりや襟ぐりなどに向いている方法です。

●表目

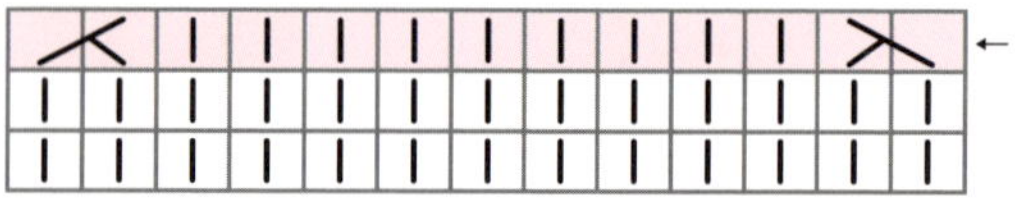

編み始め側

1 最初の2目は矢印のように順番に右針を入れて、編まずに右針へ移します。

2 移した2目一緒に、矢印のように左針を入れます。

3 2目一緒に、表目を編みます(右上2目一度)。

4 右上2目一度が編めて、1目減らし目ができました。

編み終わり側

5 左端の2目手前まできたら、矢印のように、2目一緒に右針を入れます。

6 2目一緒に、表目を編みます(左上2目一度)。

7 左上2目一度が編めて、1目減らし目ができました。

8 両端で1目ずつ減らし目ができました。

●裏目

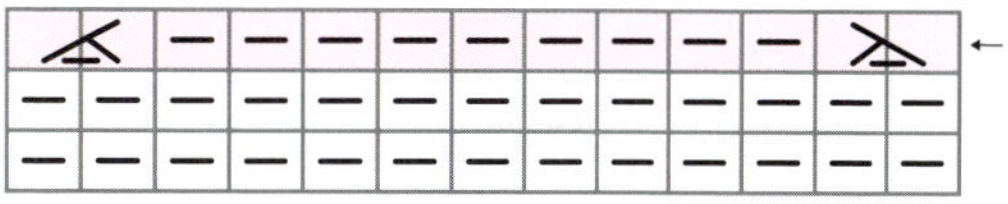

編み始め側

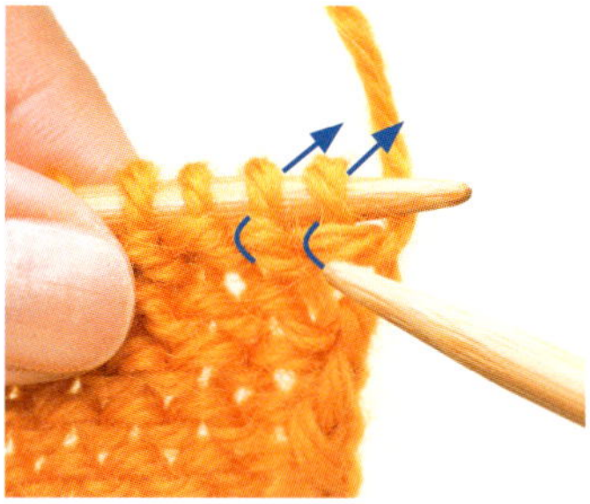

1
最初の2目は矢印のように順番に右針を入れて、編まずに右針へ移します。

2
移した２目一緒に、矢印のように左針を入れ、右針を抜きます。

3
2で戻した2目一緒に、裏目を編みます（裏目の右上2目一度）。

4
裏目の右上2目一度が編めて、1目減らし目ができました。

編み終わり側

5
左端の2目手前まできたら、矢印のように、2目に右針を入れます。

6
2目一緒に、裏目を編みます（裏目の左上2目一度）。

7
裏目の左上2目一度が編めて、1目減らし目ができました。

8
両端で1目ずつ減らし目ができました。

伏せ目の減らし目

端で2目以上減らすときの方法です。減らしたい目数の分だけ、伏せ目をして減らします。端で２目以上減らすときは、両端で減らし目ができる段は１段ずつずれます。

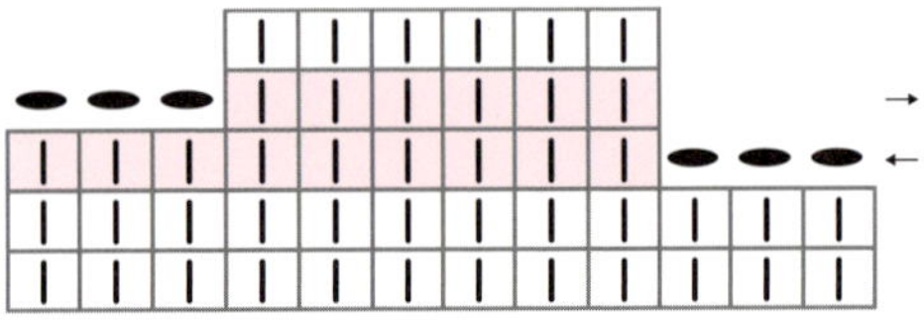

編み始め側

1 表目を2目編んだら、矢印のように、右側の目に左針を入れます。

2 右側の目を左側の目にかぶせます。

3 伏せ目が１目できました。

4 以降､｢表目を編んで、右側の目をかぶせる」を繰り返し、減らしたい目数だけ伏せ目をします。ここでは３目伏せ目をしました。

編み終わり側

5 左側で減らすときには、編み地の裏側で減らします。裏目を2目編んだら、矢印のように、右側の目に左針を入れます。

6 右側の目を左側の目にかぶせます。

7 伏せ目が1目できました。

8 以降､｢裏目を編んで、右側の目をかぶせる」を繰り返し、減らしたい目数だけ伏せ目をします。ここで３目伏せ目をしました。

9 両端で3目ずつ減らし目ができたところです。

Column ゲージを確認しましょう

編み物は、同じ糸を使って、同じ目数・同じ段数を編んだとしても、編む人の手加減によって、編み目の密度にばらつきが出ます。そのために、各作品の編み方などには標準的な編み目の密度として、10 × 10cm の編み地の中に編まれている目数・段数を「ゲージ」として示しています。
作品を編むときは、15cm ぐらいの正方形を試し編みして、ゲージを測りましょう。ウエアなどを希望のサイズに編む場合は、ゲージの 1/10 が 1cm の目数となるので、編みたい寸法とかけ算をして、だいたいの目安を割り出すことができます。

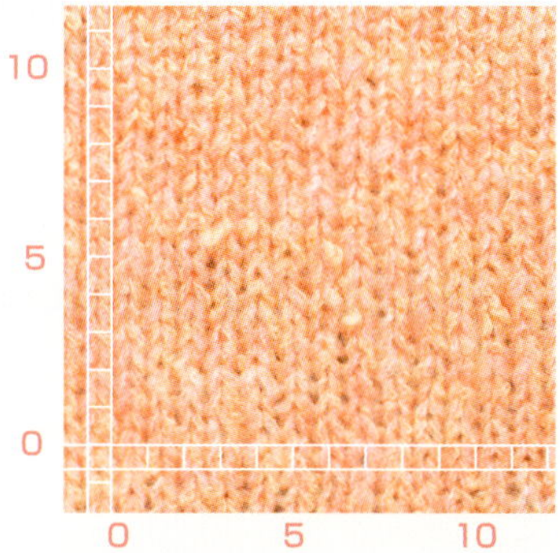

一般的には、10×10cmの中にある目数・段数をゲージとして示します。

ゲージを測るときは、編み地にスチームアイロンをかけて編み目を落ち着かせてから、ものさしやメジャーを当てて、10cmの中にある目数・段数を数えます。ゲージ用の試し編みにアイロンをかけるときには、ピンは打ちません。

Column アイロンのかけ方

編み地にアイロンをかけることで、目が落ち着いて、とじ・はぎや拾い目などのときに目が拾いやすくなります。
また、作品が編み上がったあとにも、アイロンをていねいにかけることで、仕上がりの美しさが違ってきます。

1 アイロン台に編み地を裏返しておき、でき上がりサイズに、フォークピン（またはまち針）をアイロン台と30度ぐらいの角度で斜めに打ちます。

2 スチームアイロンを、編み地から少し浮かせるようにして当てて、形を整えます。熱が冷めて編み地が落ち着いたらフォークピンをはずします。

4 引き返し編みを編む

目を増やしたり、減らしたりする方法の応用で、編み地を斜線に編む方法です。セーターの肩下がりや靴下のかかとなどを編む際には、必須のテクニックです。

編み進む引き返し編み

編み目の数を増やしながら編み進んでいき、斜線に編む方法です。編み進みながら、段消しをします。編み目の数を増やす箇所は、編み地の右端は表側で、左側は裏側でするので、左右で１段ずつずれることになります。

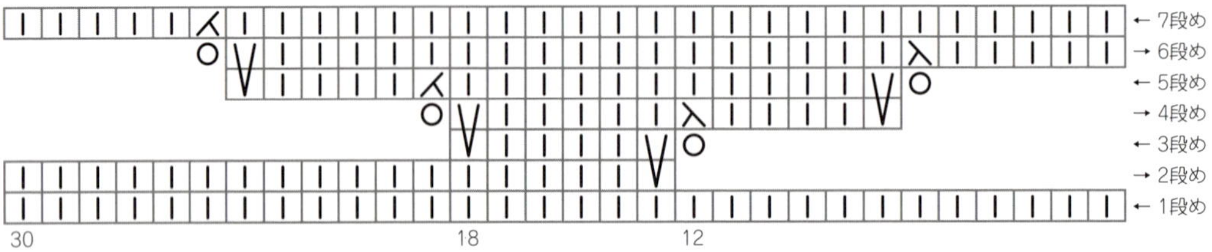

＊この編み方図には、わかりやすいように2目一度の記号を書いてありますが、引き返し編みでは「段消し」(かけ目を、２目一度をして、段の境目を目立たなくすること)を必ずするので、本によっては2目一度の記号が書かれていない場合もあります。

２段め・裏側を見て編む段

1 1段めは、30目作り目をします。裏返して、2段めで裏目を18目編んだところです。

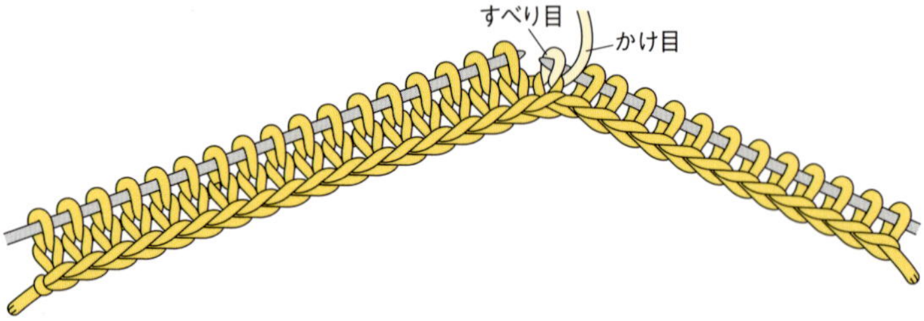

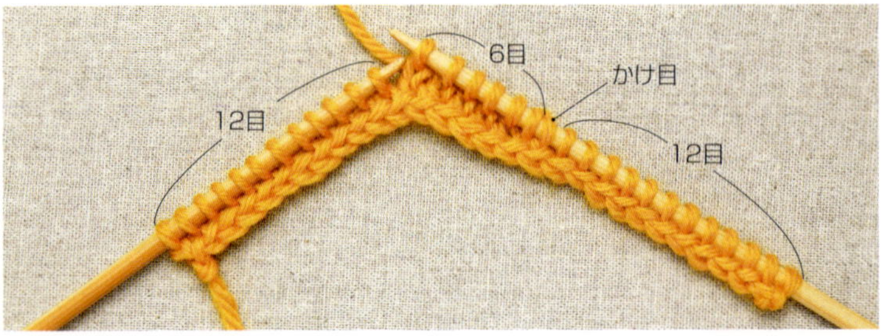

３段め・表側を見て編む段

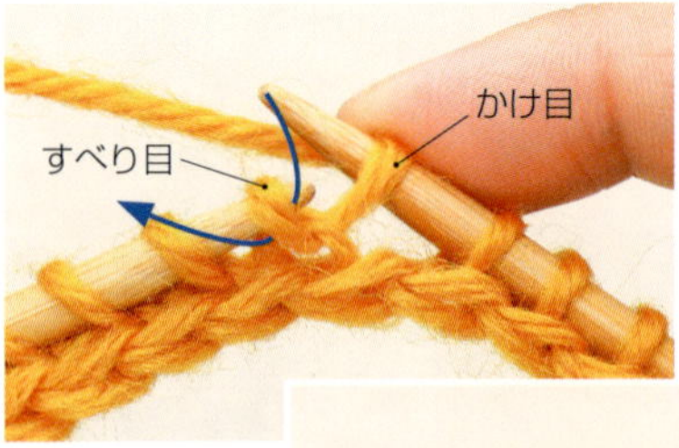

2 編み地を表に返して、かけ目をし、次の目に矢印のように右針を入れて(写真左上)、すべり目(編まずに右針へ移す)をします(写真右下)。

3 続けて５目、表目を編みます(すべり目を入れて６目になるように)。

4段め・裏側を見て編む段

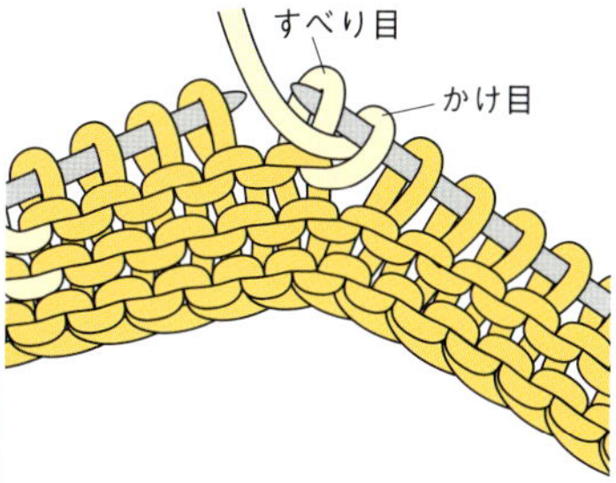

4 編み地を裏に返して、かけ目をし、矢印のように右針を入れて（写真左）、すべり目をします（写真右）。

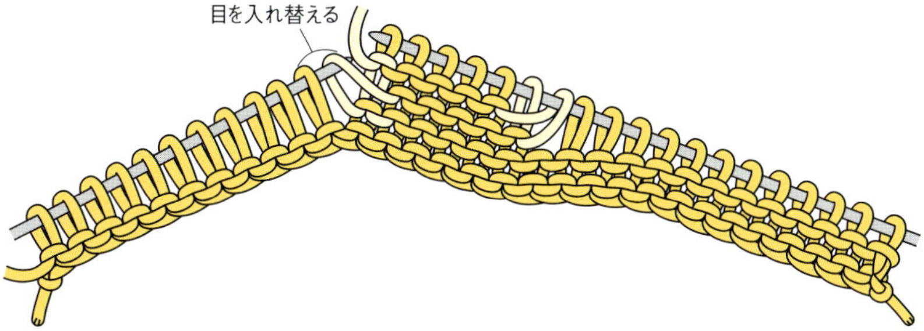

5 前の段ですべり目をした目まで、裏目を編みます。このあとの6〜7で、
次の2目を入れ替えます。

6 右側の目に矢印のように右針を入れて、編まずに右針へ移します（写真左）。
次の目も同じ要領で、右針へ移します（写真右）。

7 右針に移した2目に、矢印のように左針を入れて、
目を左針へ戻します。

8 左針の2目の順番が入れ替わりました。入れ替えた
2目一緒に、矢印のように右針を入れます。

9 2目一緒に、裏目を編みます。

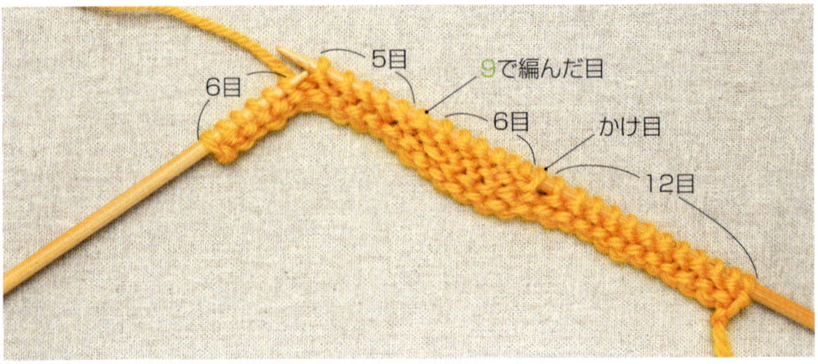

10 続けて５目、裏目を編みます。

5段め・表側を見て編む段

11 編み地を表に返して、2と同じ要領で、かけ目とすべり目をします。

12 前の段ですべり目をした目まで表目で編み、次の2目に矢印のように右針を入れます（下のイラスト参照）。

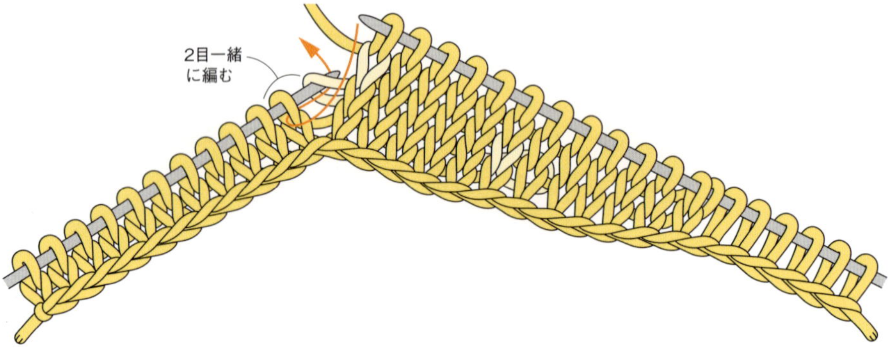

13 2目一緒に、表目を編みます。

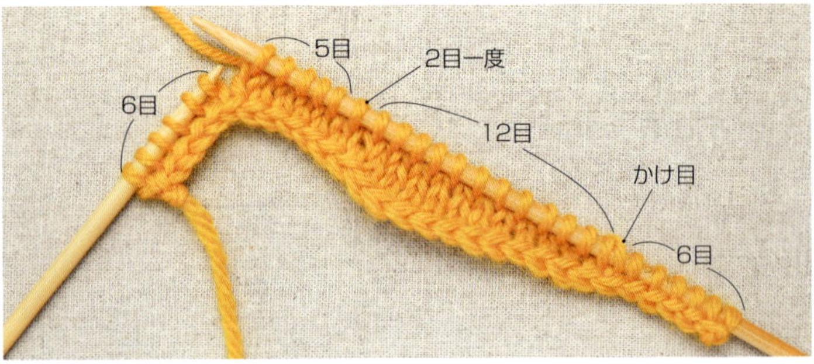

14 続けて5目、表目を編みます。

6段め・裏側を見て編む段

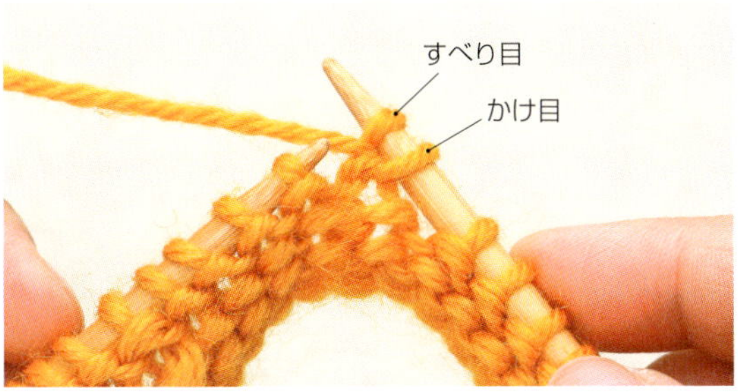

15 編み地を裏返して、4と同じ要領で、かけ目とすべり目をします。

16 前の段ですべり目をした目まで裏目を編み、6〜7の要領で、次の2目を入れ替えます。

17 2目を入れ替えてから、2目一緒に裏目を編みます。

18 続けて、端まで裏目を編みます。

7段め・表側を見て編む段

19 編み地を表に返して、前の段ですべり目をした目まで表目を編み、次の2目に矢印のように右針を入れて、2目一緒に表目を編みます。

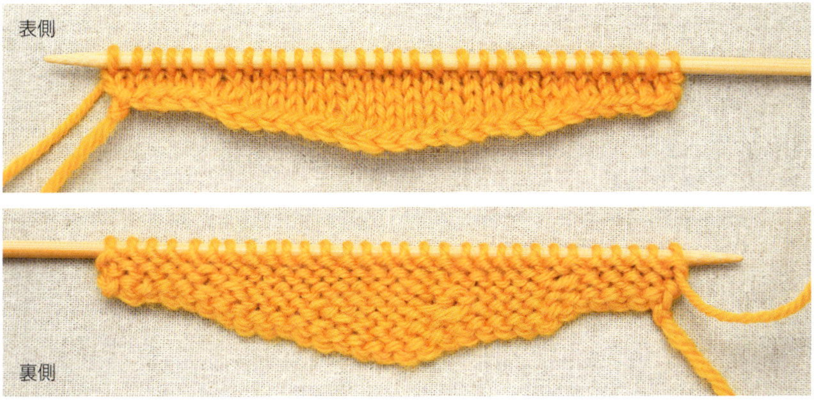

20 続けて、端まで表目を編んで、引き返し編みができました。

編み残す引き返し編み

編み目を編み残しながら減らしていき、斜線に編む方法です。一番最後に全目を通して１段編んで段消しをします。編み残す箇所は、必ず編み終わり側になるので、肩の引き返し編みなどでは、左右で１段ずつずれることになります。

●左側

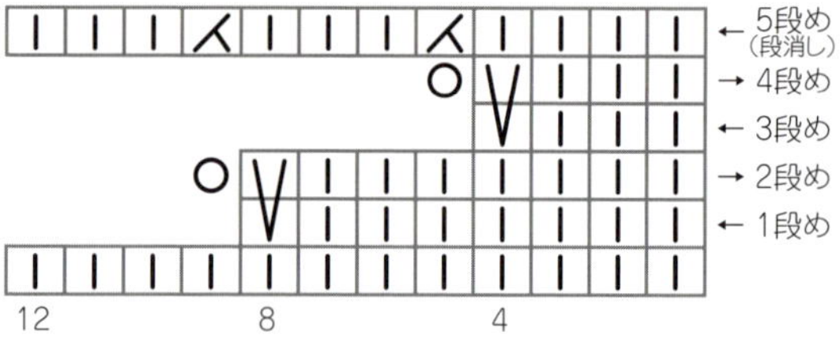

１段め・表側を見て編む段

1 編み図のとおりに、残り４目のところまで表目を編みます。

２段め・裏側を見て編む段

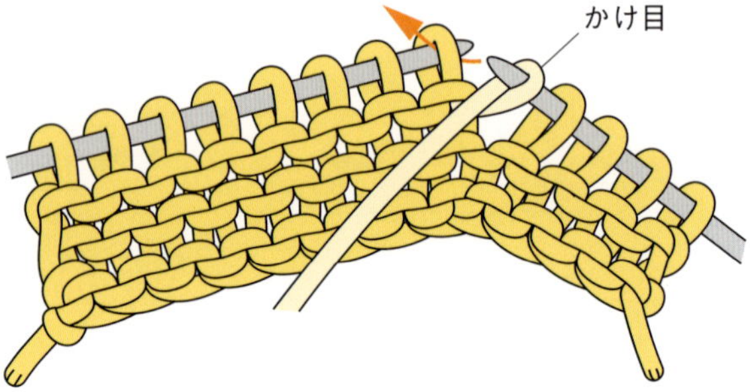

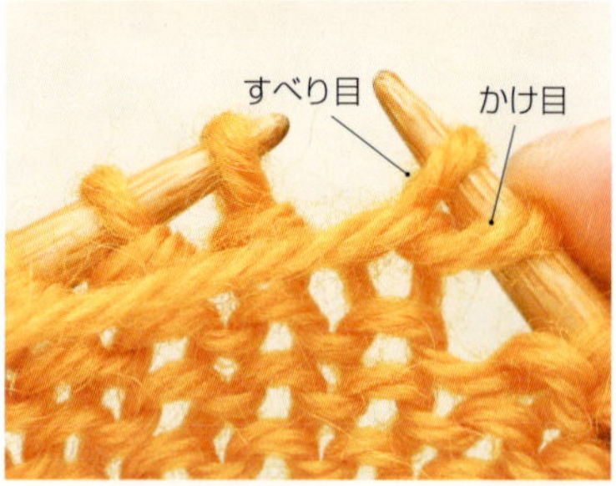

2 編み地を裏に返して、かけ目をし、次の目に矢印のように右針を入れて（写真上）、すべり目（編まずに右針へ移す）をします（写真下）。

3 続けて7目、裏目を編みます（すべり目を入れて８目になるように）。

3段め・表側を見て編む段

4 編み地を表に返して、4目表目を編み、4目（合計8目＋かけ目1目）を編み残します。

4段め・裏側を見て編む段

5 編み地を裏に返して、2と同じ要領で、かけ目とすべり目をします。

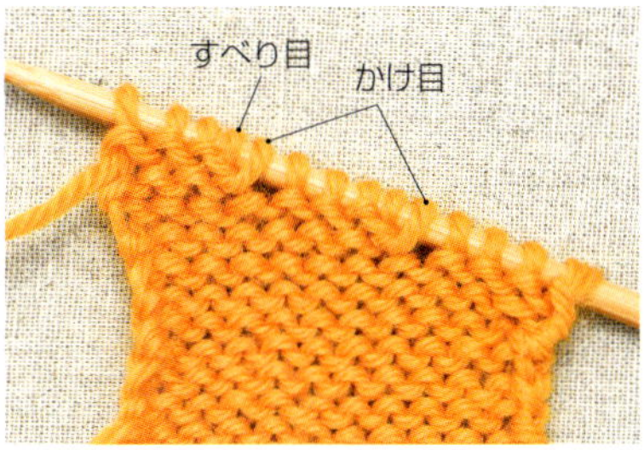

6 続けて3目、裏目を編みます。

5段め・表側を見て編む段

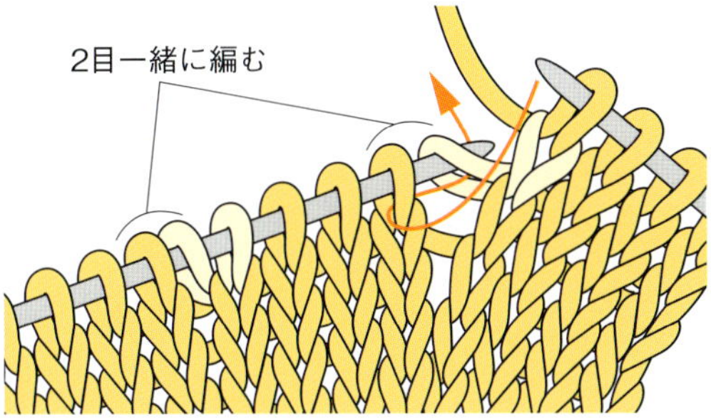

7 5段めは「段消し」（段の境目に穴があかないように処理すること）です。編み地を表に返して、前の段でかけ目をしたところまで表目で編み、次の2目に矢印のように2目一緒に右針を入れます。

8 2目一緒に表目を編みます。

9 再び、すべり目をしたところまで編んで、次の2目を、7〜8と同じ要領で、2目一緒に表目を編みます。

10 続けて3目、表目を編み、段消しが終わりました。これで左下がりの引き返し編みができました。

●右側

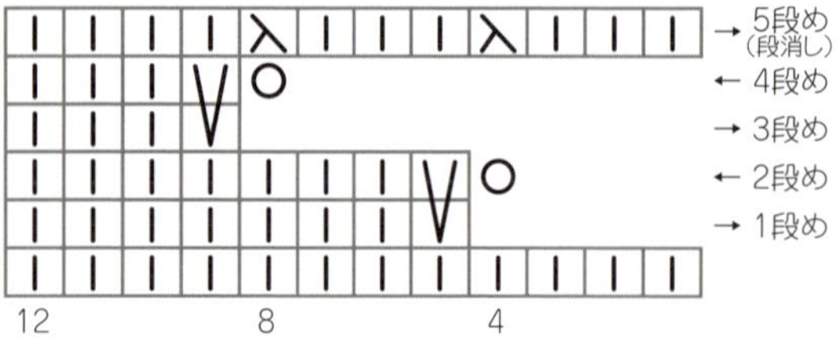

1段め・裏側を見て編む段

1　編み方図のとおりに、残り4目のところまで裏目を編みます。

2段め・表側を見て編む段

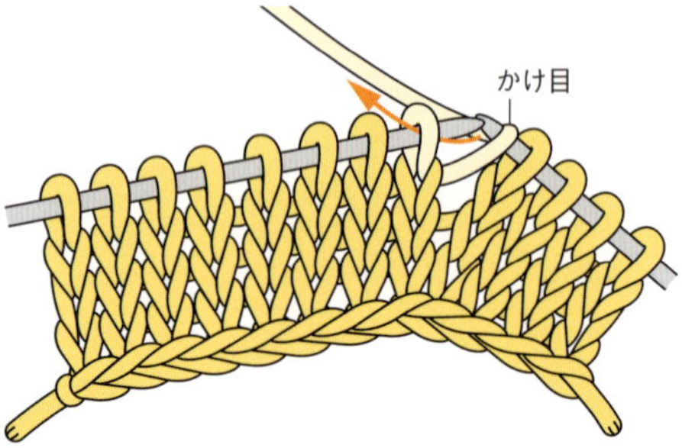

2　編み地を表に返して、かけ目をし、次の目に矢印のように右針を入れて（写真左）、すべり目（編まずに右針へ移す）をします（写真右）。

3　続けて7目、表目を編みます（すべり目を入れて8目になるように）。

3段め・裏側を見て編む段

4　編み地を裏に返して、4目裏目を編み、4目（合計8目＋かけ目1目）を編み残します。

4段め・表側を見て編む段

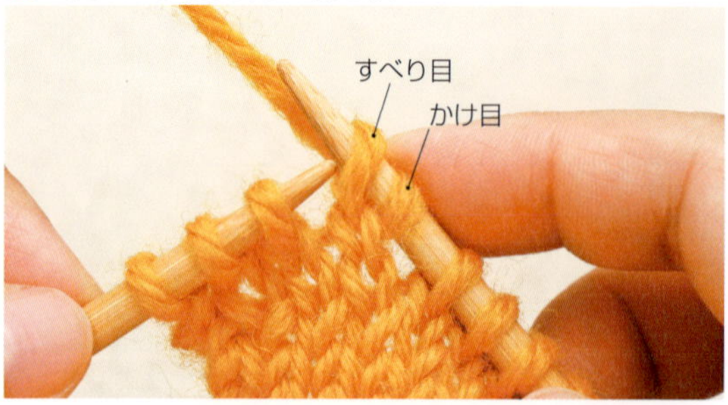

5　編み地を表に返して、2と同じ要領で、かけ目とすべり目をします。

6　続けて3目、表目を編みます。

5段め・裏側を見て編む段

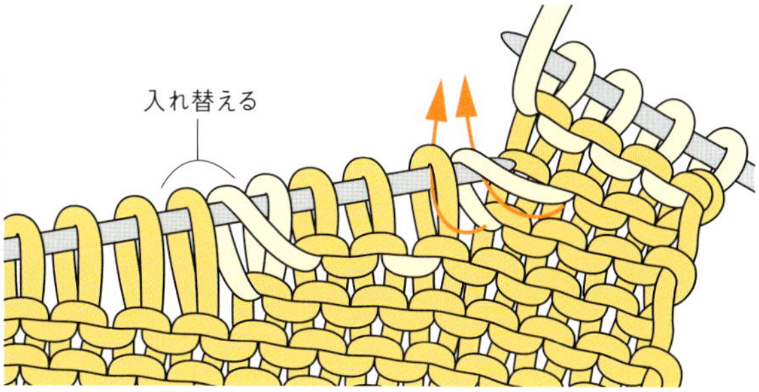

7 5段めは「段消し」です（p.71-7参照）。編み地を裏に返して、前の段でかけ目をしたところまで裏目で編みます。次の2目に矢印のように順番に右針を入れていったん右針に移し、再び左針に戻して、目の順番を入れ替えます。

8 目の順番を入れ替えた2目を一緒に裏目を編みます。

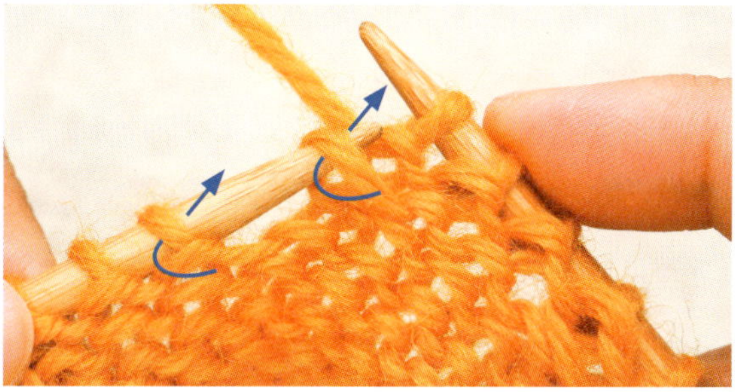

9 再び、すべり目をしたところまで編んで、次の2目を7〜8と同じ要領で、目の順番を入れ替えてから（写真左）、2目を一緒に裏目を編みます（写真右）。

10 続けて3目、裏目を編み、段消しが終わりました、これで右下がりの引き返し編みができました。

5 目を拾う

襟ぐりや袖口に縁編みを加えたり、身頃から袖や前立てなどを編み出したりするときに、編み地から目を拾い出す方法です。どこから拾うかによっていくつか方法がありますが、いずれの場合もバランスよく拾い出すことがポイントです。

一般的な作り目からの拾い目

指でかける作り目からの拾い目で、もっとも基本的な拾い目の方法です。1 目ずつすべての目から拾います。

●メリヤス編みの場合

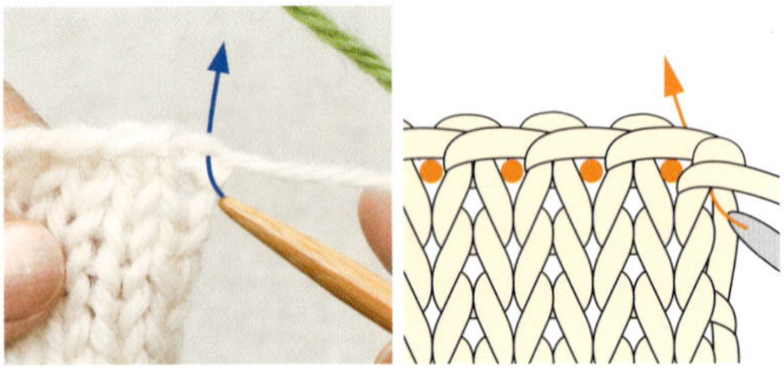

1 矢印のように右針を入れます。

2 右針で糸をかけて引き出し、1目拾い目ができました。

3 隣の目（1のイラストの●の位置）からも同じ要領で目を拾い、必要な数の目を拾います。

4 メリヤス編みからの拾い目ができました。

●裏メリヤス編みの場合

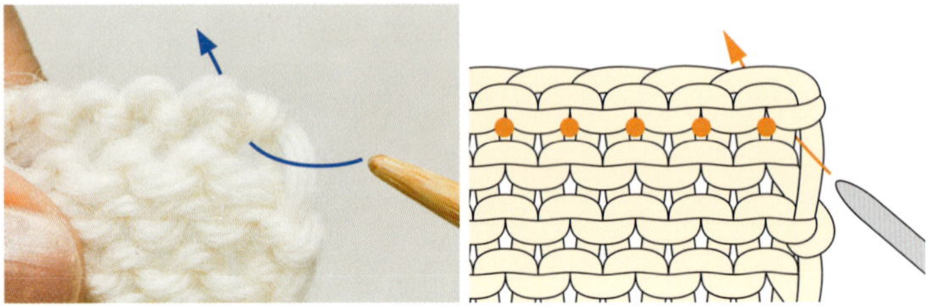

1 矢印のように右針を入れて、右端の糸をすくい、糸をかけます。

2 右針で糸を引き出し、1目拾い目ができました。

3 隣の目（1のイラストの●の位置）からも同じ要領で目を拾い、必要な数の目を拾います。

4 裏メリヤス編みからの拾い目ができました。

伏せ目からの拾い目

伏せ止めなど、伏せ目をしたところからの拾い目の方法です。「一般的な作り目からの拾い目」と同様に、1目ずつすべての目から拾います。

●メリヤス編みの場合

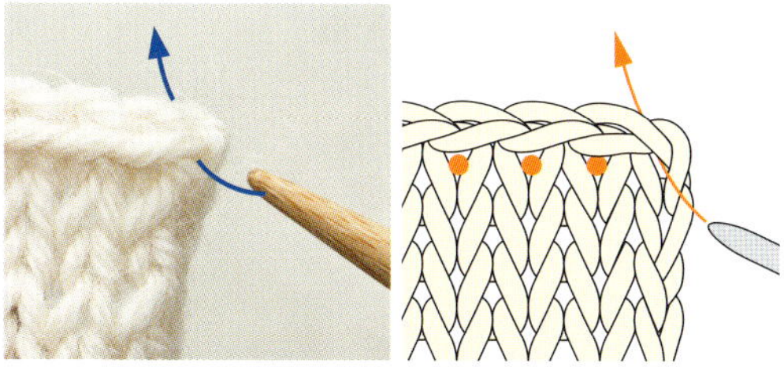

1 矢印のように右針を入れます。

2 右針で糸をかけて引き出します。

3 1目拾い目ができました。

4 隣の目（1のイラストの●の位置）からも同じ要領で目を拾い、必要な数の目を拾います（写真左）。写真右のように伏せ目の鎖をすくうのは間違いです。

5 メリヤス編みの伏せ目からの拾い目ができました。

●裏メリヤス編みの場合

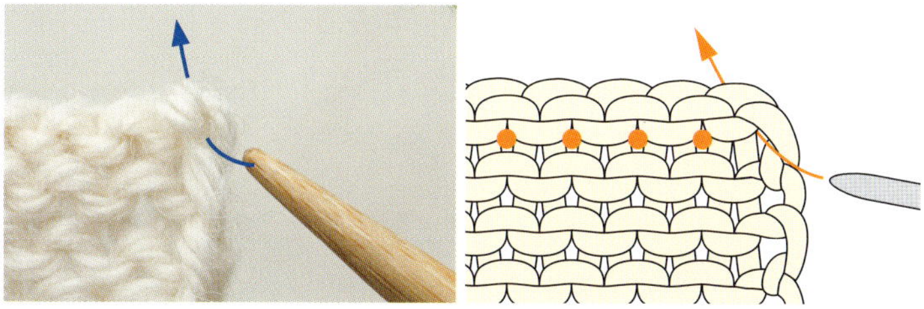

1 矢印の位置に、2本の糸をすくうように右針を入れます。

2 右針で糸をかけて引き出します。

3 1目拾い目ができました。

4 隣の目（1のイラストの●の位置）からも同じ要領で目を拾い、必要な数の目を拾います。

5 裏メリヤス編みの伏せ目からの拾い目ができました。

段からの拾い目

段のほうが目の間隔よりも狭いので、何目か拾ったら１段とばして、間隔の調整をします。ここでは、３目拾って１段とばしながら拾います。

●メリヤス編みの場合

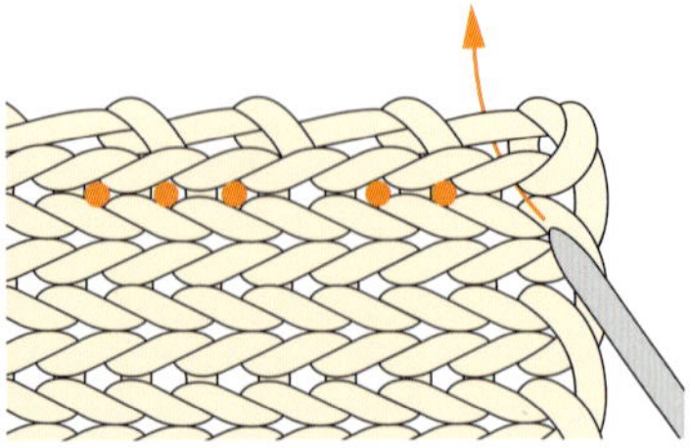

1　矢印の位置に右針を入れ、2本の糸をすくいます。

2　右針で糸をかけて、引き出します。

3　1目拾い目ができました。続けて、1のイラストの●の位置から、同じ要領で目を拾います。

4　3目拾ったら、1段とばして、同様に●の位置から目を拾います。

5　以降、3目拾って1段とばしながら、目を拾います。

●裏メリヤス編みの場合

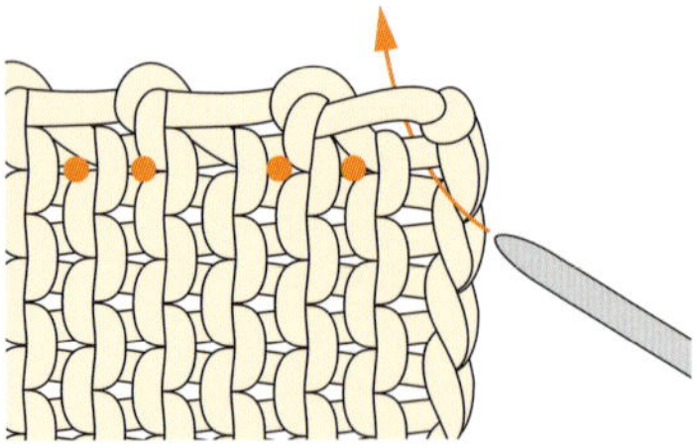

1　矢印の位置に右針を入れ、2本の糸をすくいます。

2　右針で糸をかけて、引き出します。

3　1目拾い目ができました。続けて、1のイラストの●の位置から、同じ要領で目を拾います。

4　3目拾ったら、1段とばして、同様に●の位置から目を拾います。

5　以降、3目拾って1段とばしながら、目を拾います。

●ガーター編みの場合

＊ガーター編みの場合は編み地が縮むので、同じ目だけ拾うと多すぎるので、2目拾って1段とばしながら拾います。

1 矢印の位置に右針を入れ、2本の糸をすくいます。

2 右針で糸をかけて、引き出します。

3 1目拾い目ができました。続けて、1のイラストの●の位置から、同じ要領で目を拾います。

4 2目拾ったら、1段とばして、同様に●の位置から目を拾います。

5 以降、2目拾って1段とばしながら、目を拾います。

曲線や斜線からの拾い目

襟ぐりや袖ぐりなどの曲線や斜線から拾い目をするときには、目と段の両方から目を拾います。必要な目数を均等にバランス良く拾い出しましょう。

●曲線からの拾い目

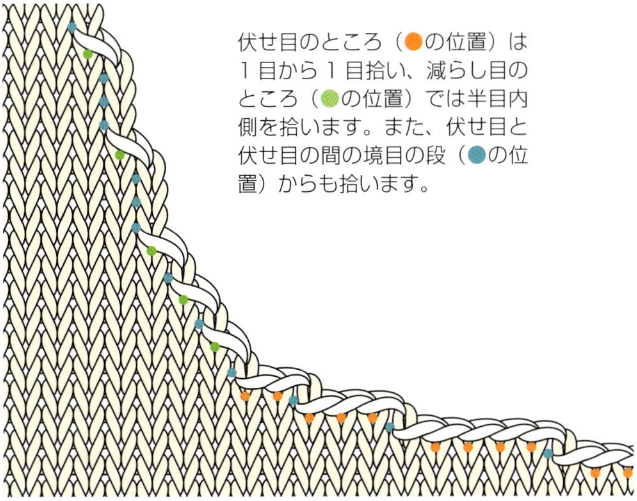

伏せ目のところ（●の位置）は1目から1目拾い、減らし目のところ（●の位置）では半目内側を拾います。また、伏せ目と伏せ目の間の境目の段（●の位置）からも拾います。

●斜線からの拾い目

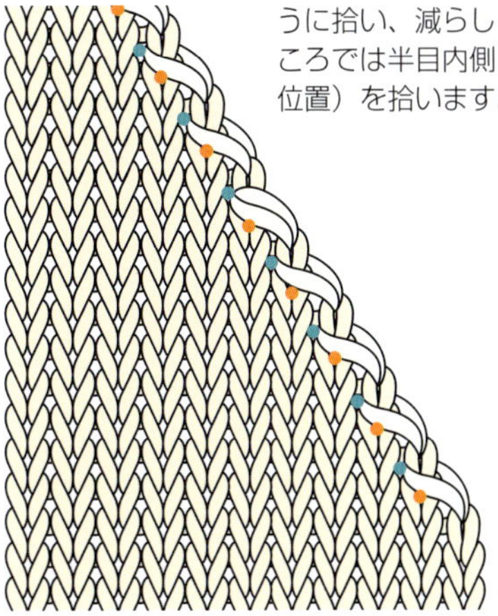

段からの拾い方と同じように拾い、減らし目のところでは半目内側（●の位置）を拾います。

6 目を止める

編み終わりの目がほどけないように始末することを、「目を止める」といいます。編み地やその用途に適した止め方を選びます。

伏せ止め

→p.27〜28・36〜37で解説しています。

引き抜き止め

→p.29・37で解説しています。

しぼり止め

帽子のてっぺんやミトンの先など、輪編みで編んだ目を止める方法です。

1 編み終わりの糸をとじ針に通し、棒針に残っているすべての目を、順番にとじ針で拾います。

2 1周拾ったら、もう1周同じようにすべての目をとじ針で拾いながら、糸を引き締めます。

3 目をしぼったら、とじ針を編み地の裏側に出し、表側にひびかないように（写真は表側）、裏側の目立たないところで糸始末をします。

1目ゴム編み止め

ゴム編みの伸縮性を損なわず、1目ゴム編みの目の状態をくずさないようにして止める方法です。ゴム編み止めをするときは、編み地の右側で編み終わるようにし、編み終わりの糸（編み地の約3倍とっておく）を使って目を止めます。

止め始め（表目1目の場合）

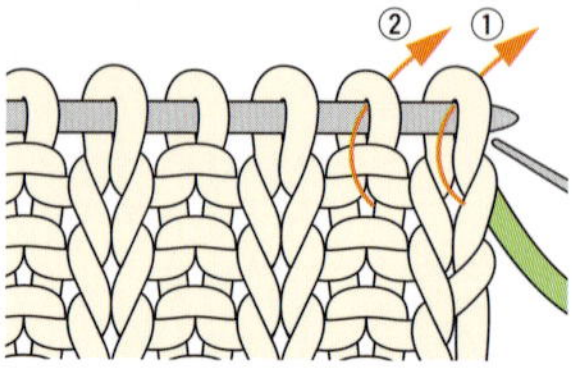

1 編み終わりの糸をとじ針に通し、最初の1目めと2目めに、図の矢印のようにとじ針を順に入れ（写真左）、糸を引きます（写真右）。

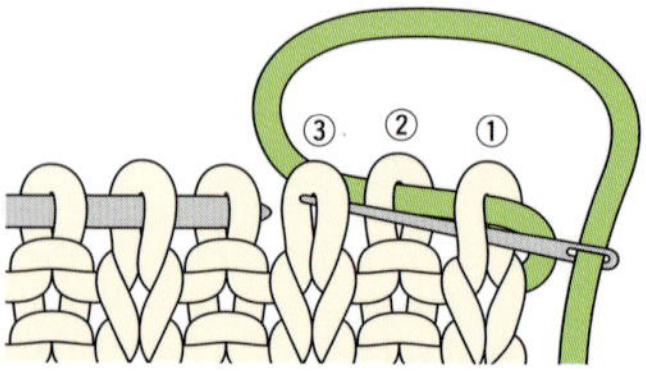

2 1目めと3目めの表目どうしに図のように、とじ針を入れて、糸を引きます。このように、表目どうしでは、「手前側から入れて、手前側に出す」という要領で、とじ針を入れます。

こ・ん・な・方・法・も！ **糸を引くときは…**

糸を引くときは、一度に引っ張るのではなく、糸を引ききる前に、目に通っている糸を写真のようにゆっくりと指で引いて、止めている目を立たせるようにすると、きれいに仕上がります。

1 糸を引ききる前に、目を立たせるように軽く糸を、上方向に引っ張ります。

2 糸をゆっくりと引ききります。

3 糸を引ききったところです。グリーンの糸を、止める目の上にのせるような要領で糸を引きます。

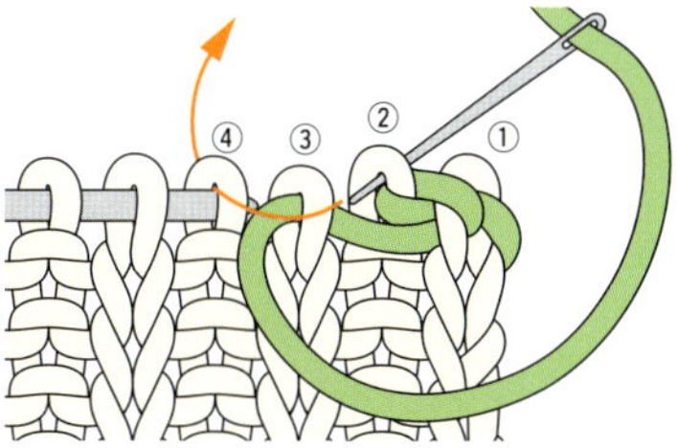

3

2目めと4目めの裏目どうしに図のように、とじ針を入れて、糸を引きます。このように、裏目どうしでは、「向こう側から入れて、向こう側に出す」という要領で、とじ針を入れます。

4

3目めと5目めの表目どうしに、手前側から入れて手前側に出すようにとじ針を入れて、糸を引きます。

5

4目めと6目めの裏目どうしに、向こう側から入れて向こう側に出すようにとじ針を入れて、糸を引きます。以降、2～5の要領で繰り返します。

止め終わり（表目２目の場合）

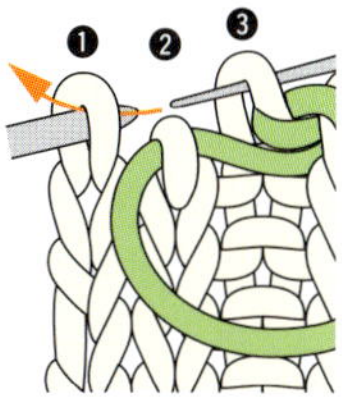

6 止め終わりでは、最後から3目め（裏目）と1目め（表目）に、それぞれ向こう側からとじ針を入れて、糸を引きます。

7 最後から2目めと1目めの表目どうしに、これまでと同じ要領でとじ針を入れて、糸を引きます。

8 1目ゴム編み止めができました。

2目ゴム編み止め

ゴム編みの伸縮性を損なわず、2目ゴム編みの目の状態をくずさないようにして止める方法です。ゴム編み止めをするときは、編み地の右側で編み終わるようにし、編み終わりの糸（編み地の約3倍とっておく）を使って目を止めます。

止め始め

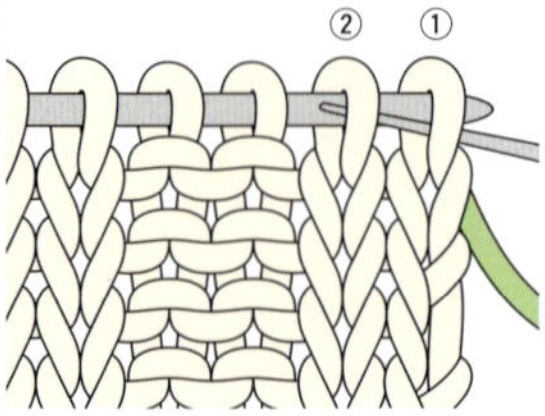

1
編み終わりの糸をとじ針に通し、最初の1目めと2目めに、矢印のようにとじ針を入れ、糸を引きます。

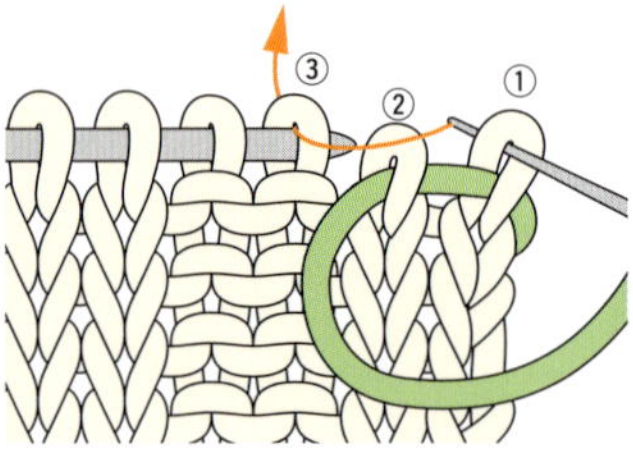

p.79のコラムで紹介したとおり、ここでも、糸を上に軽く引っ張るようにして止める目を立たせると、止めている目がわかりやすくなり、仕上がりもきれいになります。

2
1目めと3目めに、図のように手前側から向こう側にとじ針を入れ、糸を引きます。

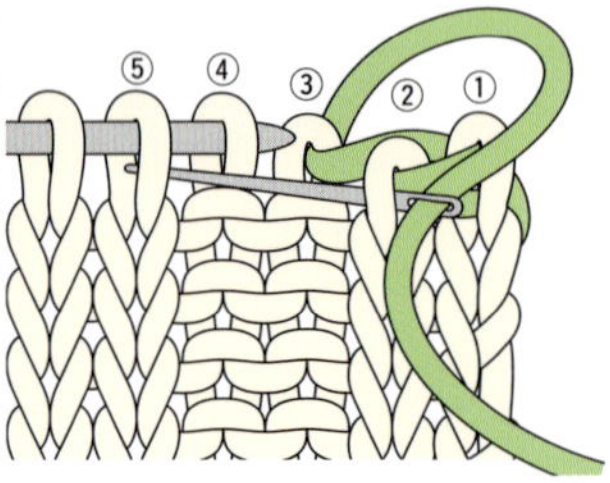

3
2目めと5目めの表目どうしに、図のようにとじ針を入れて、糸を引きます。1目ゴム編み止めの場合と同様に、表目どうしでは､「手前側から入れて、手前側に出す」という要領で、とじ針を入れます。

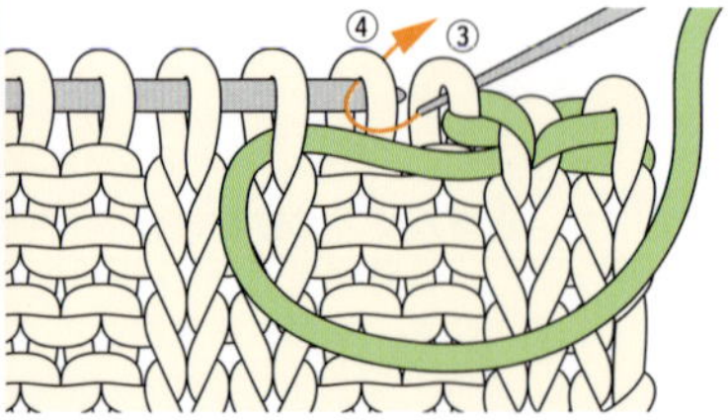

4
3目めと4目めの裏目どうしに、図のようにとじ針を入れて、糸を引きます。1目ゴム編み止めの場合と同様に、裏目どうしでは､「向こう側から入れて、向こう側に出す」という要領で、とじ針を入れます。

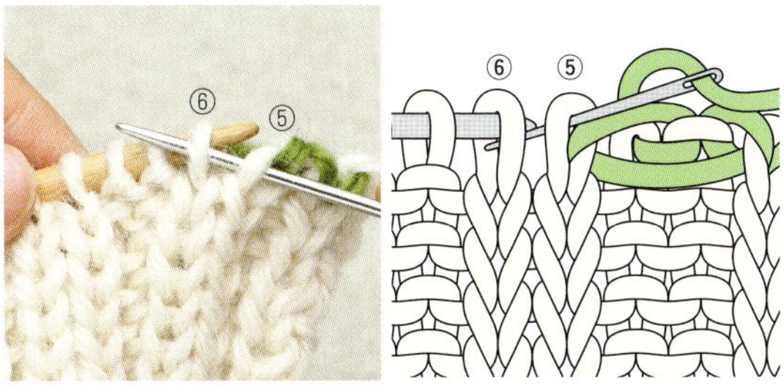

5 5目めと6目めの表目どうしに、手前側から入れて手前側に出すようにとじ針を入れて、糸を引きます。

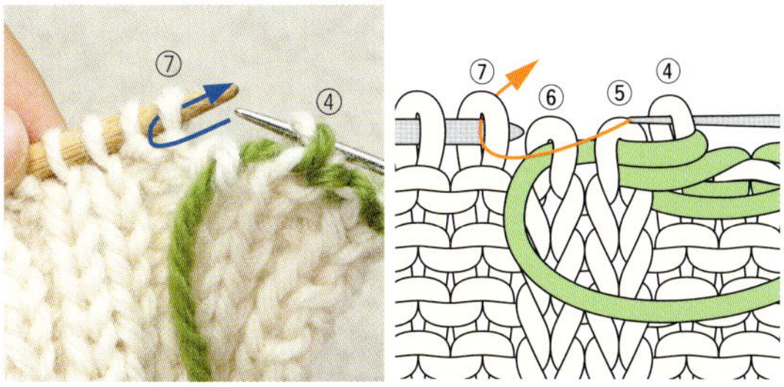

6 4目めと7目めの裏目どうしに、向こう側から入れて向こう側に出すようにとじ針を入れて、糸を引きます。

7 以降、3〜6の要領で繰り返します。写真左は、次の6目めと9目めの表目どうしに、写真右はさらに次の7目めと8目めの裏目どうしにとじ針を通して、目を止めているところです。

止め終わり

8 端まで目を止め、最後から2目めと1目めの表目どうしに、これまでと同じ要領でとじ針を入れて、糸を引きます。

9 最後に、最後から3目め（一番端の裏目）と1目め（一番端の表目）に図のようにとじ針を入れ、糸を引きます。

10 2目ゴム編み止めができました。

輪編みのゴム編み止め

中間の止め方は、平編みのゴム編み止めのやり方と同じですが、止め始めと止め終わりが異なります。

●1目ゴム編み止めの場合

止め始め

1 編み終わりの糸をとじ針に通し、編み始めの最初の1目めには向こう側から（写真左）、2目めには手前側から（写真右）、とじ針を入れて糸を引きます。

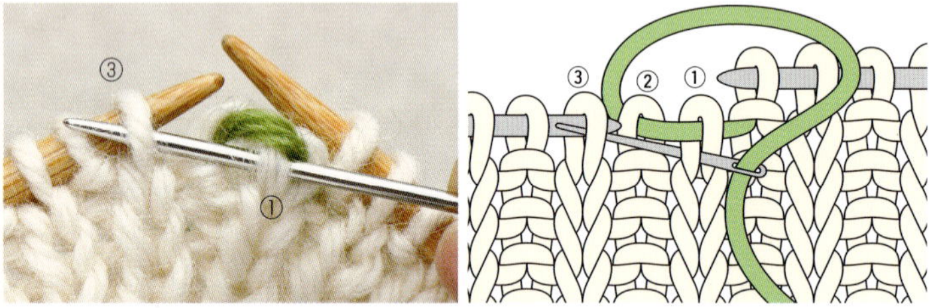

2 1目めと3目めの表目どうしに、手前側から入れて手前側に出すようにとじ針を入れて、糸を引きます。

3 2目めと4目めの裏目どうしに、向こう側から入れて向こう側に出すようにとじ針を入れて、糸を引きます。以降、平編みの場合の1目ゴム編み止め（p.78～79）の要領で繰り返します。

止め終わり

4 止め終わりでは、最後から2目めと、止め始めの1目めの表目どうしに、手前側から入れて手前側に出すようにとじ針を入れて、糸を引きます。

5 最後に、最後から1目めと、止め始めの2目めの裏目どうしに、向こう側から入れて向こう側に出すようにとじ針を入れて、糸を引きます。

6 輪編みの1目ゴム編み止めができました。

●2目ゴム編み止めの場合

止め始め

1 編み終わりの糸をとじ針に通し、編み始めの最初の1目めには向こう側から（写真左）、編み終わり側の最後の１目めには手前側から（写真右）、とじ針を入れて糸を引きます。

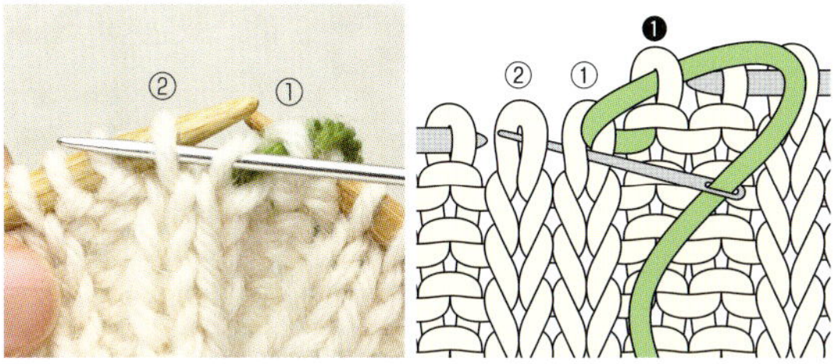

2 編み始めの1目めと2目めの表目どうしに、手前側から入れて手前側に出すようにとじ針を入れて、糸を引きます。

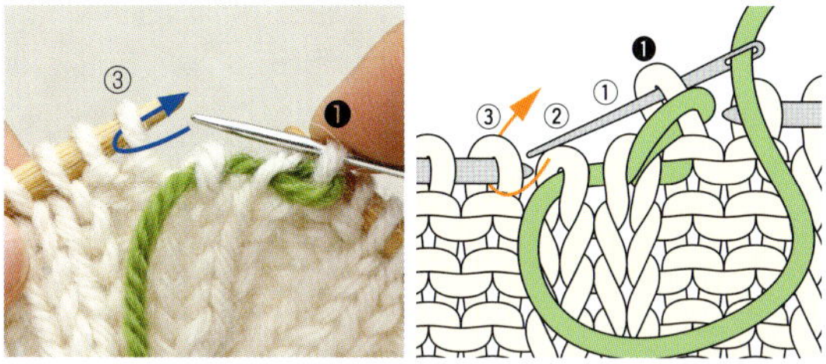

3 編み終わり側の最後の1目めと、編み始め側の3目めの裏目どうしに、向こう側から入れて向こう側に出すようにとじ針を入れて、糸を引きます。

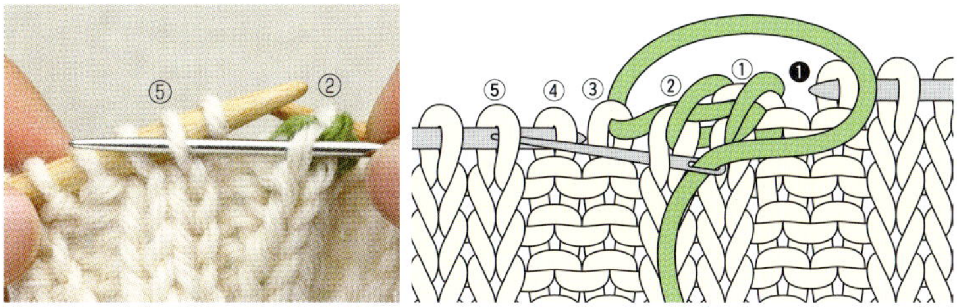

4 編み始め側の2目めと5目めの表目どうしに、手前側から入れて手前側に出すようにとじ針を入れて、糸を引きます。以降、平編みの場合の2目ゴム編み止め（p.80～81）の要領で繰り返します。

止め終わり

5 止め終わりでは、最後から3目めと、止め始めの1目めの表目どうしに、手前側から入れて手前側に出すようにとじ針を入れて、糸を引きます。

6 最後に、最後から2目めと1目めの裏目どうしに、向こう側から入れて向こう側に出すようにとじ針を入れて、糸を引きます。

7 輪編みの2目ゴム編み止めができました。

7 編み地をはぐ

「はぎ」とは、2 枚の編み地の目と目をつなぎ合わせたり、目と段をつなぎ合わせたりする方法です。セーターなどを編むときには、必須のテクニックです。編み地や仕上がりなどで、適した方法を選びます。

かぶせはぎ

2 枚の編み地を中表に合わせ、片方の編み地の目をもう一方の編み地の目にかぶせてから、引き抜き編みをしてはぎ合わせます。薄くきれいに仕上がり、肩のはぎにもっともよく使われるはぎ方です。

1 2枚の編み地を中表に合わせ、矢印のように手前の編み地から順に、かぎ針を入れます。

2 1の2目をかぎ針にとったら、棒針からはずし、向こう側の編み地の目をかぎ針でかけて、手前側の目をかぶせるように引き出します。

3 手前の目をかぶせたら、矢印のようにかぎ針に糸をかけます。

4 矢印のように糸をかけて引き抜きます。

5 糸を引き出したら、1と同じ要領で、2枚の編み地の次の目に、かぎ針を入れて棒針からはずします。

6 2と同じ要領で、向こう側の編み地の目をかぎ針でかけて、手前の目をかぶせるように引き出します。

7 さらに、かぎ針に糸をかけて、かぎ針にかかっている2目を一度に引き出します。

8 かぶせはぎが１目できました。

9 以降、1～7を繰り返します。写真はかぶせはぎが３目できたところです。

10 最後は、鎖１目を編み、糸端を引き出して止めます。

11 かぶせはぎができました。

引き抜きはぎ

「かぶせはぎ」のように目をかぶせずに、かぎ針を使って引き抜き編みをしてはぐ、基本的なはぎ方です。はぎ目が伸びないので、セーターの肩はぎなどによく使われます。

1 2枚の編み地を中表に合わせ、矢印のように手前の編み地から順に、かぎ針を入れて棒針からはずします。

2 かぎ針で糸をかけて、２目一度に引き抜きます。

3 糸を引き抜いたところです。次の目も、1と同じ要領で、矢印のようにかぎ針を入れます。

4 かぎ針で糸をかけて、3目一度に引き抜きます。

5 引き抜きはぎが１目できました。

6 以降、3〜5を繰り返します。写真は3目引き抜きはぎができたところです。

7 最後は、鎖１目を編み、糸端を引き出して止めます。

8 引き抜きはぎができました。

メリヤスはぎ

はぎ目が目立たないように、メリヤス編みの表目を作りながら、編み地をはぎ合わせる方法です。

1 2枚の編み地を写真のように突き合わせて並べます。とじ針に編み終わりの糸（はぎ幅の３倍の長さを残しておく）を通し、下側の編み地の1目めに、裏側からとじ針を入れて糸を出し、目を棒針からはずします。

ポイント

メリヤスはぎをするとき、端の目以外は、①1つの目には必ず2回とじ針を通す、②1回めは裏側から表側へ、2回めは表側から裏側へとじ針を通す、という2つのルールを確認しながら進めます。また、２枚の編み地の目は、半目ずれます。
はぎ糸は引き過ぎないように注意し、新しく1段できるようにします。編み地の表側を見ながらはいでいきます。

2 上側の編み地の1目めに、裏側からとじ針を入れて、糸を出します。

3 下側の編み地の1目めと2目めに、写真のようにとじ針を入れて、糸を出します。

4 上側の編み地の１目めと2目めに、写真のようにとじ針を入れて、糸を出します。

5 3と同じ要領で、下側の編み地の2目めと3目めに、とじ針を入れて、糸を出します。

6 4と同じ要領で、上側の編み地の2目めと3目めに、とじ針を入れて、糸を出します。

7 以降、3〜6を繰り返し、メリヤスはぎができました。

かがりはぎ

伏せ止めした目を１目ずつ拾ってかがりながら、はぎ合わせる方法です。とじ糸が外側に出るのが特徴です。

1
伏せ止めした目を写真のように突き合わせて並べます。上側の編み地の編み終わりの糸をとじ針に通し、下側の編み地の1目めに、裏側からとじ針を入れて、糸を出します。

2 上側の編み地と下側の編み地の伏せ止めの目を、全目すくって、糸を引きます。

3 次の目も同じように、全目をすくって、糸を引きます。以降、これを繰り返します。

4 かがりはぎができました。

Column 洗濯するときには…

編み上がった作品を洗濯するときは、編んだ毛糸についているラベルをチェックしてください。以下のような絵表示を確認し、その指示にしたがいましょう。この絵表示は、JIS（日本工業規格）で定められたものです。

「手洗い」をします。洗濯液の上限温度は40℃です。

漂白剤は使えません。

中温（150℃）でアイロンをかけることができます。

低温（110℃）まででアイロンをかけることができます。

石油系溶剤によるドライクリーニングができます。

ドライクリーニングはできません。

日陰で平干しにします。

日陰でつり干しにします。

目と段のはぎ方

一方が段で、もう一方が目の場合のはぎ方です。目と段では、段数のほうが目数よりも多いので、等間隔で２段一緒にすくいながら、はぎ合わせていきます。ここでは、３目ごとに２段一緒にすくいます。

1
上側の編み地の段と下側の編み地の目をはぎます。両方とも編み地の表側を見ながらはいでいきます。下側の編み地の編み終わりの糸をとじ針に通し、1目めに裏側からとじ針を入れて、糸を出します。

2 上側の編み地の端から1目内側の横に渡る糸をすくい、糸を引きます。

3 メリヤスはぎ（p.87）の要領で、下側の編み地の1目めと2目めに、とじ針を入れて、糸を引きます。

4 上側の編み地の2段めの横に渡る糸をすくい、糸を引きます。

5 下側の編み地の2目めと3目めに、とじ針を入れて、糸を引きます。

6 上側の編み地の3段めと4段めの横に渡る糸を２段分一緒にすくい、糸を引きます。

7 以降、2〜6を繰り返し、目と段のはぎができました。

8 編み地をとじる

「とじ」とは、2 枚の編み地の段と段をつなぎ合わせる方法です。セーターなどの脇や袖下などでは、必須のテクニックです。編み地や仕上げ方に応じて、適した方法を選びます。

メリヤス編みのすくいとじ

1 目内側の横に渡っている糸をすくってとじます。端の 1 目がとじ代になります。編み地の表側を見ながらとじます。

1 作り目で残した糸をとじ針に通します。左側の編み地の、作り目の糸（①）をとじ針ですくって、糸を引きます。

2 右側の編み地も同じように、作り目の糸（②）をとじ針ですくって、糸を引きます。

3 左側の編み地の2段めの、端から1目内側の横に渡っている糸（③）をとじ針ですくって、糸を引きます。

4 右側の編み地の 2 段めの、端から1目内側の横に渡っている糸（3のイラストの④）をとじ針ですくって、糸を引きます。

5 以降、3〜4の要領で、3のイラストのピンクで示した糸を、交互にすくいます。写真は6段めまでとじたところです。写真では糸の渡り方がわかるように、糸をゆるめてありますが、とじ糸が見えない程度に引きながらとじ進めます。

6 メリヤス編みのすくいとじができました。とじ糸は、とじ代に隠れて見えなくなります。

裏メリヤス編みのすくいとじ

１目内側の横に渡っている糸をすくってとじます。端の１目がとじ代になります。編み地の表側を見ながらとじます。

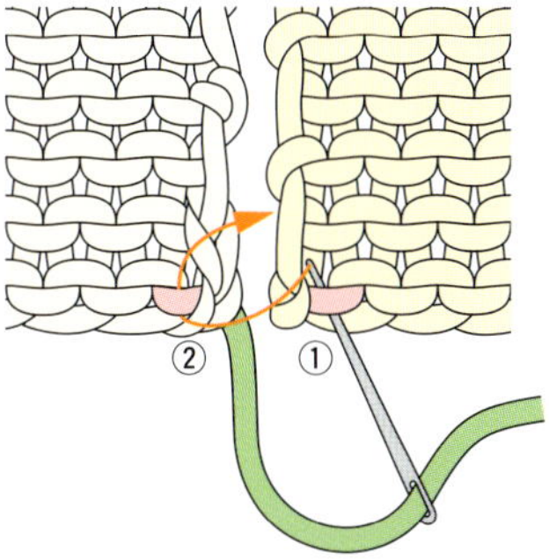

1 作り目で残した糸をとじ針に通します。右側の編み地の、作り目のすぐ上の横に渡っている糸(①)をとじ針ですくって、糸を引きます。

2 左側の編み地も同じように、作り目のすぐ上の横に渡っている糸（1のイラストの②）をとじ針ですくって、糸を引きます。

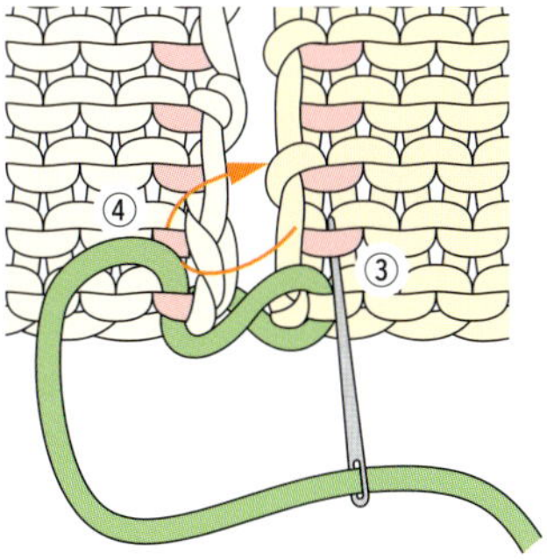

3 右側の編み地の２段めの、端から１目内側の横に渡っている糸（③）をとじ針ですくって、糸を引きます。

4 左側の編み地の2段めの、端から1目内側の横に渡っている糸（3のイラストの④）をとじ針ですくって、糸を引きます。

5 以降、3〜4の要領で、3のイラストのピンクで示した糸を、交互にすくいます。写真は5段めまでとじたところです。写真では糸の渡り方がわかるように、糸をゆるめてありますが、つぎ目が見えない程度に引きながらとじ進めます。

6 裏メリヤス編みのすくいとじができました。

ガーター編みのすくいとじ

ガーター編みは、メリヤス編みの編み地と比べて縦方向に縮んだ編み地なので、毎段すくうと端が伸びやすくなるため、１段おきに目をすくってとじます。編み地の表側を見ながらとじます。

1 作り目で残した糸をとじ針に通します。左側の編み地の作り目の糸（①）をとじ針ですくって、糸を引きます。

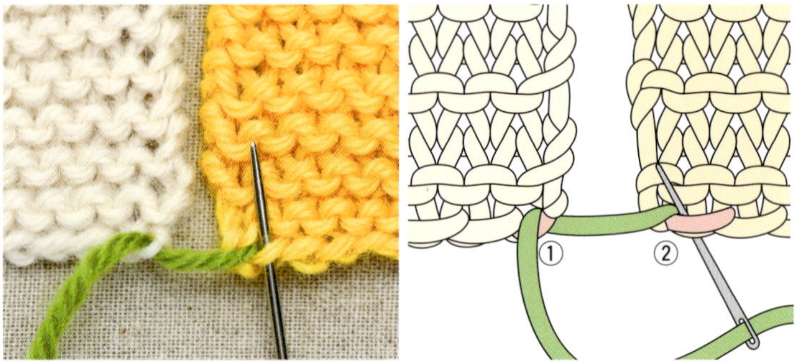

2 右側の編み地も同じように、作り目の糸（②）をとじ針ですくって、糸を引きます。

3 左側の編み地の2段めの、端から1目内側の下向きのループ（4のイラストの③）をとじ針ですくって、糸を引きます。

4 右側の編み地の端の目（④）をとじ針ですくって、糸を引きます。

5 以降、3～4の要領で、4のイラストでピンクで示した糸を、交互にすくいます。

6 ガーター編みのすくいとじができました。

1目ゴム編みのすくいとじ

1目ゴム編みの編み目がきれいにつながるようにとじていく方法です。ここでは編み終わり側からとじていきます。編み地の表側を見ながらとじます。

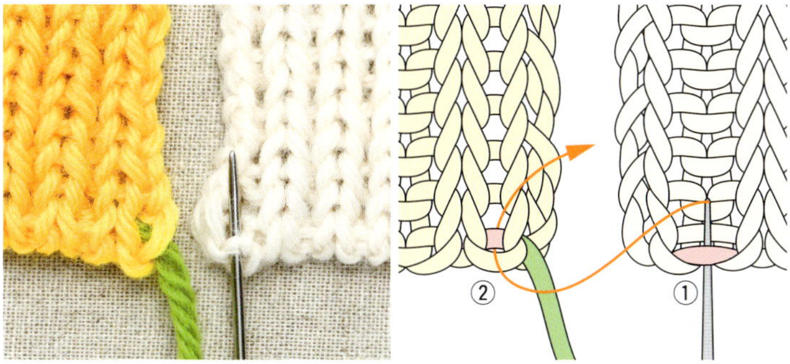

1 編み終わりの糸をとじ針に通します。右側の編み地のゴム編み止めの横に渡っている糸(①)をとじ針ですくって、糸を引きます。

2 左側の編み地の端から1目内側の横に渡っている糸（1のイラストの②）をとじ針ですくって、糸を引きます。

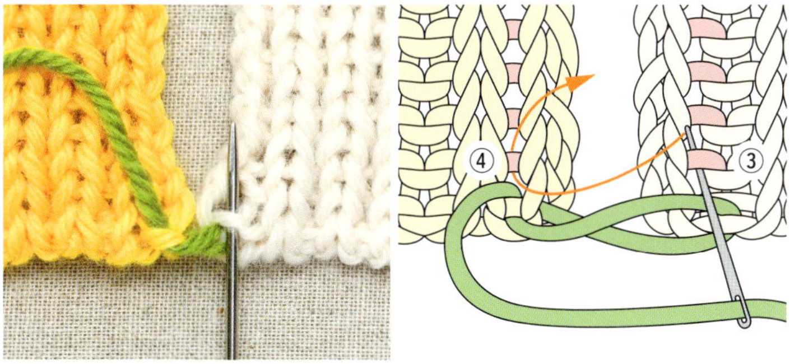

3 右側の編み地の2段めの、端から1目内側の横に渡っている糸(③)をとじ針ですくって、糸を引きます。

4 左側の編み地の2段めの、端から1目内側の横に渡っている糸（3のイラストの④）をとじ針ですくって、糸を引きます。

5 以降、3〜4の要領で、3のイラストのピンクで示した糸を、交互にすくいます。写真は、1目ゴム編みのすくいとじができたところです。

2目ゴム編みのすくいとじ

2目ゴム編みの編み目がきれいにつながるようにとじていく方法です。ここでは編み終わり側からとじていきます。編み地の表側を見てとじます。

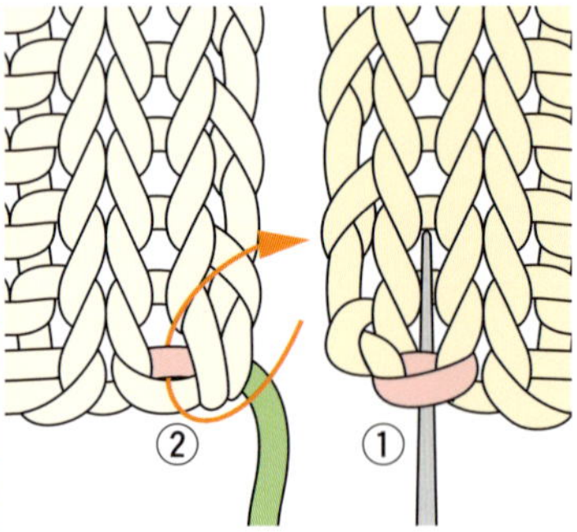

1 編み終わりの糸をとじ針に通します。右側の編み地のゴム編み止めの横に渡っている糸(①)をとじ針ですくって、糸を引きます。

2 左側の編み地の端から1目内側の横に渡っている糸（1のイラストの②)をとじ針ですくって、糸を引きます。

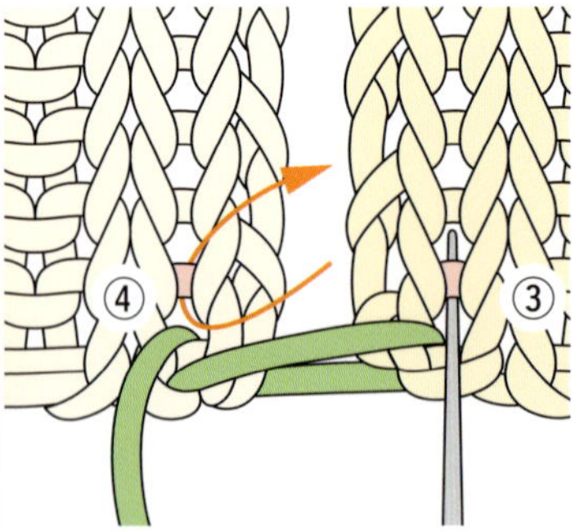

3 右側の編み地の2段めの、端から1目内側の横に渡っている糸（③）をとじ針ですくって、糸を引きます。

4 左側の編み地の2段めの、端から1目内側の横に渡っている糸（3のイラストの④）をとじ針ですくって、糸を引きます。

5 以降、3〜4の要領で、3のイラストのピンクで示した糸を、交互にすくいます。写真は、2目ゴム編みのすくいとじができたところです。

途中ですくう糸がわからなくなったときは…

ゴム編みのすくいとじをしているときに、次にすくう糸がわからなくなった場合は、とじ糸が通っているのと同じ穴に、とじ針を入れます（写真左)。穴に入れたままとじ針を上方向に動かして、針にかかった糸が次にすくう糸です(写真右)。

ゴム編みからメリヤス編みへ移る場合のすくいとじ

セーターの脇や袖下など、縁にゴム編みをほどこしたメリヤス編みの編み地のとじ方です。別鎖の作り目でメリヤス編みを編んでから、作り目をほどいてゴム編みを編むので、境目の部分で編み方向が反対になり、とじ位置が半目ずれるのがポイントです。

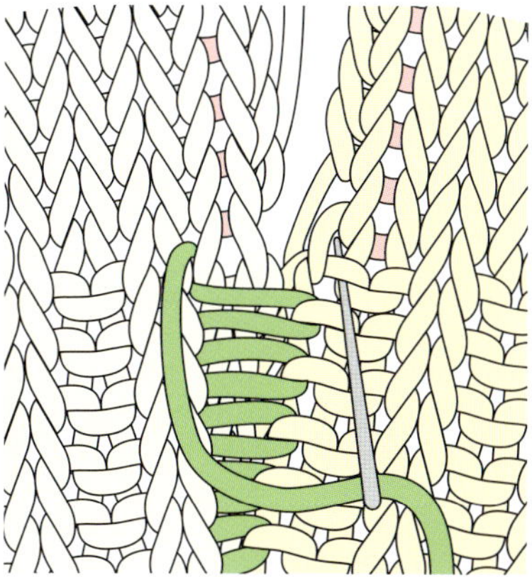

1
ゴム編みの部分は、p.93〜94の要領で、すくいとじをします。写真は、1目ゴム編みの最後の1目をすくっているところです。

2
メリヤス編みとの境目の部分です。左側の編み地では、これまですくってきたところより、半目右側にずれたところ（1 のイラストのピンクで示した部分）をすくいます。

3
右側の編み地でも、これまですくってきたところより、半目右側にずれたところ（1 のイラストのピンクで示した部分）をすくいます。

4
ゴム編みのとじからメリヤス編みのとじへ移ったところです。境目から、半目右側にずれているのがわかります。

5
とじ終わったところです。適度に糸を引くことで、編み目が自然につながった仕上がりになります。

引き抜きとじ

2 枚の編み地を中表に合わせ、かぎ針編みの引き抜き編みの要領で、かぎ針を使ってとじていく方法です。
簡単にでき、仕上がりも比較的きれいです。

かぎ針を入れる位置

●で示した、端から1目内側に入ったところにかぎ針を入れて、糸をかけて、引き抜きます。

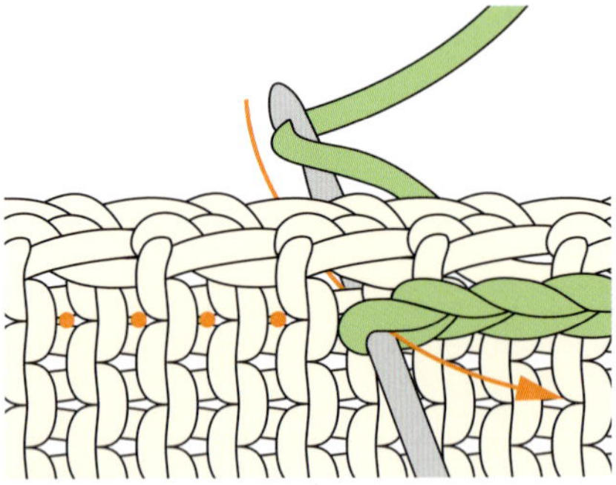

直線の場合

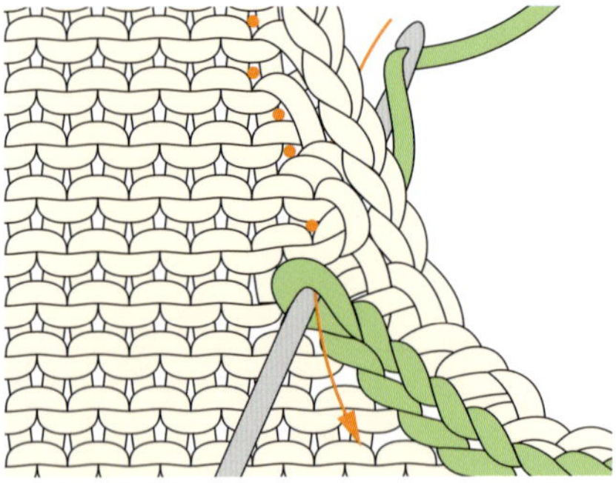

曲線の場合

1 2枚の編み地を中表に合わせ、上のイラストで示したように、端から1目内側に入ったところに、2枚一度にかぎ針を入れます。

2 かぎ針で糸をかけ、矢印のようにすべて引き抜きます。

3 糸を引き抜いたところです。

4 引き抜きとじができました。

9 糸始末

糸始末は、とじ・はぎが終わってからやります。新しい糸をつけるときは、つなぎ目が編み地の表にひびかないように、裏側で糸の始末をします。ここで紹介するように2本の糸を始末するときは、それぞれの糸を同じ目にくぐらせないようにします。

編み地の端で糸を替えたときの糸始末

糸を替えるときは、できるだけ目立たないように、編み地の端で替えるようにするのが基本です。

1 一方の糸端をとじ針に通して、同じ糸で編んだところの端目に、糸を割りながらくぐらせます。糸を割ってくぐらせたほうが、糸が抜けにくくなりますが、割りにくい糸は無理に割らずに、目の中をくぐらせます。

2 もう一方の糸端も同じように、とじ針に通して、同じ糸で編んだところの端目に、糸を割りながらくぐらせます。

3 糸始末ができました。

編み地の途中で糸を替えたときの糸始末

糸が足りなくなったときなど、どうしても途中で糸を替えなければいけなくなった場合の糸始末の方法です。

1 一方の糸端をとじ針に通して、編んだときの進行方向に沿って、段の変わり目の糸を割りながら、くぐらせます。

2 もう一方の糸端も同じようにとじ針に通して、1と反対の方向に、同じ段の糸を割りながら、くぐらせます。

3 糸始末ができました。

10 ボタンホールを編む

編みながら穴をあける方法と、編んでから穴をあける方法があります。ボタンの大きさなどで適した方法を選びます。

1目のボタンホール

編みながら穴をあける方法で、伸縮性があるため、少し大きめのボタンにも適します。

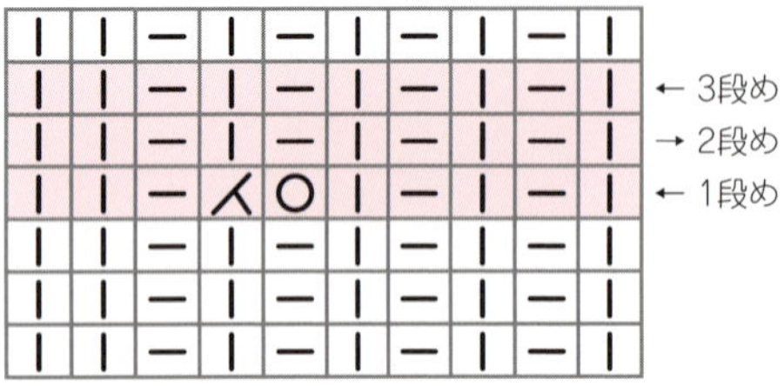

1段め・表側を見て編む段

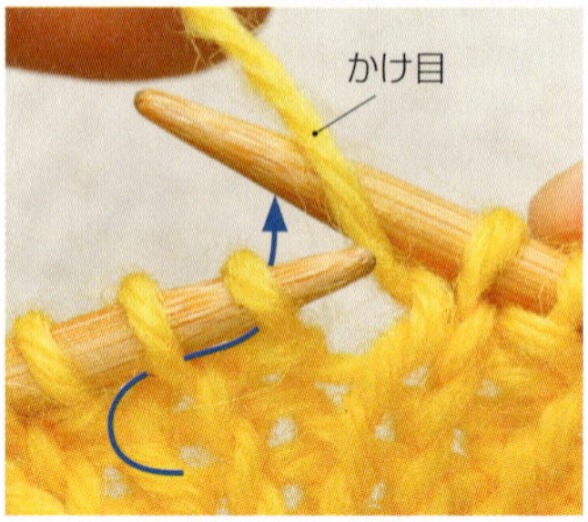

1 ボタンホールをあけるところまで編み、かけ目をします。そのあと、矢印のように2目一緒に右針を入れます。

2 2目一緒に表目を編みます。

3 2目一度が編めました。続けて、編み図のとおりに編み進みます。

4 ボタンホールの1段めが、編み終わりました。

2段め・裏側を見て編む段

5 編み地を裏返して、前段で2目一度をしたところは裏目で編み、かけ目をしたところは表目で編みます。

6 編み図のとおりに端まで編み終わりました。写真は裏側です。

7 1目のボタンホールができました。写真はもう1段編み終わって、編み地の表側から見たところです。

無理穴のボタンホール

編んだあとで穴をあける方法ですが、あまり大きいボタンには適しません。

1 穴をあけたいところの目を、指とトじ針で広げます。

2 とじ針に、ボタンホールをかがるための糸を通します。穴からとじ針を出して、穴の下の横糸３本をすくい（写真左）、糸を引きます（写真右）。糸をすくう本数は、ボタンの大きさに合わせて調整します。

3 次に、右脇をすくって、とじ針に糸をかけてから（写真左）、針を抜いて糸を引きます（写真右）。

4 さらに、右脇をすくって、3と同様にとじ針に糸をかけ（写真左）、針を抜いて糸を引きます（写真右）。

5 以降、3～4と同じように、毎段、順番に編み地をすくっていき、ボタンホールのまわりをぐるりとかがります。

6 最後は、最初とつながるように、写真のように最初の糸をすくって針を裏側に出し、糸を引きます。

7 ボタンホールをかがり終わったら、糸は編み地の裏側の目立たないところに通して、ほつれないように何回か返し縫いをして、糸始末をします。

表側　裏側

8 無理穴のボタンホールができました。

11 ボタンをつける

ボタンのつけ方は、布地につけるときと変わりませんが、ニット用の力（ちから）ボタンを使うと、糸の抜けを防ぎ、ボタンをしっかりとつけることができます。ボタンをつけるときは、ボタンつけ糸や割り糸（糸のよりを解いて、細い糸に分けたもの）を使います。

ボタンのつけ方

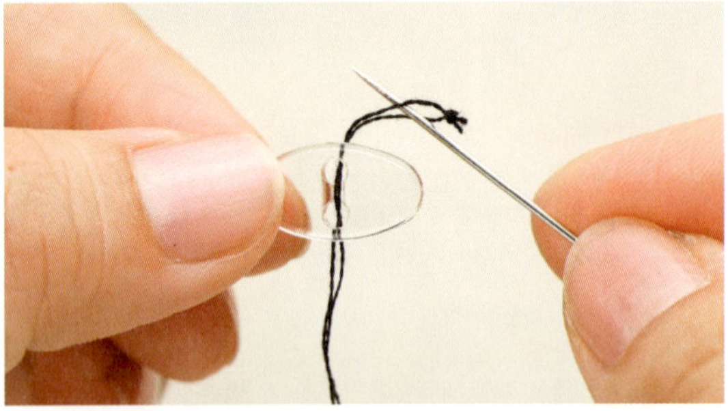

1 ここではボタンつけ糸を2本どりで、ボタンをつけます。力（ちから）ボタンの２つの穴に針を裏側から入れて、裏側に出るように通し、写真のように２本どりの糸の輪に、針を通します。

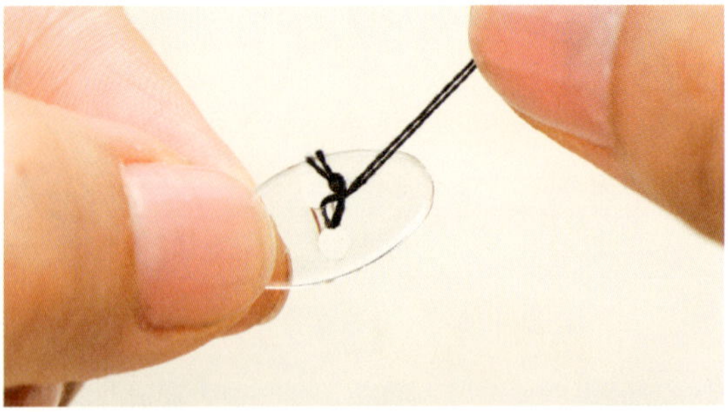

2 力ボタンの裏側で、糸をしっかりと引き締めます。糸の輪に針を通すのは、ニットがとじ糸に比較して目が粗く玉止めができないので、その代わりとして行います。

3 編み地の裏側から針を入れて表側へ出し、ボタンの穴に糸を通します。布地につけるときと同じように、それぞれの穴に2〜4回糸を通します。

4 ボタンにひととおり糸が通ったら、針をボタンと編み地の間に出し、ボタンの糸足に４〜５回糸を巻きつけます。

5 編み地の裏側の、縫いつけた糸のきわ、力ボタンと編み地の間に、針を出します。

6 玉止めをしてから、力ボタンの根本の部分をひとすくいして、糸を切ります。

12 ポンポン、タッセル、フリンジ、コードを作る

作品によく使われるこれらの飾りは、どれも簡単に作ることができます。このテクニックを覚えておくと、ちょっとしたアレンジに便利です。

ポンポン

毛糸ならではのふっくらかわいらしい飾り。糸を多めに巻くと、よりふんわりとした仕上がりになります。

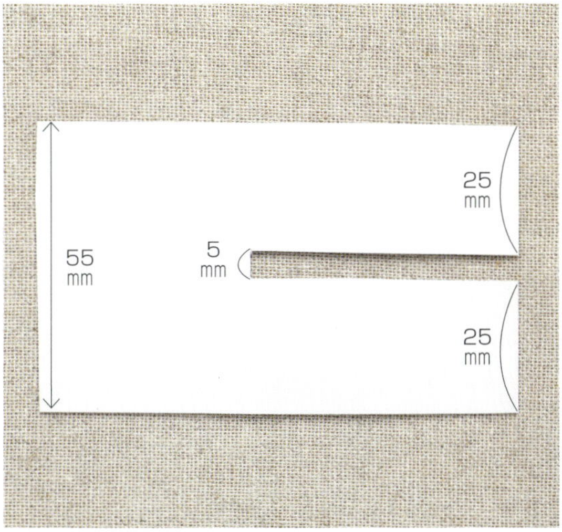

1 でき上がりの直径よりも5mm大きめの台紙を用意し、中央に5mm幅の切り込みを入れます。ここでは、直径50mmのポンポンを作ります。

2 台紙に毛糸を巻きつけます。糸のボリュームなども考えながら、適度な回数巻きつけます。写真は100回巻いたところです。糸が巻けたら、ハサミで糸を切ります。

3 たこ糸など、綿の丈夫な糸を用意し、台紙の切り込みを利用して、巻いた糸の中央をしっかりと結び、台紙からはずします。

4 両端の輪の部分をハサミで切ります。

5 4で切った輪の糸端を、丸くなるように、きれいに切りそろえます。

6 ポンポンができました。

タッセル

帽子につけるなど、コロンとした丸みがかわいい飾りです。糸の太さや素材、糸の巻き加減、長さなどで、まったく違った表情に仕上がります。

1 でき上がりの長さの2倍より、少し大きめの台紙を用意し、中央に5mm幅の切り込みを入れます。ここでは、長さ50mmのタッセルを作ります。

2 台紙に毛糸を巻きつけます。糸のボリュームなども考えながら、適度な回数巻きつけます。

3 毛糸を巻き終わったら（写真は10回巻いたところ）、ハサミで糸を切ります。

4 たこ糸など、綿の丈夫な糸を用意し、台紙の切り込みを利用して、巻いた糸の中央をしっかりと結び、台紙からはずします。

5 4で糸を結んだ部分で半分に折り、結んだところから1cmぐらいのところを、タッセルと同じ糸でしっかりとしばります。

6 しばった糸の始末は、とじ針を使って中に入れ、タッセルの一部にしてしまいます。

7 糸の輪の部分をハサミで切ります。

8 先を、きれいに切りそろえます。

9 タッセルができました。

フリンジ

マフラーやショールの縁飾りなどに使われます。長さや毛束のボリュームなどは、好みで調節します。意外と糸をたくさん使うので、用意する糸の量に注意しましょう。

1 でき上がりの長さの2倍より少し長めで切りそろえた糸を、必要な数だけ用意します。フリンジをつける位置の表側からかぎ針を入れて、半分に折った糸の束を引き出します。

2 引き出した輪に、糸の束をくぐらせます。

3 結び目をしっかりと引き締めます。

4 糸の端をハサミで切りそろえて、でき上がりです。

二重鎖のコード

玉つきでない棒針を使って、編み地を段ごとに裏返すことなく編むことができます。さまざまな用途に使えて簡単に編めるコードです。

1 一般的な作り目で2目作ります。

2 棒針を１本抜いてから、編み地を反対向きにして、表目を2目編みます。

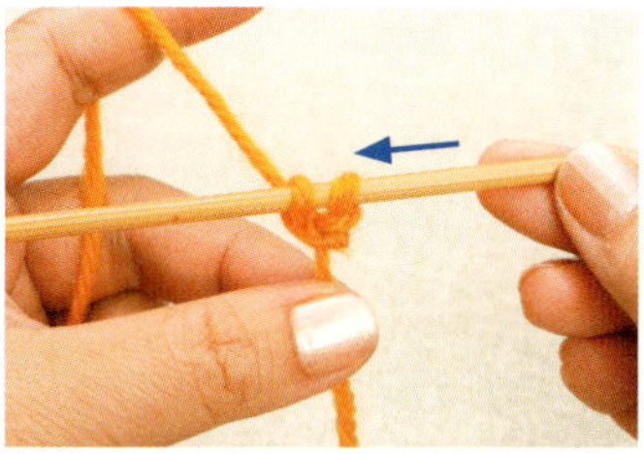

3 編み地はそのままで、棒針を左側に寄せます。

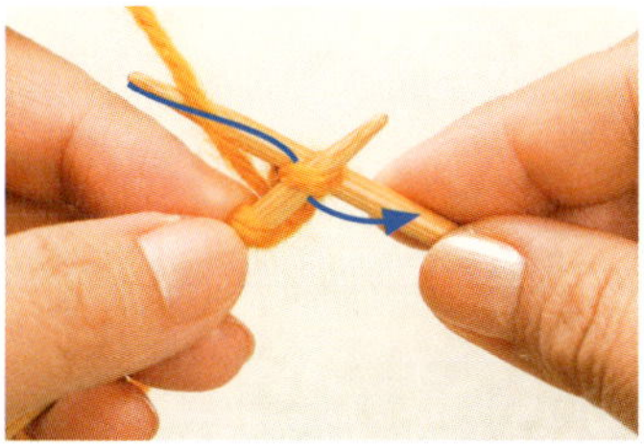

4 そのまま表目を2目編みます。

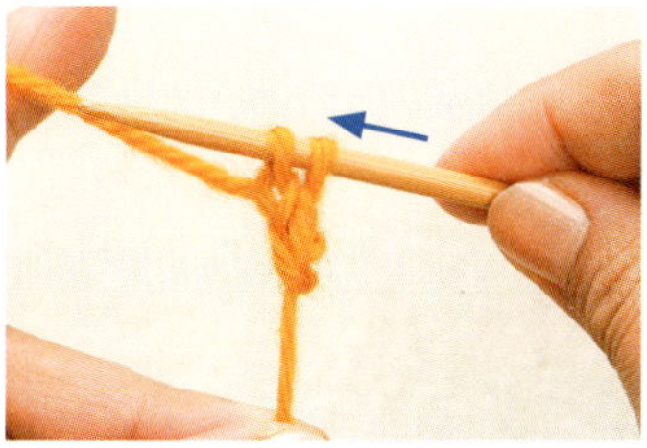

5 ふたたび棒針を左側に寄せて、表目2目を編みます。以降、これを繰り返します。

6 必要な長さまで編みます。

13 こんなときどうする？

途中で編み間違いに気づいたとき

すでに編み進んでしまった後で、編み間違いに気がついたときは、その目の部分だけ編み間違えた段までほどいて、編み目を直すことができます。

1　メリヤス編みの編み地を編んでいる途中で、1カ所編み間違えているのに気がつきました。

2　編み間違えた目のところまで、上の段をほどきます。

3　編み間違えた目にかぎ針を入れて、すぐ上に横に渡っている糸をかけて、引き抜きます。

4　3を上の段まで繰り返し、最後の目に矢印のように左針を入れます。

5　かぎ針にかかっている目を、左の棒針に移します。

6　正しい編み目に直せました。

編み目がはずれてしまったとき

編んでいる途中で、棒針から目を落としてほどけてしまったときも、きちんと元に戻す方法があります。ポイントは、落とした目を棒針に戻す方向です。棒針の入れ方を間違えないように、落ち着いて対処しましょう。

1
目が棒針から落ちてしまったのに気がつきました。

2
落ちてしまった目は、「編み間違いに気づいたとき」の対処法と同じように、かぎ針を入れて編んでいた段まで目を拾います。

3
落ちてしまった3目に矢印のように左針を入れて、左針に戻します。

4
3目が左針に戻りました。

5
右針を入れて、裏側に渡っているほどけた糸で表目を編みます。

6
1目が元どおりになりました。

7
残りの２目も5と同じ要領で、表目を編みます。編み戻した3目に矢印のように左針を入れて、左針に戻します。

8
左針へ目を戻したら、続きを編みます。

今編んだ目を編み直すとき

たった今編んだ目を編み間違えてしまったとき、目をねじって拾ってしまわないように、左針に目を戻してからほどきます。同じ段の何目か前に戻りたいときも、同様に目を戻します。

●メリヤス編みの場合

1 今編んだ修正したい目に、矢印のように手前側から左針を入れます。

2 左針に目をとったら、引き出した糸を引っ張ってほどきます。

3 目が元の状態に戻りました。あらためて、正しく編みます。

●裏メリヤス編みの場合

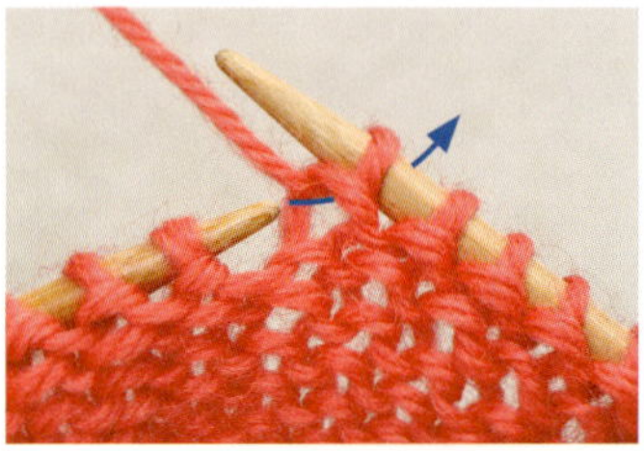

1 今編んだ修正したい目に、矢印のように手前側から左針を入れます。

2 左針に目をとったら、引き出した糸を引っ張ってほどきます。

3 目が元の状態に戻りました。あらためて、正しく編みます。

目を何段かほどくとき

編み間違えて目を何段かほどいたとき、針を入れる方向に注意しましょう。

1 何段か目をほどきました。

2 向こう側から棒針を入れて、目を拾います。裏目の場合も同様です。

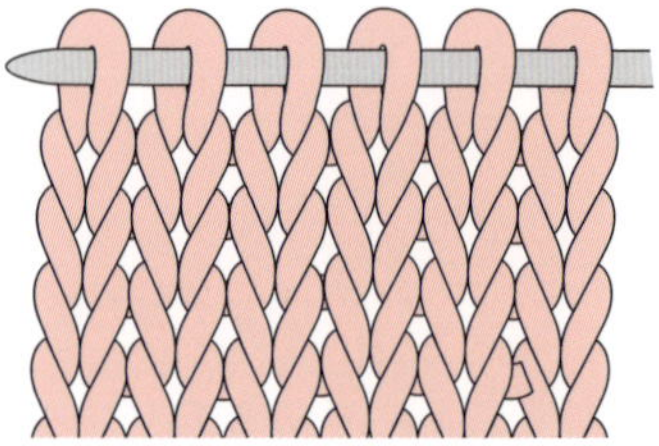

正しい編み目は、必ずループの左側が棒針の向こう側にあります。これは裏から見た場合でも同様です。

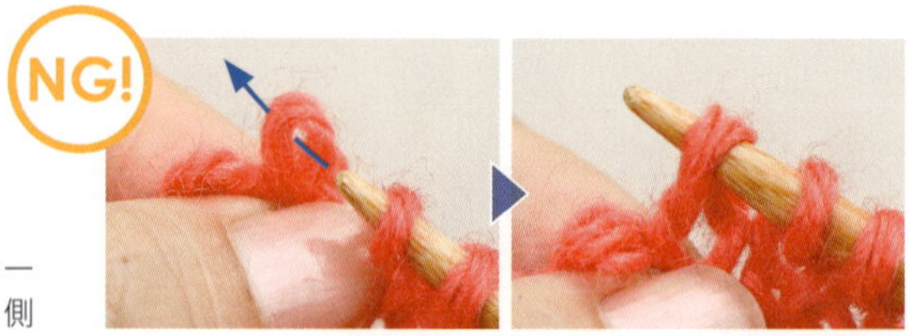

手前から針を入れて目を拾ってしまうと、目がねじれた状態になってしまいます。

Column 編み図の見方

この本では、作品の寸法や使う針、作り目や増減目の数などを表した「製図」と、模様編みの編み目など、1目ずつどんな編み方をするかの記号を記した「編み方図」の2種類の編み図を使っています。これらの図には、表記についての決まりごとがあるので、以下を参考にしてください。

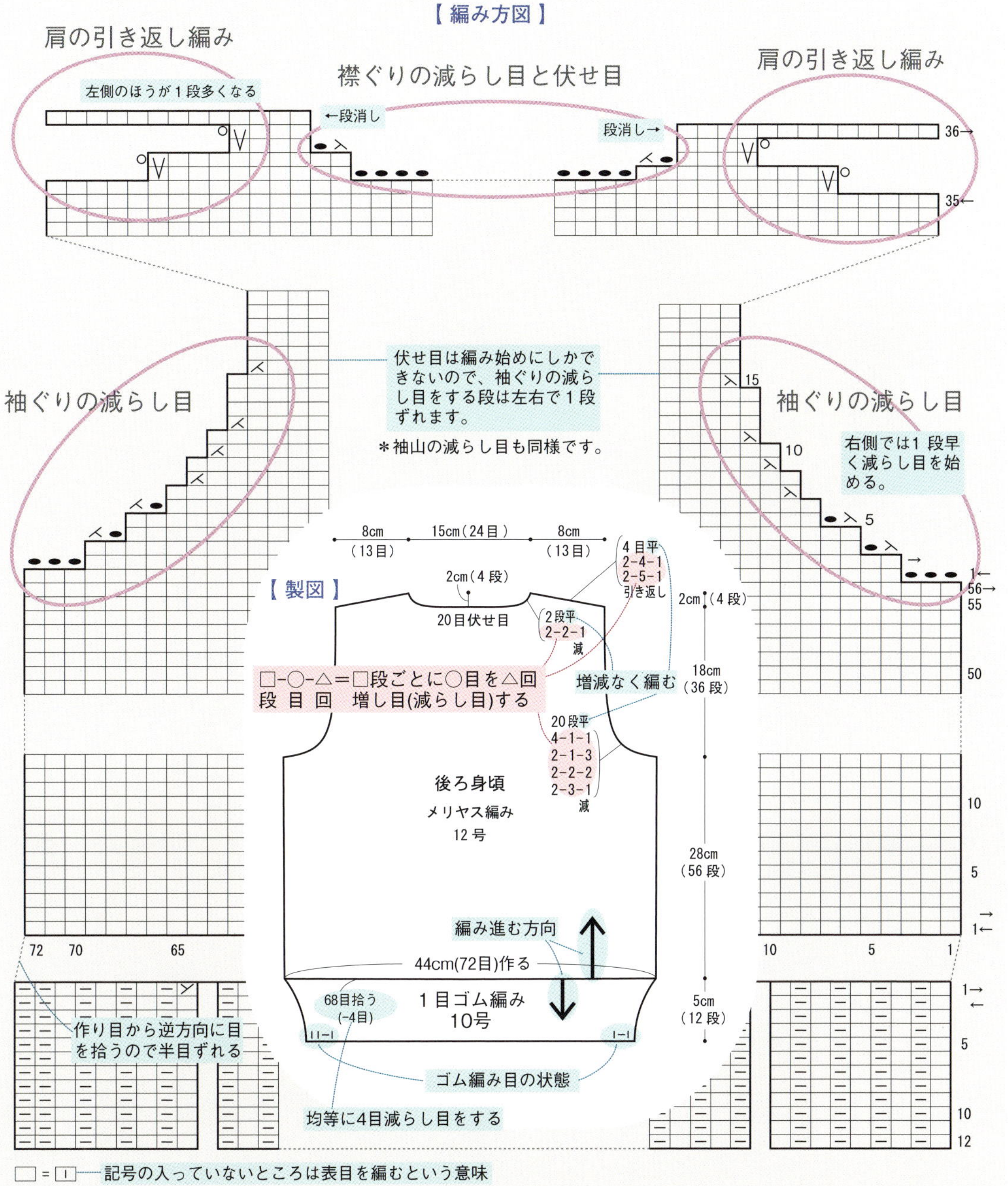

• 事典編 •

棒針編みの設計図ともいえる編み図は、「編み目記号」という JIS（日本工業規格）で定められた便利な記号を使って、どんな編み方をするかが誰にでもわかるように表したものです。一見複雑に見える模様編みなども、編み目記号の組み合わせです。ひとつひとつをこのページで確かめながら、ぜひ模様編みなどにもチャレンジしてみましょう。

シンプルなソックス（作り方と編み図p.162〜163）

編み込み模様のバッグ(作り方と編み図p.164〜165)

|

表目《おもてめ》

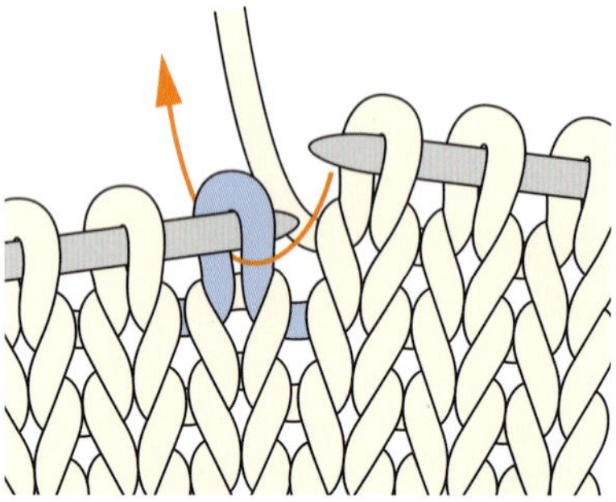

1 矢印のように右針を手前側から入れる。

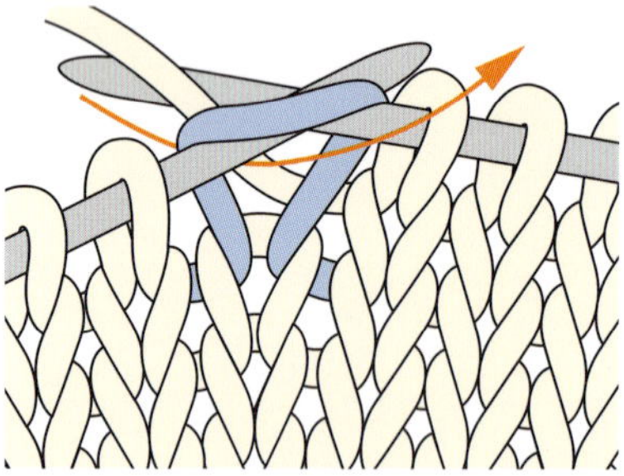

2 右針で糸をかけ、矢印のように右針を動かして、糸を引き出す。

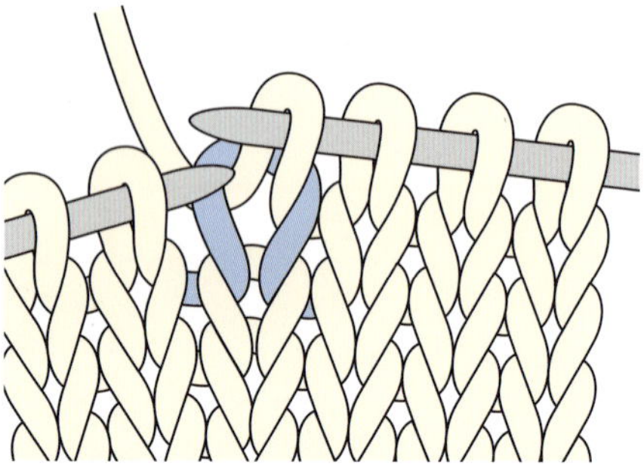

3 糸を引き出したら、左針を抜く。

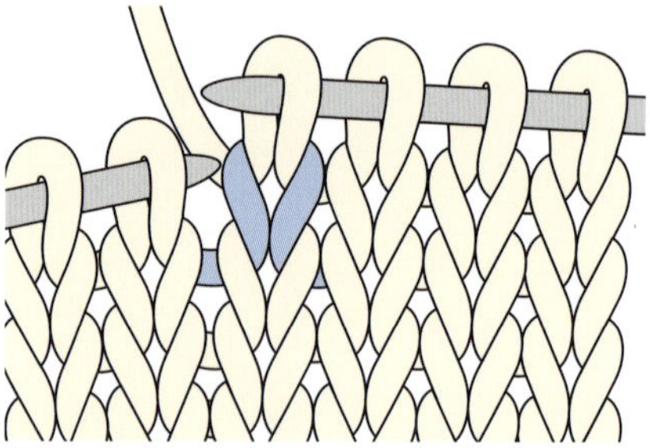

4 表目が編めたところ。

—

裏目《うらめ》

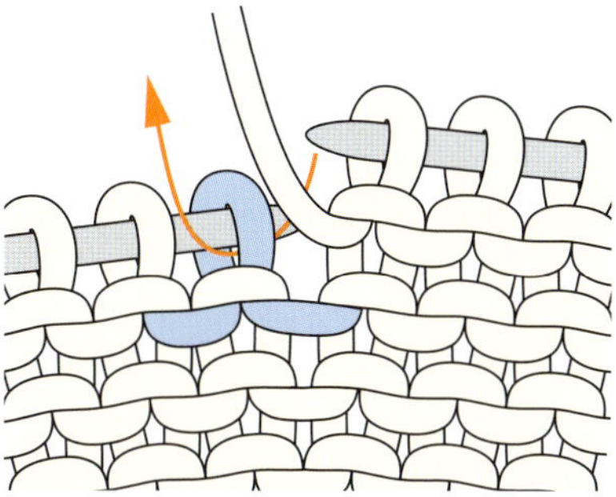

1 矢印のように右針を向こう側から入れる。

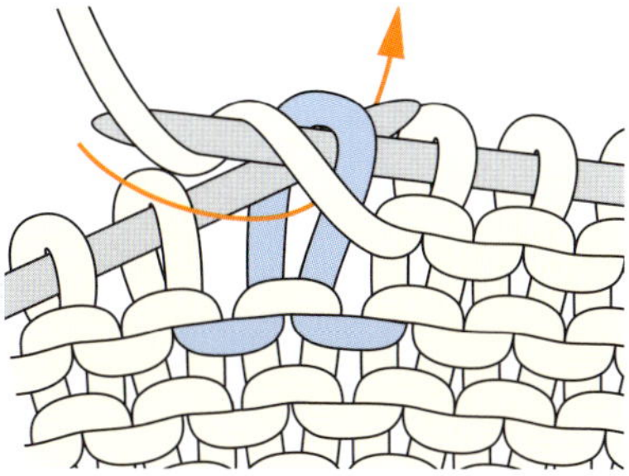

2 右針で糸をかけ、矢印のように右針を動かして、糸を引き出す。

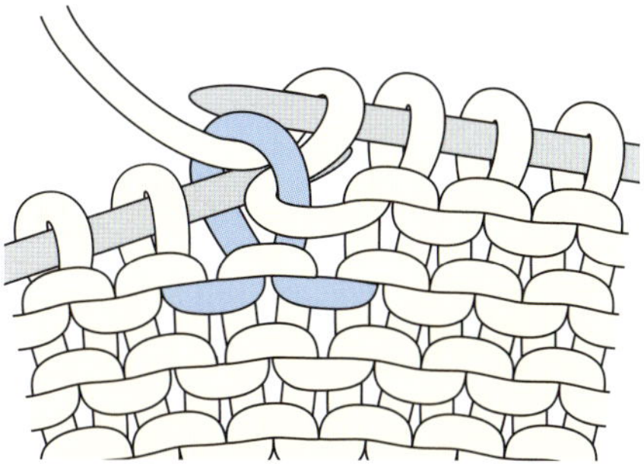

3 糸を引き出したら、左針を抜く。

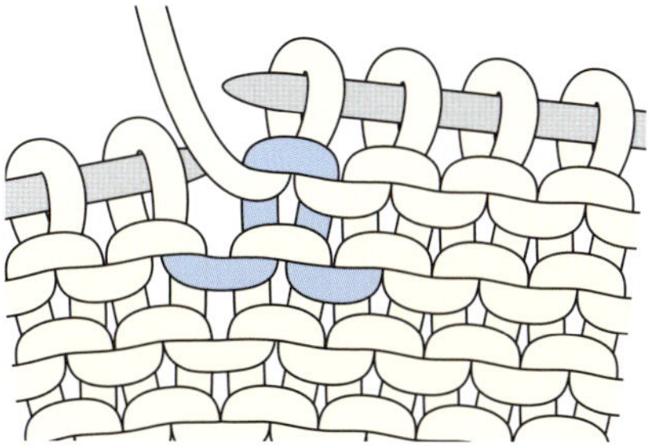

4 裏目が編めたところ。

○

かけ目
かけめ

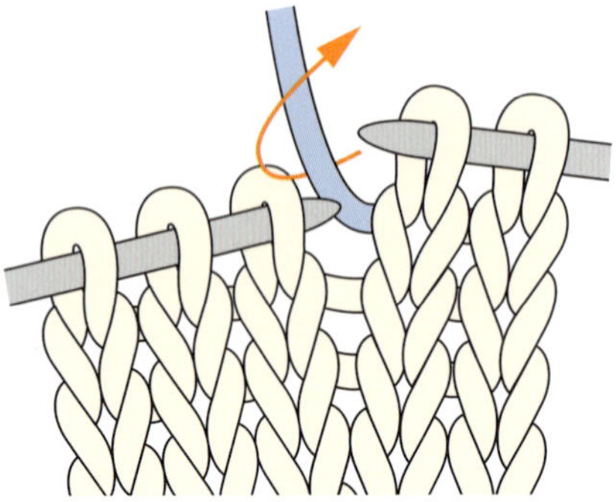

1 矢印のように右針を動かして、糸をかける。

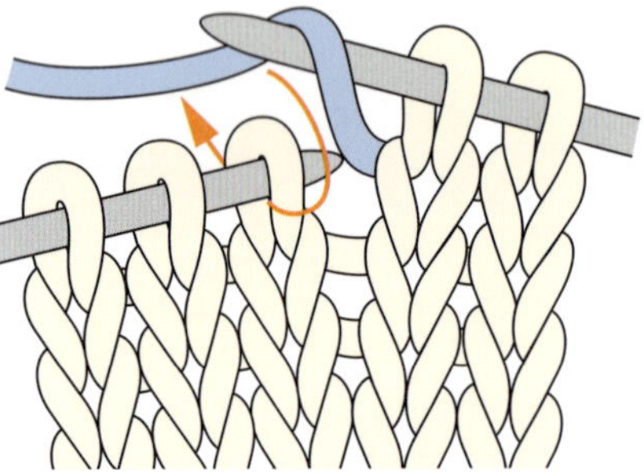

2 矢印のように右針を手前側から入れて、表目を編む。

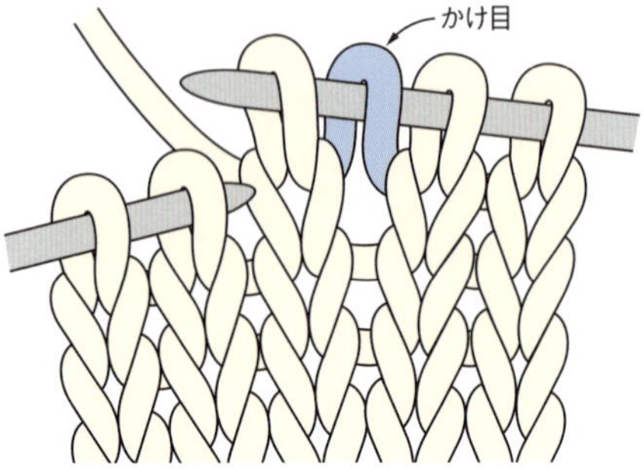

3 かけ目ができたところ。

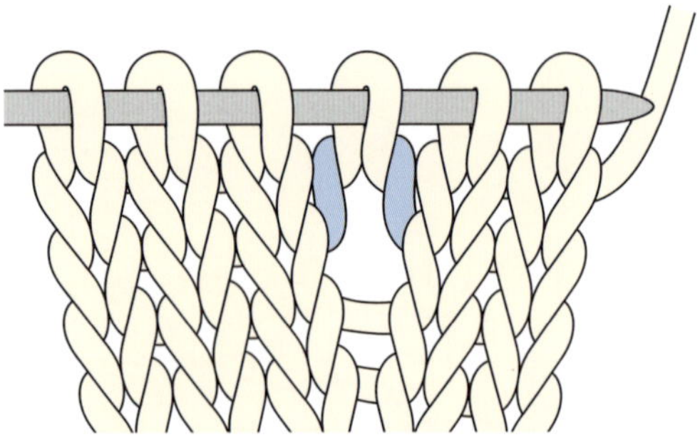

4 3を端まで編んだあと、さらにもう一段編み終わったところ。ブルーの目がかけ目(編まずに糸をかけた目)の部分。

○

かけ目（裏目）

かけめ（うらめ）

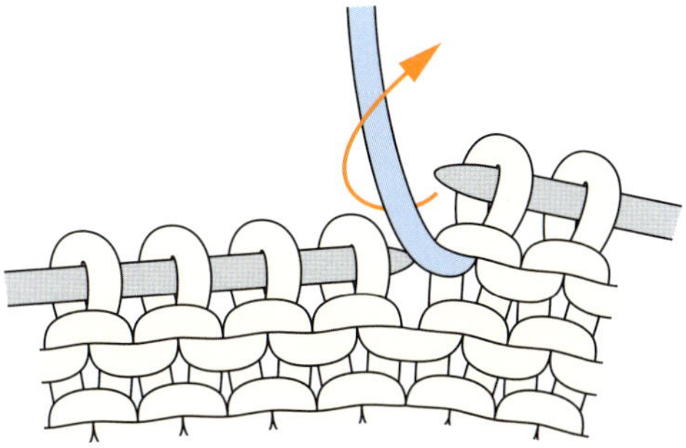

1　矢印のように右針を動かして、糸をかける。

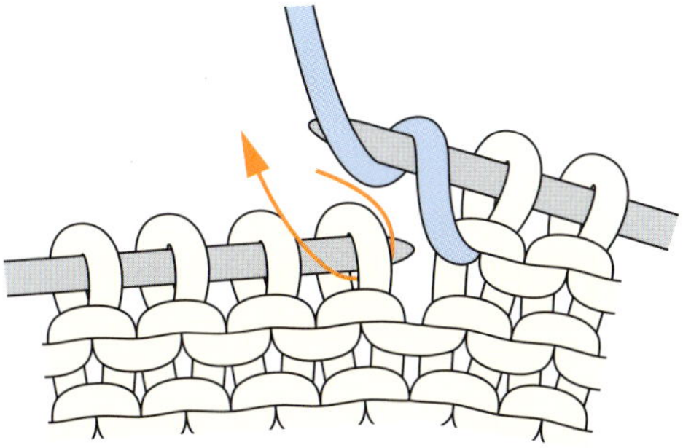

2　矢印のように右針を向こう側から入れて、裏目を編む。

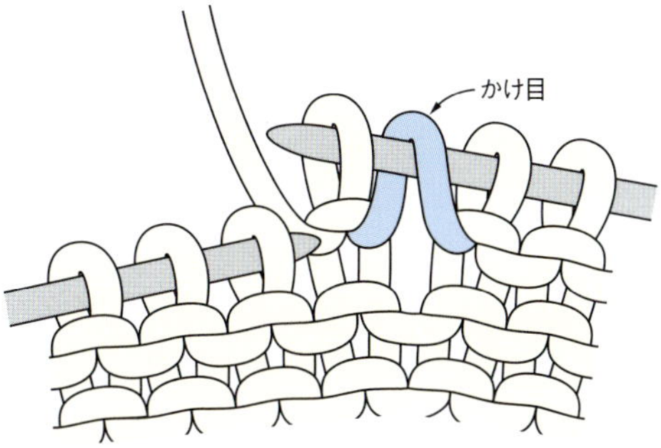

3　裏目のかけ目ができたところ。

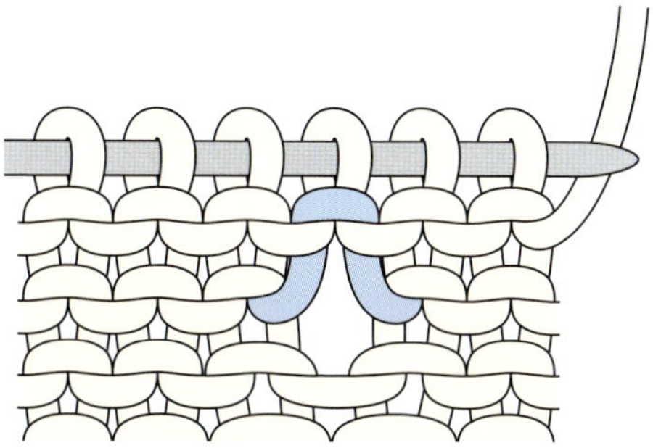

4　3を端まで編んだあと、さらにもう一段編み終わったところ。ブルーの目の部分がかけ目（編まずに糸をかけた目）の部分。

右上2目一度《みぎうえ2めいちど》

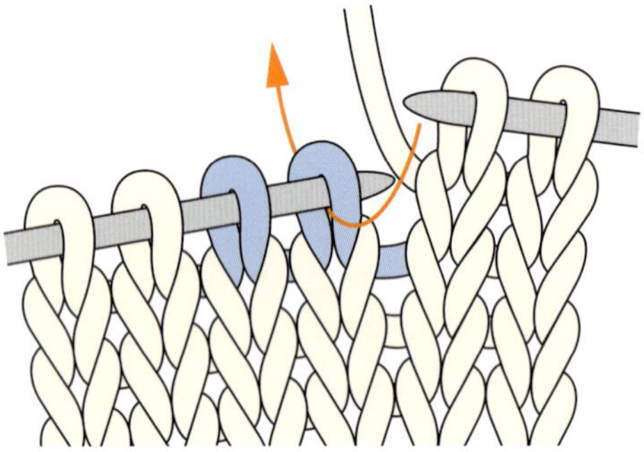

1 矢印のように右針を手前側から入れて、編まずに目を右針へ移す。

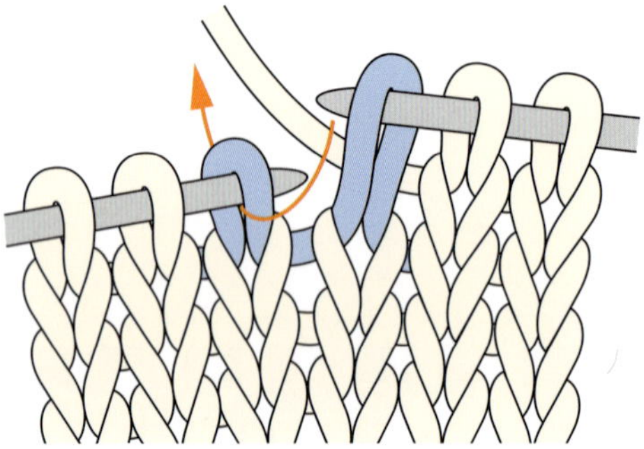

2 次の目も 1 と同じように右針を入れて、編まずに右針へ移す。

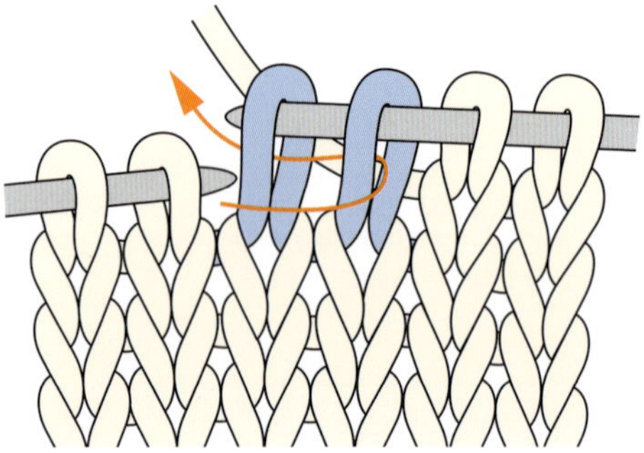

3 1 と 2 で右針へ移した２目に、矢印のように左針を入れる。

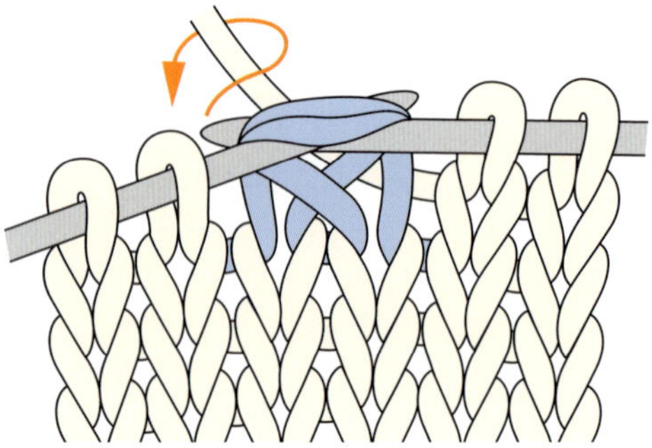

4 ２目一緒に表目を編む。

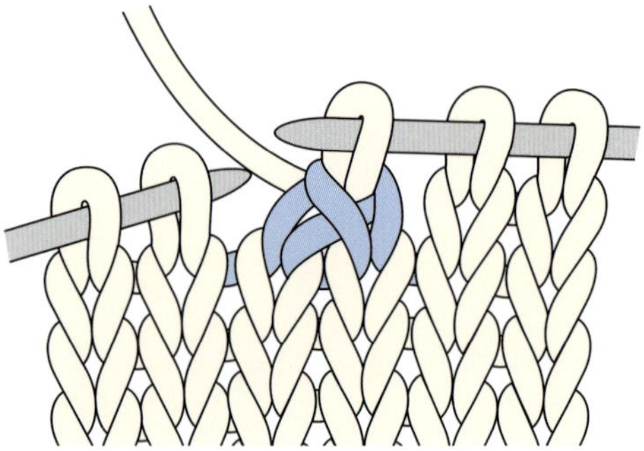

5 右上２目一度が編めたところ。

右上2目一度（裏目）
みぎうえ2めいちど（うらめ）

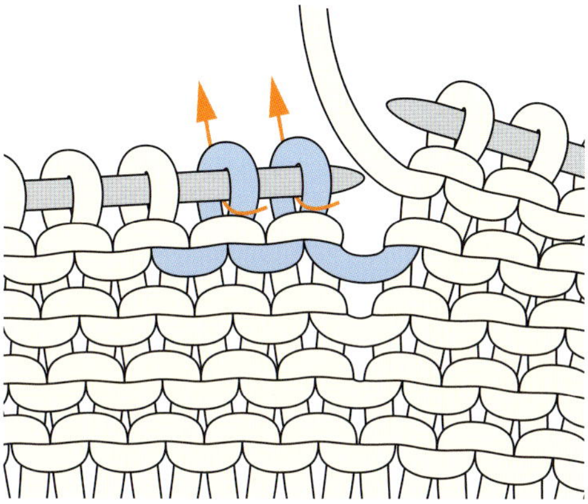

1　左針の２目に、矢印のように右針を順番に手前側から入れて、編まずに右針へ移す。

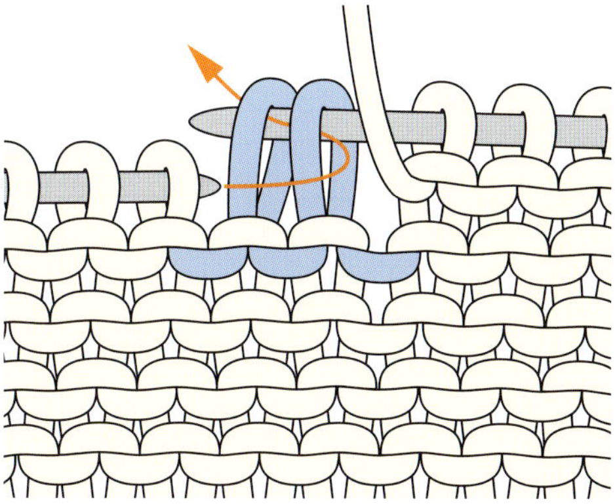

2　1で右針に移した２目に、矢印のように左針を入れて、左針へ戻す。

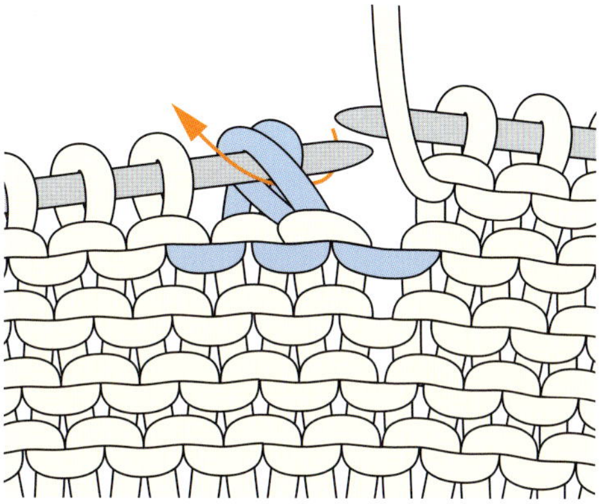

3　2で戻した２目に、矢印のように向こう側から右針を入れて、２目一緒に裏目を編む。

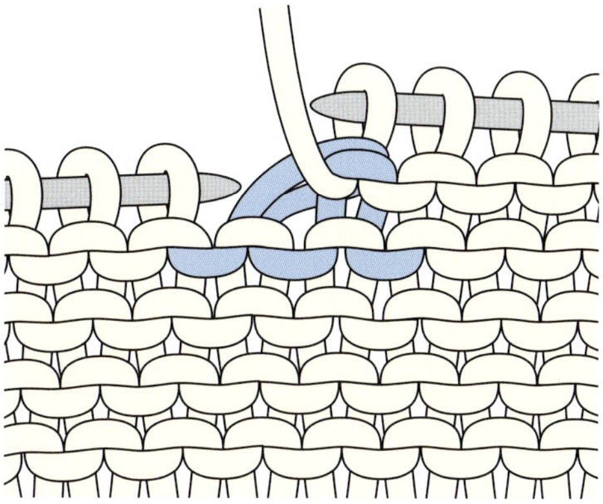

4　裏目の右上２目一度が編めたところ。

左上2目一度
ひだりうえ2めいちど

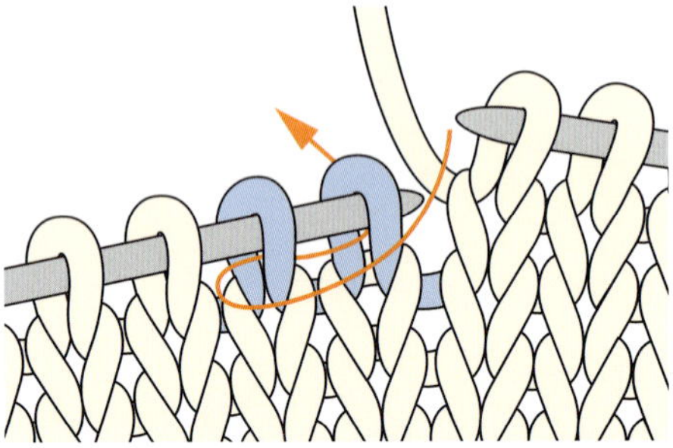

1 左針の2目に、矢印のように右針を入れる。

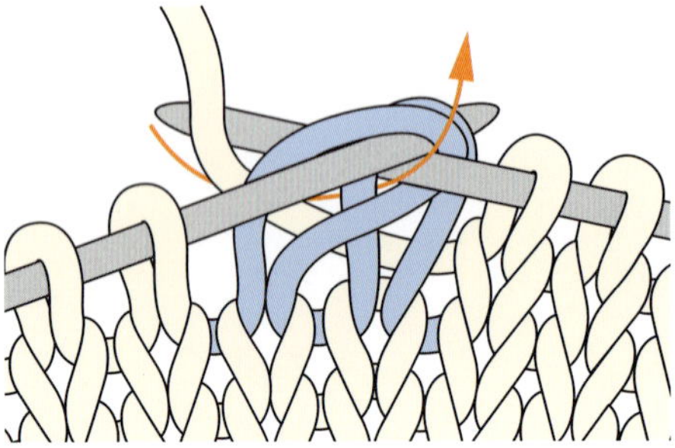

2 2目一緒に表目を編む。

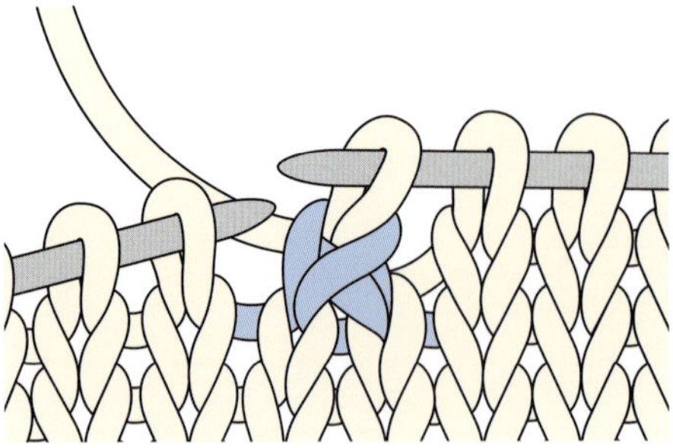

3 左上2目一度が編めたところ。

左上2目一度（裏目）
ひだりうえ2めいちど（うらめ）

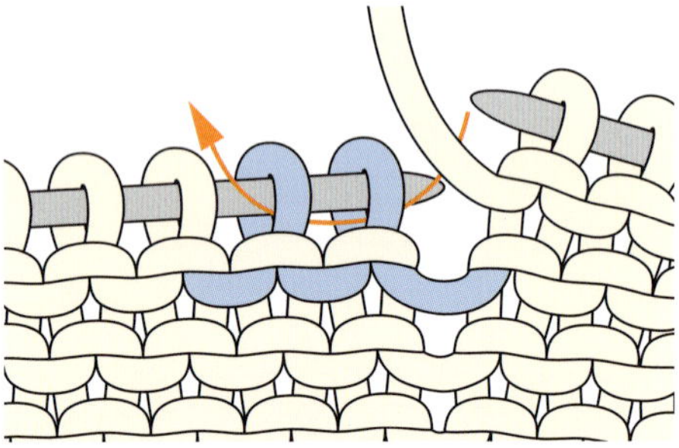

1 左針の2目に、矢印のように右針を入れる。

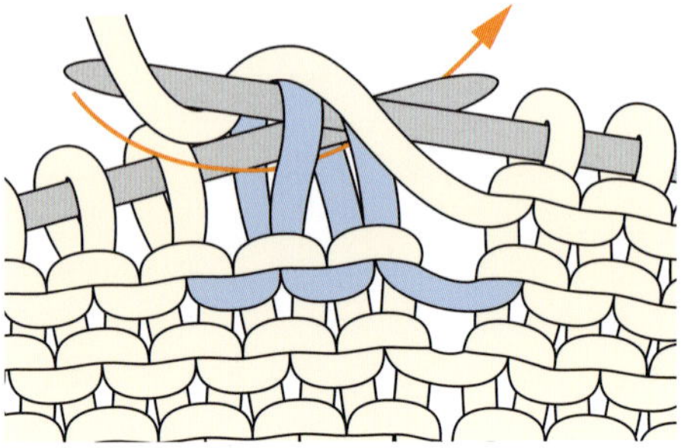

2 2目一緒に裏目を編む。

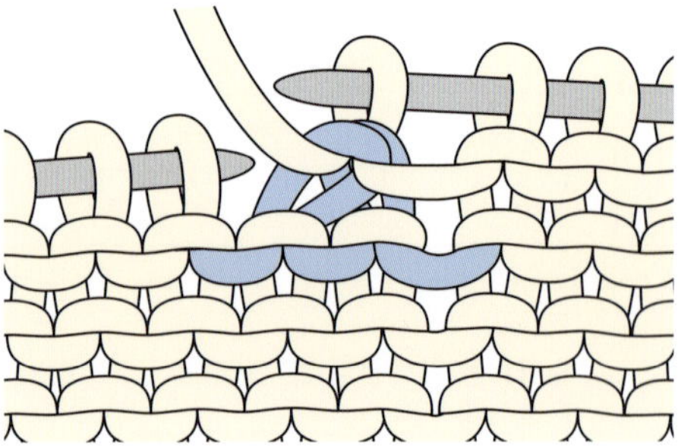

3 裏目の左上2目一度が編めたところ。

中上3目一度《なかうえ3めいちど》

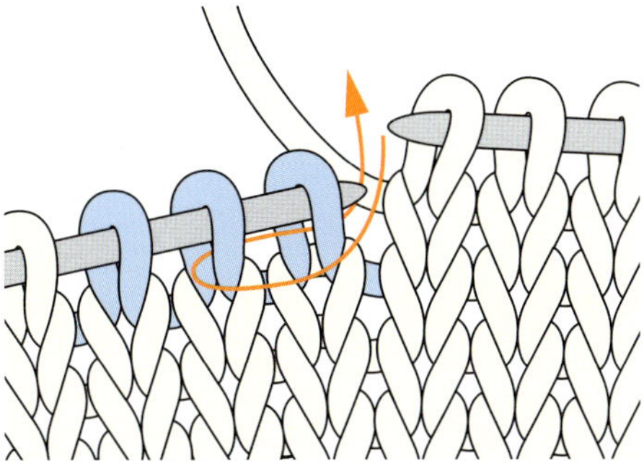

1 左針の２目に、矢印のように右針を入れて、編まずに右針へ移す。

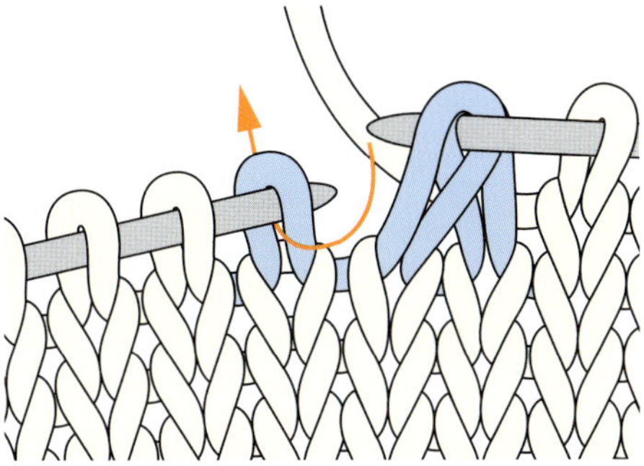

2 次の１目も矢印のように右針を入れて、編まずに右針へ移す。

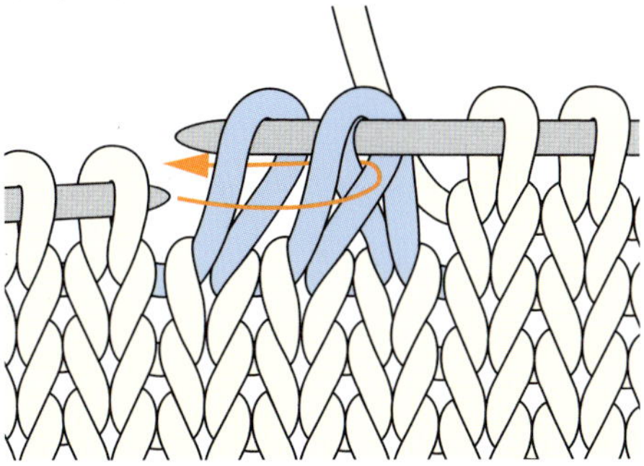

3 右針へ移した３目に、矢印のように左針を入れる。

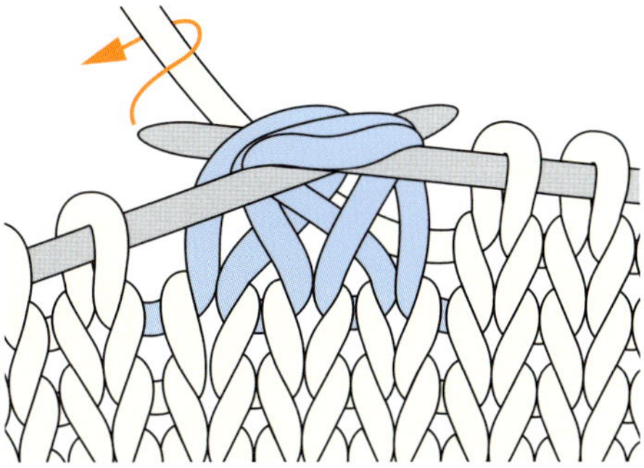

4 ３目一緒に表目を編む。

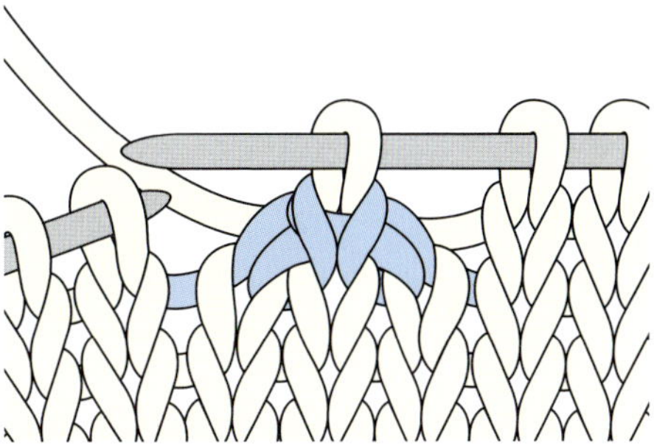

5 中上３目一度が編めたところ。

ワンポイント アドバイス

「○上△目一度」のような記号は、編み地の表側から見て「○の目を上にして、△の数の目を一緒に編む」という意味です。たとえば、「中上３目一度」の場合は、「中央の目を上にして、左右の目を一緒に編む」ということになります。

中上3目一度（裏目）

なかうえ3めいちど（うらめ）

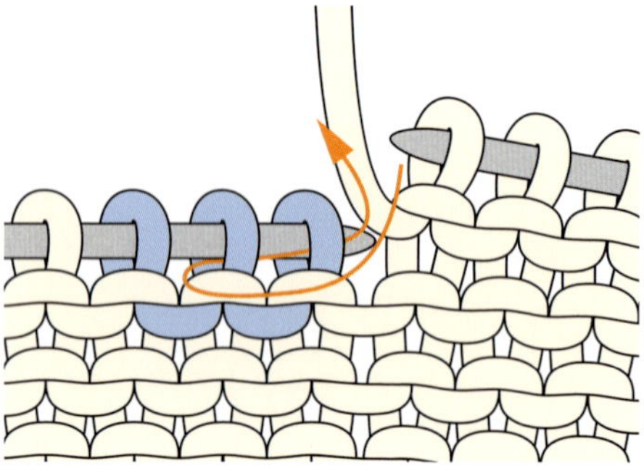

1　左針の2目に、矢印のように右針を入れて、編まずに右針へ移す。

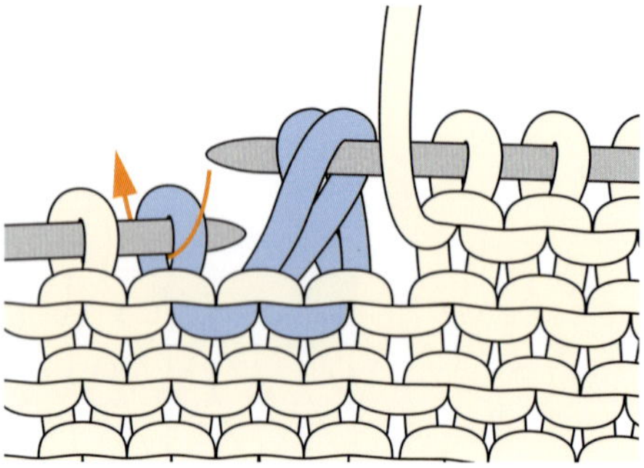

2　次の1目も矢印のように右針を入れて、編まずに右針へ移す。

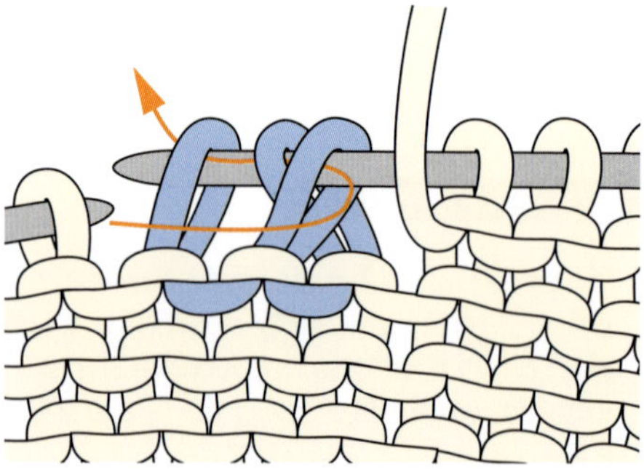

3　右針へ移した3目に、矢印のように左針を入れて、左針へ戻す。

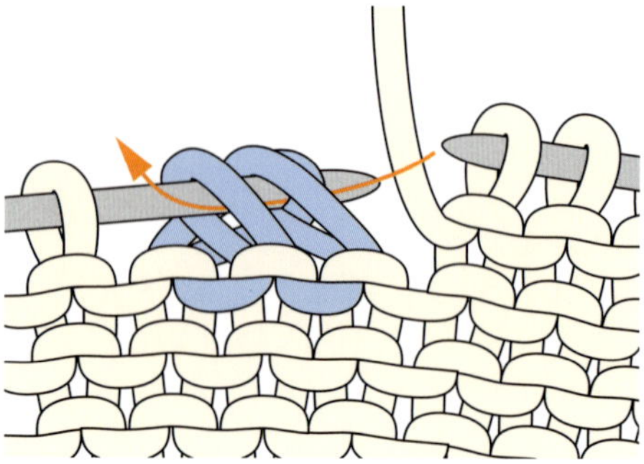

4　矢印のように右針を入れて、3目一緒に裏目で編む。

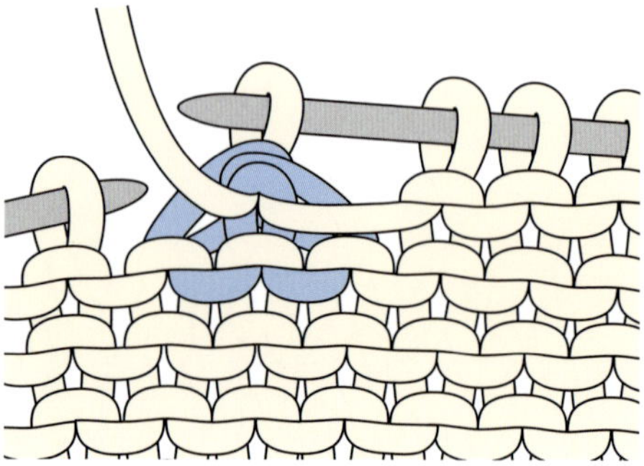

5　裏目の中上3目一度が編めたところ。

右上3目一度《みぎうえ3めいちど》

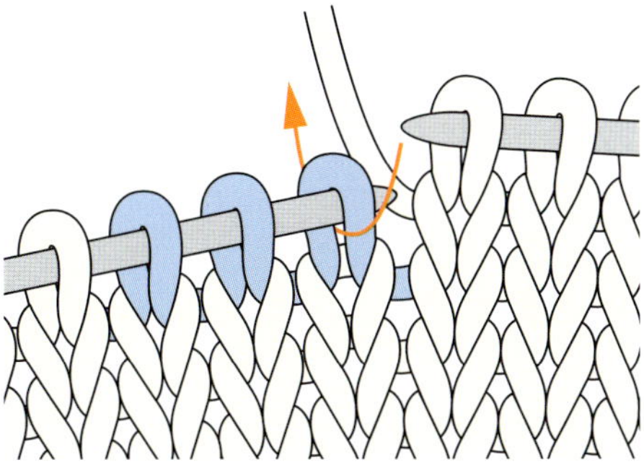

1 矢印のように右針を入れ、編まずに目を右針へ移す。

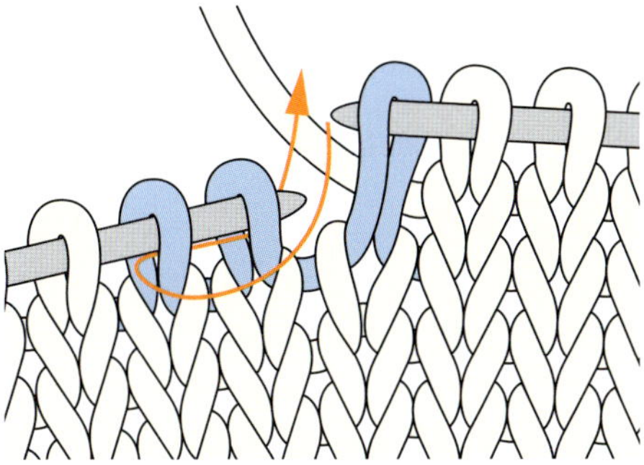

2 左針の２目に、矢印のように右針を入れて、編まずに右針へ移す。

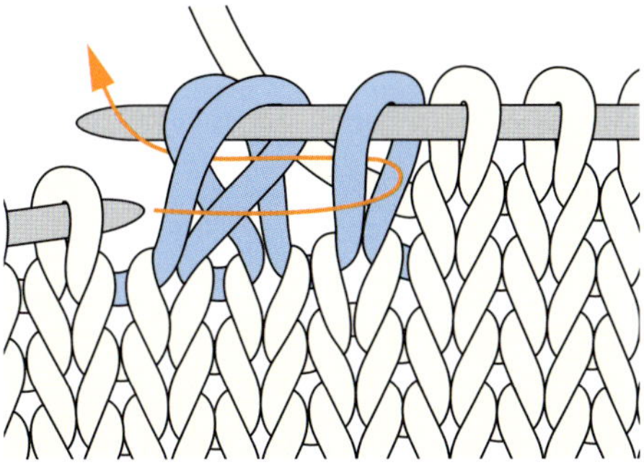

3 右針へ移した３目に、矢印のように左針を入れる。

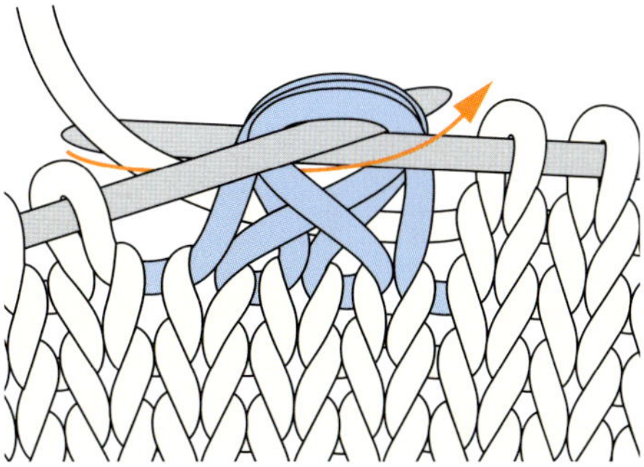

4 右針で糸をかけて、３目一緒に表目を編む。

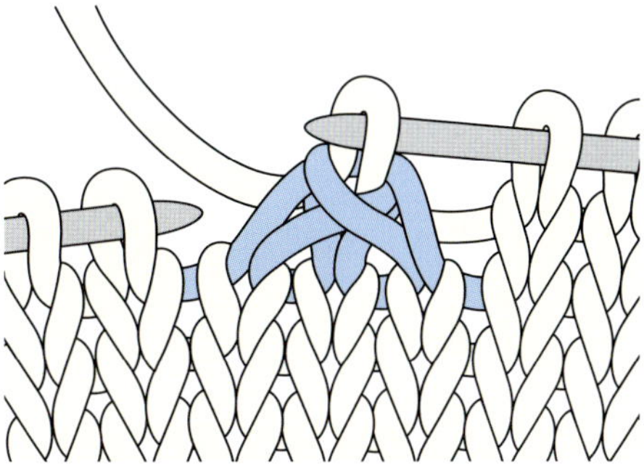

5 右上３目一度が編めたところ。

右上3目一度（裏目）

みぎうえ3めいちど（うらめ）

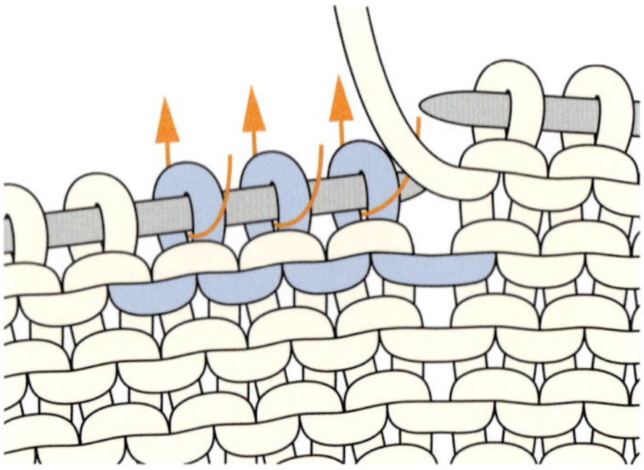

1　左針の3目に、矢印のように右針を順番に手前側から入れて、編まずに右針へ移す。

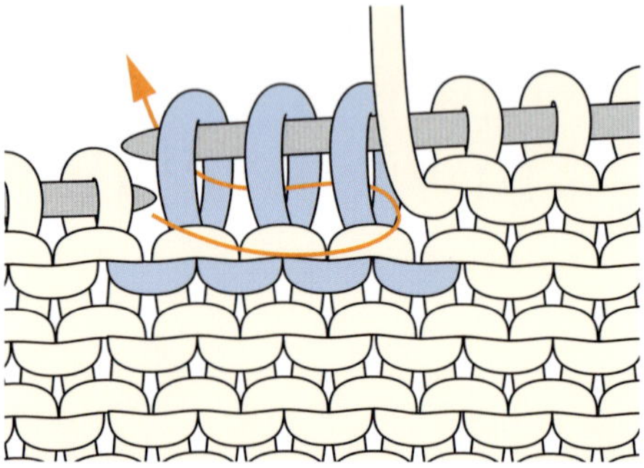

2　1で右針に移した3目に、矢印のように左針を入れて、左針へ戻す。

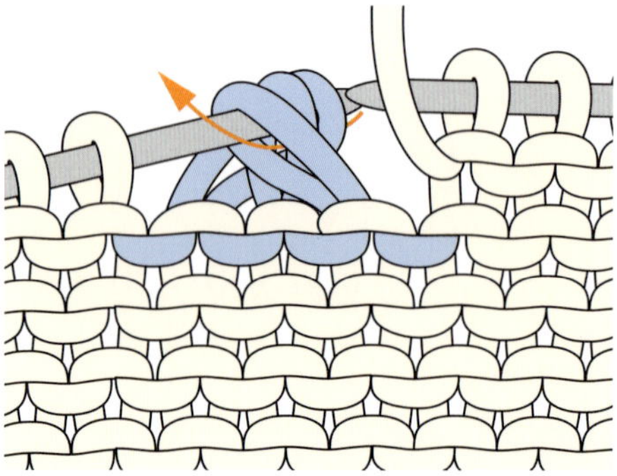

3　2で戻した3目に、矢印のように向こう側から右針を入れて、3目一緒に裏目を編む。

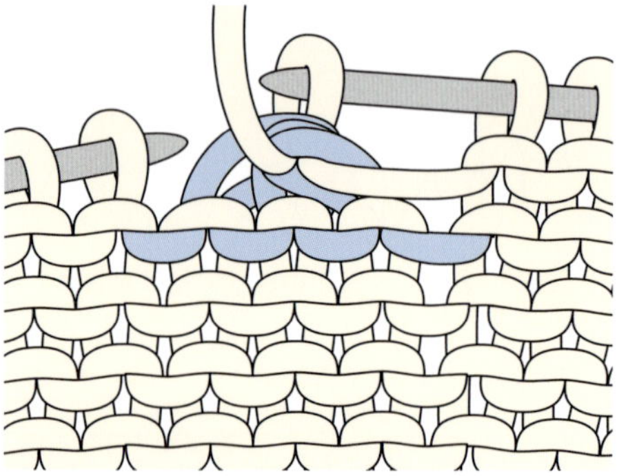

4　裏目の右上3目一度が編めたところ。

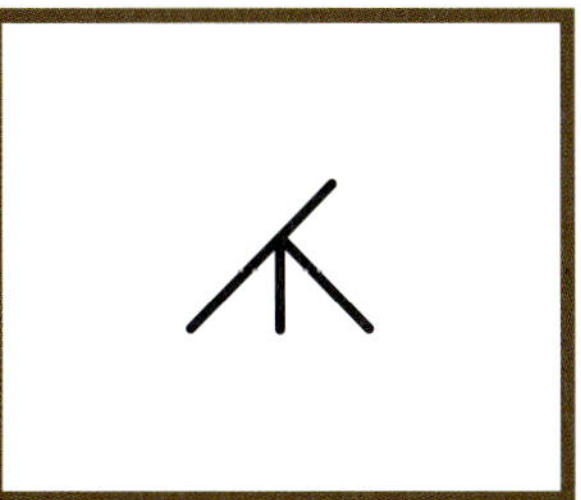

左上3目一度

ひだりうえ3めいちど

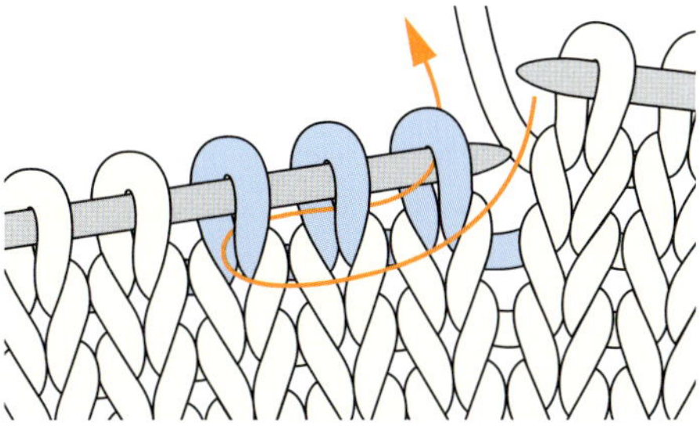

1 左針の3目に、矢印のように右針を入れる。

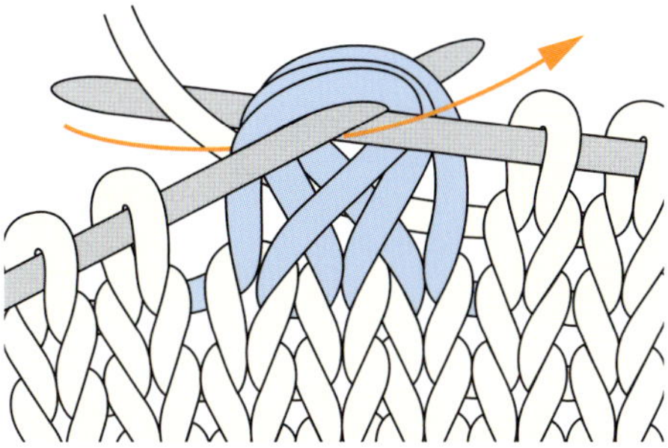

2 右針で糸をかけ、3目一緒に表目を編む。

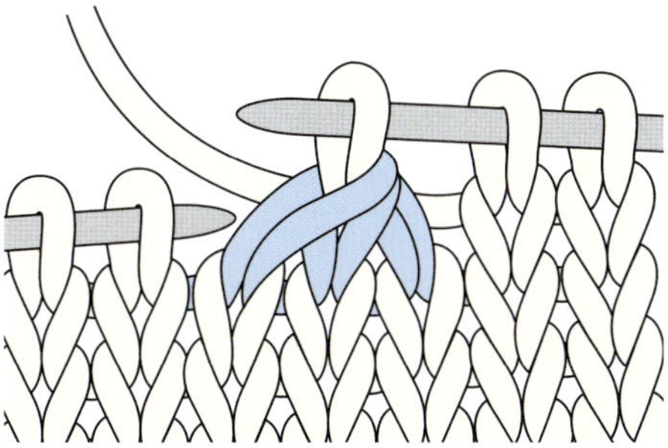

3 左上3目一度が編めたところ。

左上3目一度（裏目）

ひだりうえ3めいちど（うらめ）

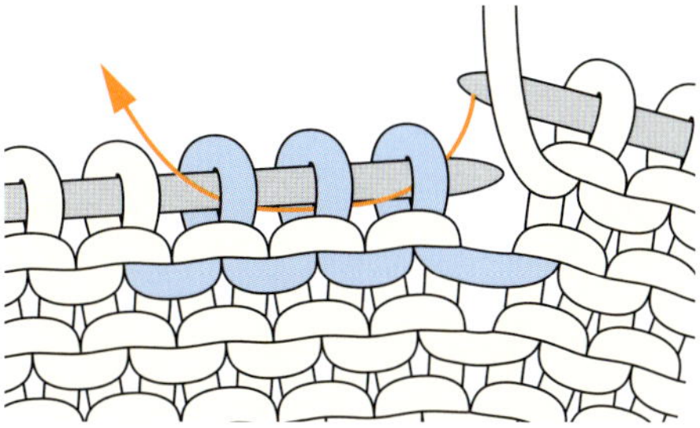

1 左針の3目に、矢印のように右針を入れる。

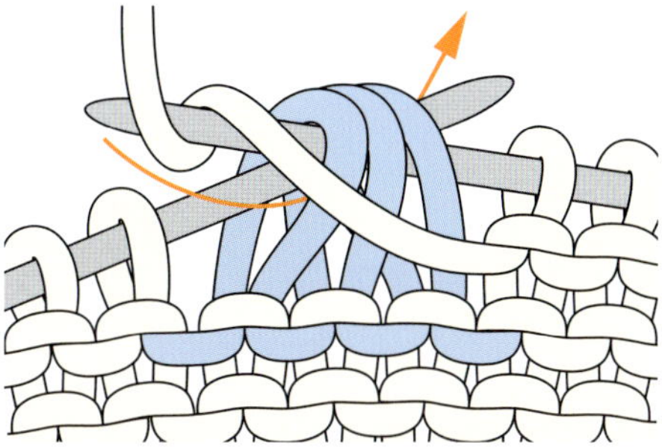

2 右針で糸をかけ、3目一緒に裏目を編む。

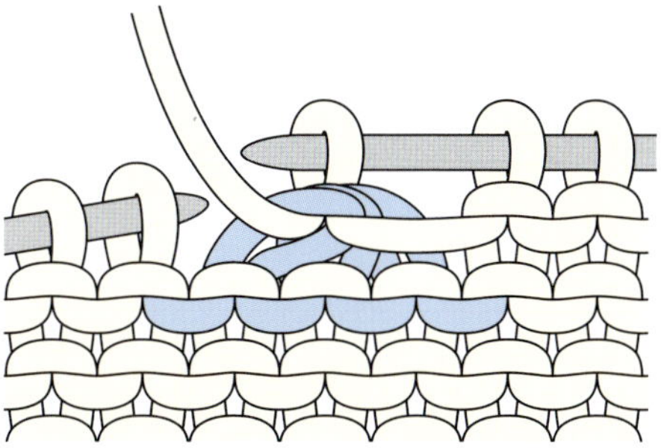

3 裏目の左上3目一度が編めたところ。

右増し目《みぎましめ》

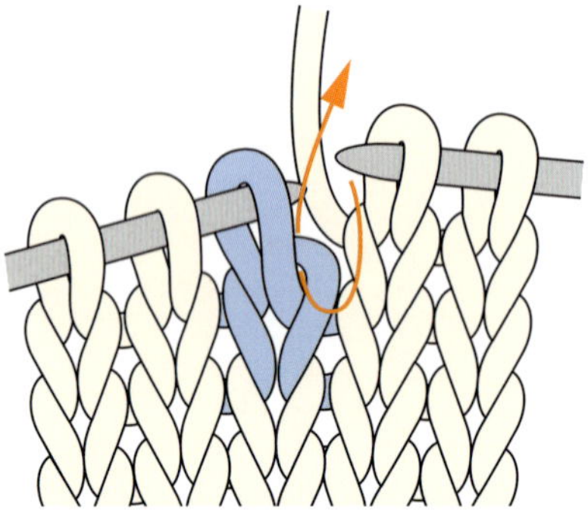

1　次の目を編む前に、１段下の目に、矢印のように手前側から右針を入れる。

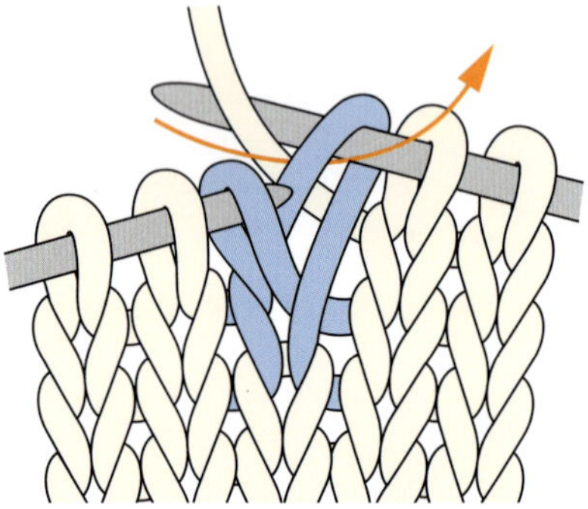

2　1で針を入れた目を引き上げて、図のように右針で糸をかけて、表目を編む。

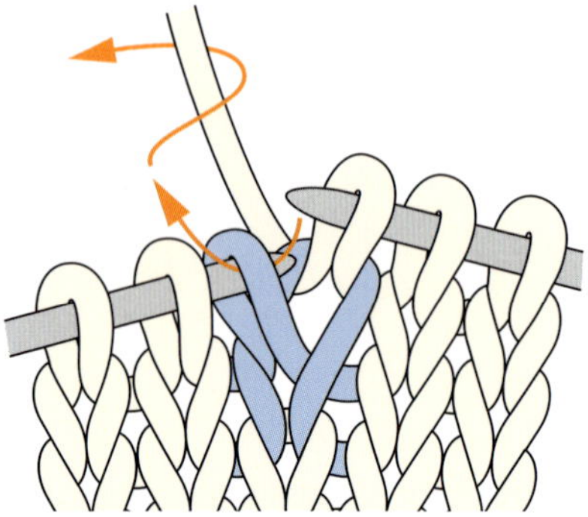

3　次の目も、表目を編む。

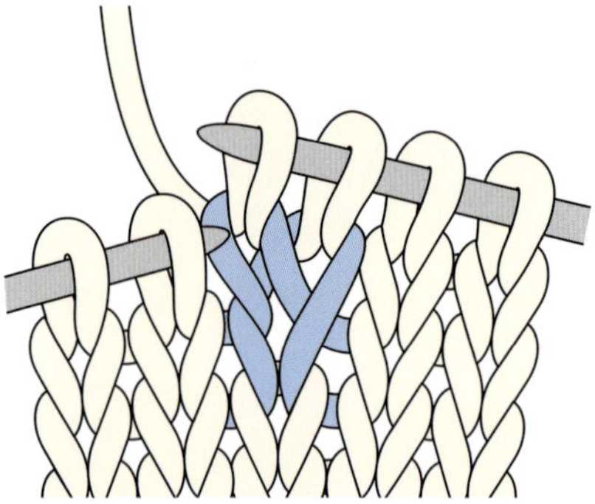

4　右増し目が編めたところ。

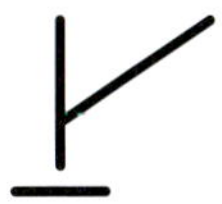

右増し目（裏目）

みぎましめ（うらめ）

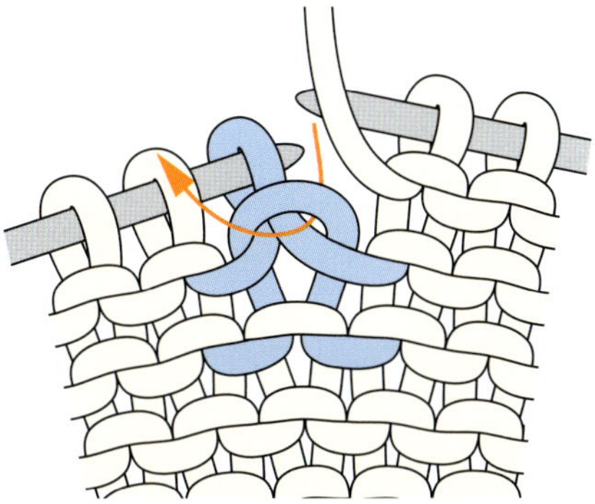

1 次の目を編む前に、１段下の目に、矢印のように向こう側から右針を入れる。

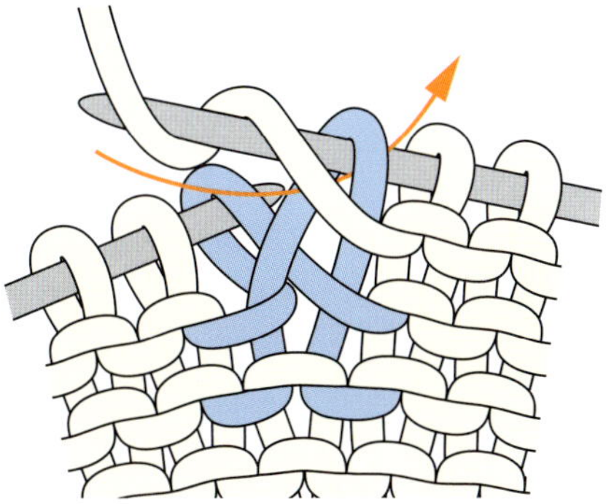

2 1で針を入れた目を引き上げて、図のように右針で糸をかけて、裏目を編む。

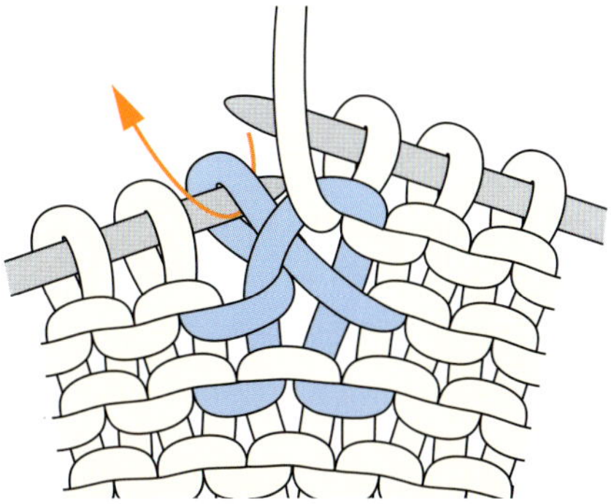

3 次の目も、裏目を編む。

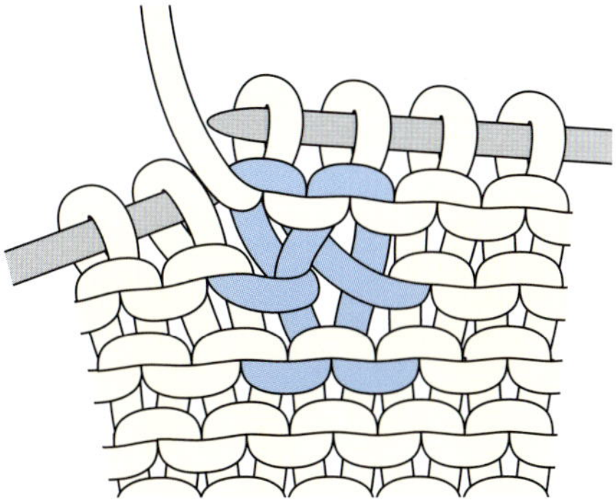

4 裏目の右増し目が編めたところ。

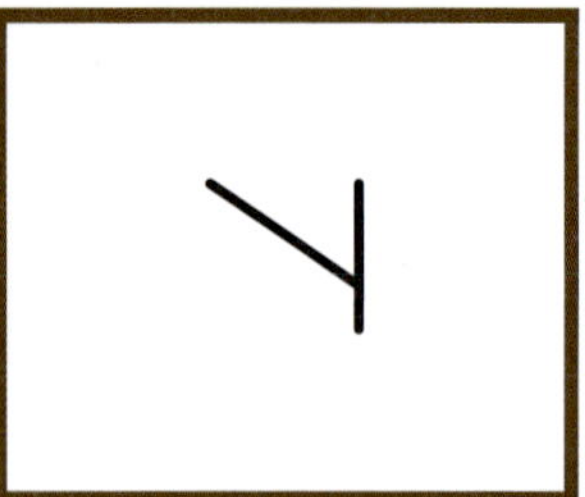

左増し目
ひだりましめ

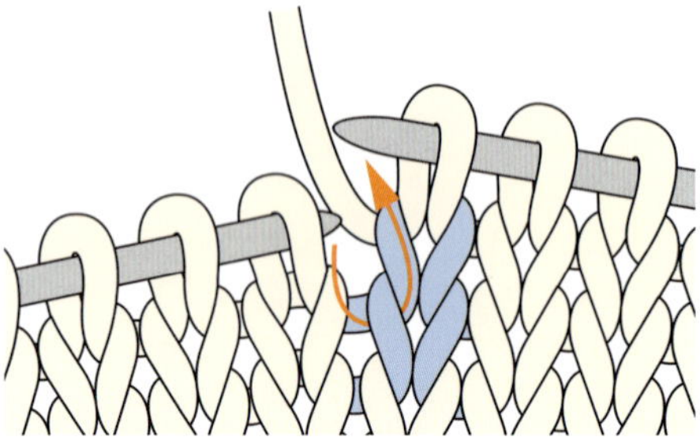

1 表目を編んでから、１段下の目に、矢印のように向こう側から左針を入れる。

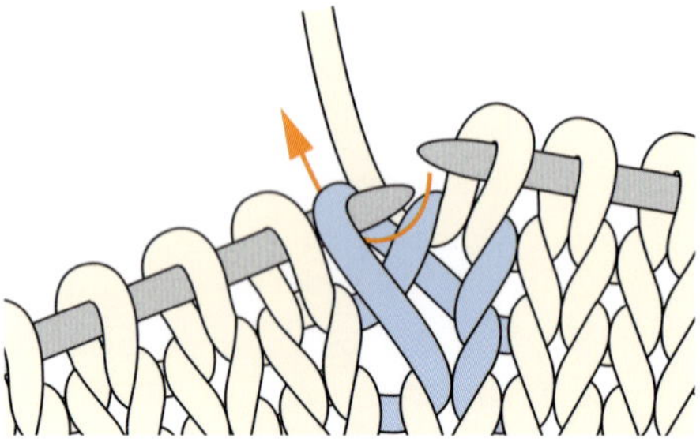

2 1で針を入れた目を引き上げ、矢印のように右針を入れて、表目を編む。

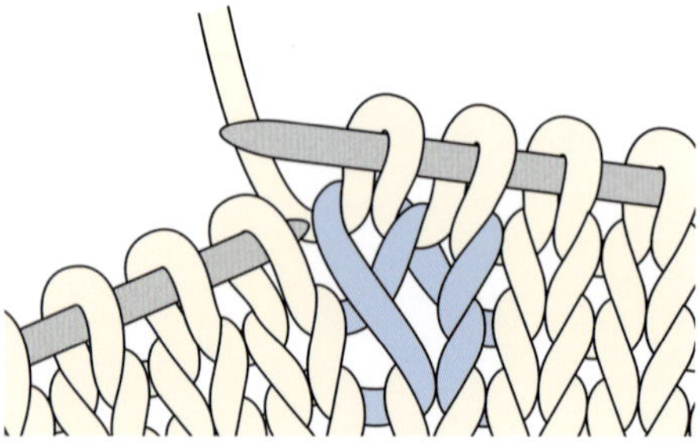

3 左増し目が編めたところ。

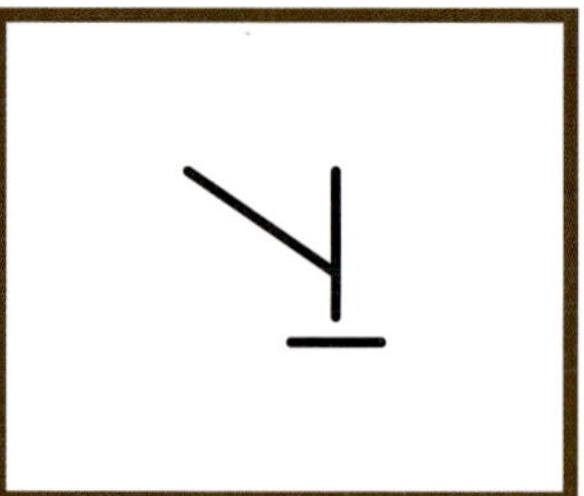

左増し目（裏目）
ひだりましめ（うらめ）

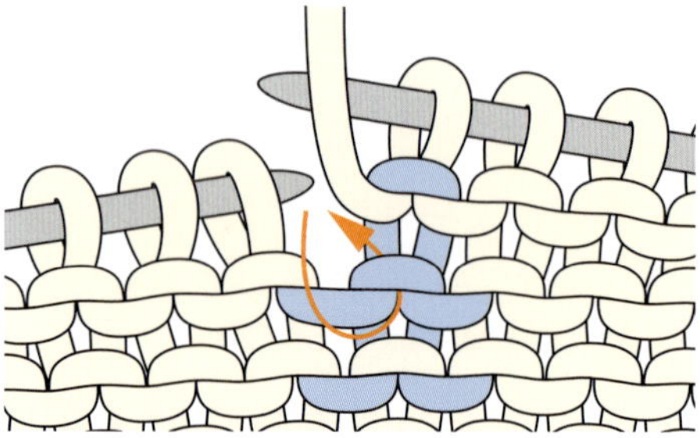

1 裏目を編んでから、１段下の目に、矢印のように手前側から左針を入れる。

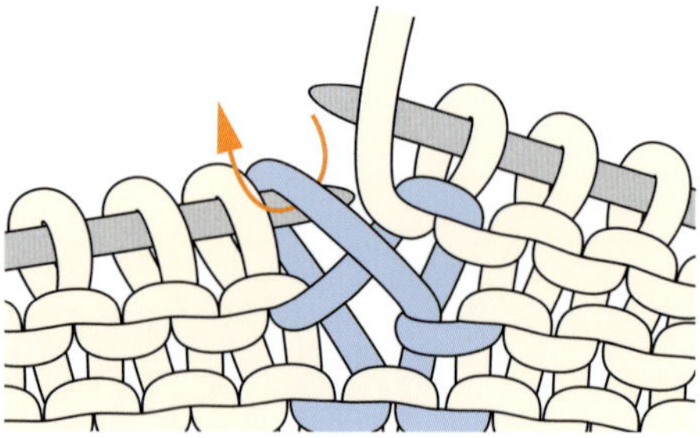

2 1で針を入れた目を引き上げ、矢印のように右針を入れて、裏目を編む。

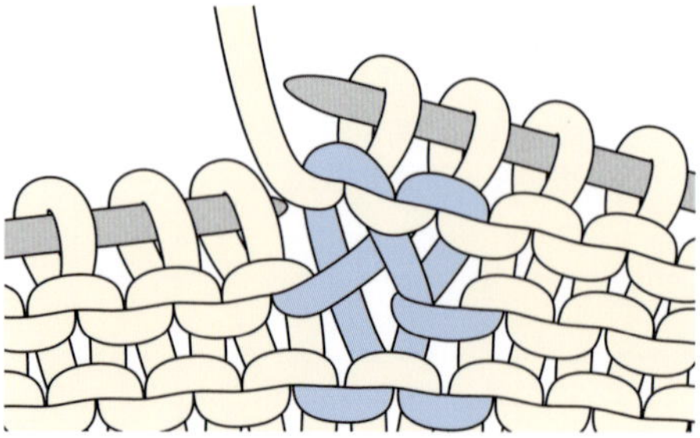

3 裏目の左増し目が編めたところ。

編み出し増し目（3目）

あみだしましめ（3め）

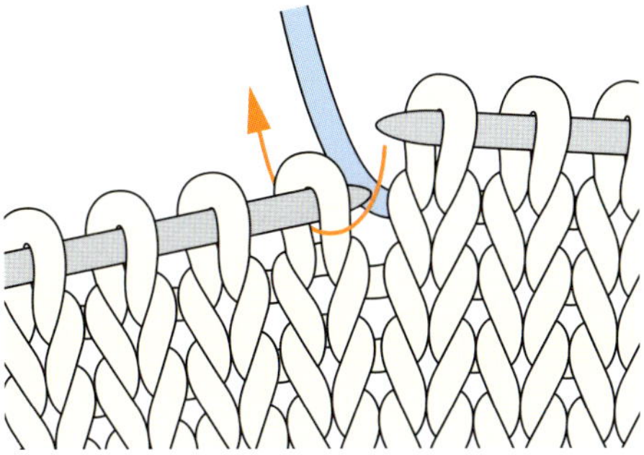

1 矢印のように右針を手前側から入れる。

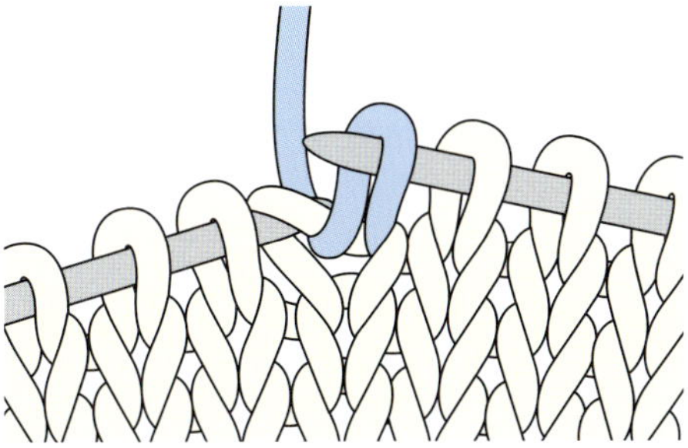

2 右針で糸をかけて、表目を編む。右針で糸を引き出したら、左針は抜かずにそのままにする。

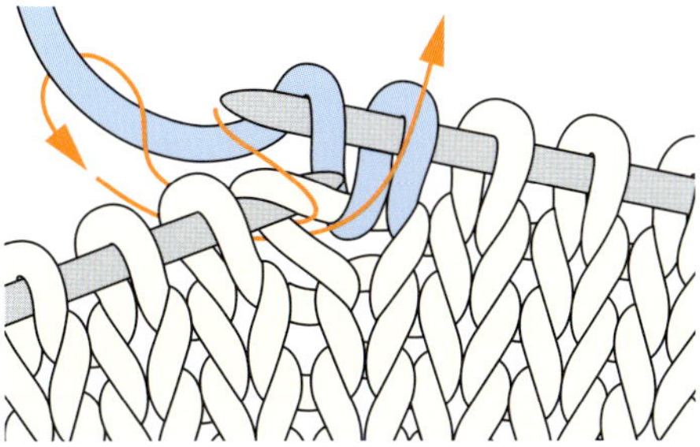

3 右針に図のように糸をかけてかけ目をし、2と同じ目に表目を編む。

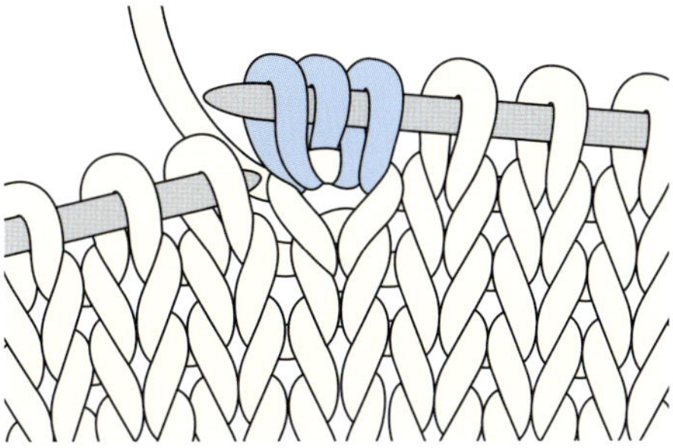

4 3目の編み出し増し目が編めたところ。

編み出し増し目（5目）

あみだしましめ（5め）

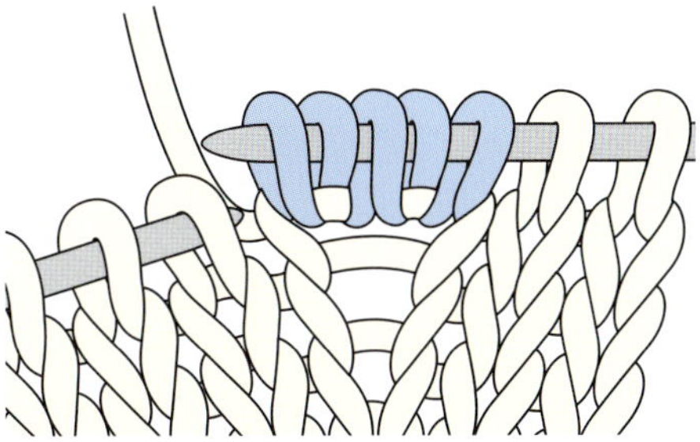

1 3目の編み出し増し目の3のあとに、さらにかけ目と表目をもう1回ずつ繰り返して編む。

右上交差《みぎうえこうさ》

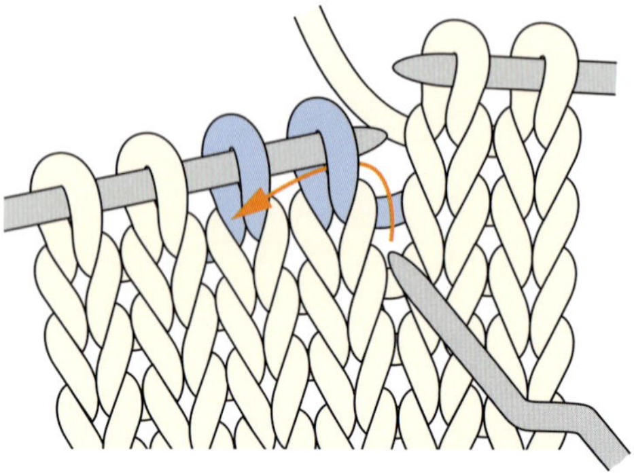

1 左針の右の目に矢印のようになわ編み針を入れて、編み地の手前側で目を休ませる。

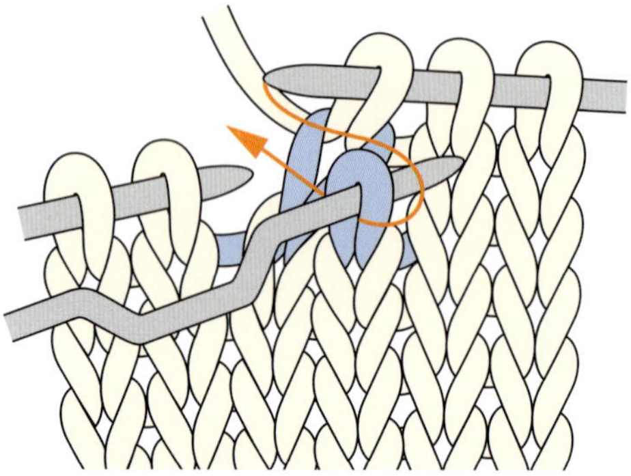

3 なわ編み針に休ませていた目に、矢印のように右針を入れて、表目を編む。

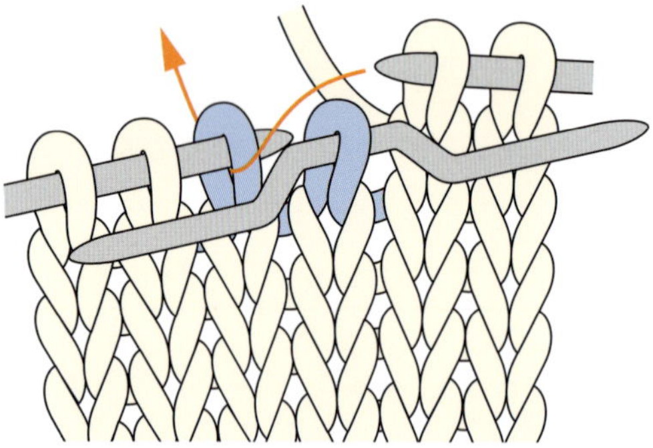

2 左の目に矢印のように右針を入れて、表目を編む。

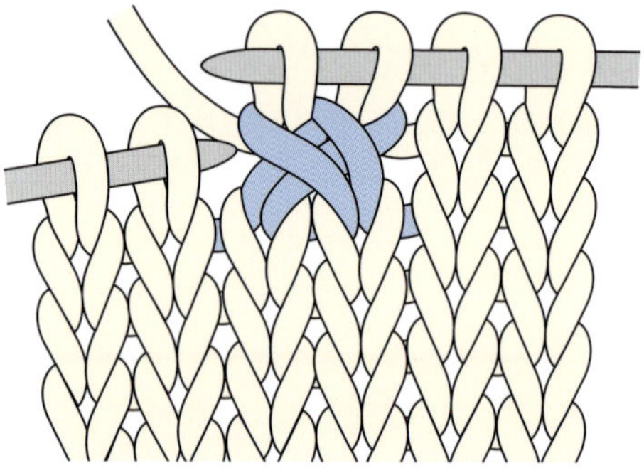

4 右上交差が編めたところ。

左上交差《ひだりうえこうさ》

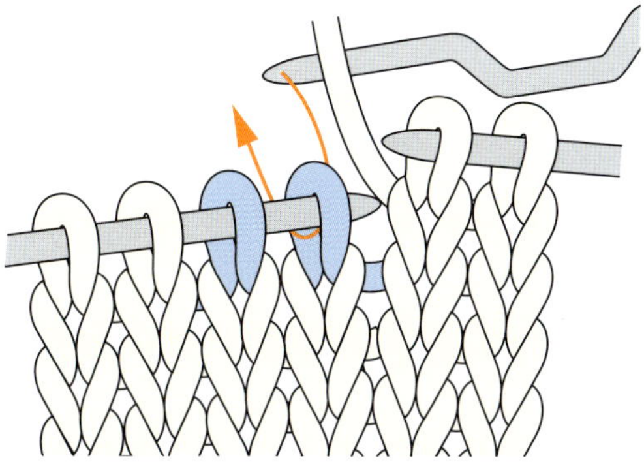

1 左針の右の目に矢印のようになわ編み針を入れて、編み地の向こう側で目を休ませる。

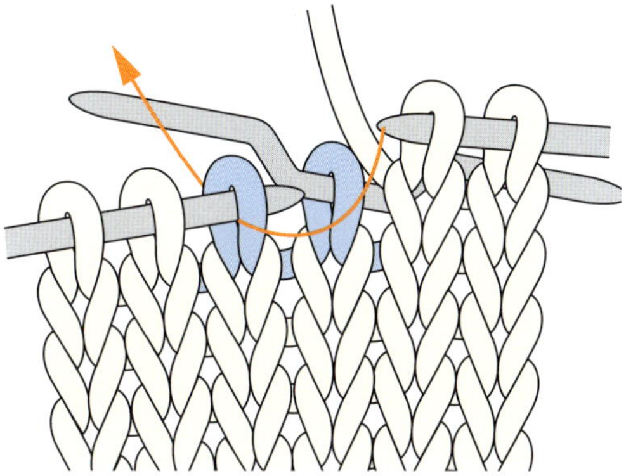

2 左の目に矢印のように右針を入れて、表目を編む。

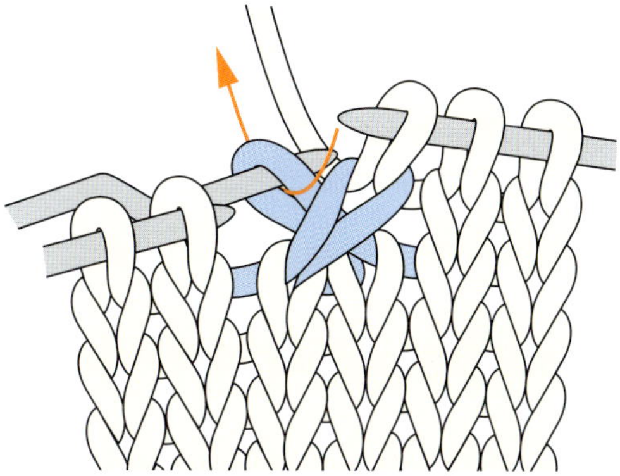

3 なわ編み針に休ませていた目に、矢印のように右針を入れて、表目を編む。

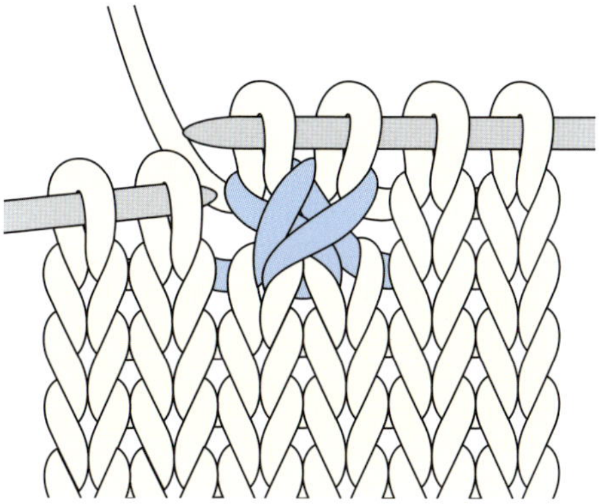

4 左上交差が編めたところ。

右目を通す交差《みぎめをとおすこうさ》

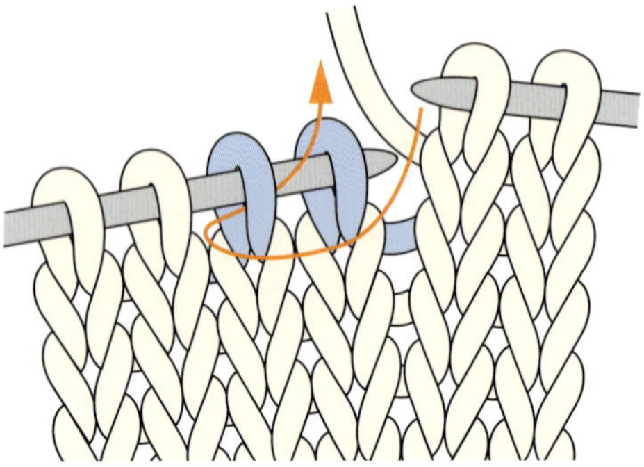

1　左針の右の目はそのままで、左の目に矢印のように右針を入れる。

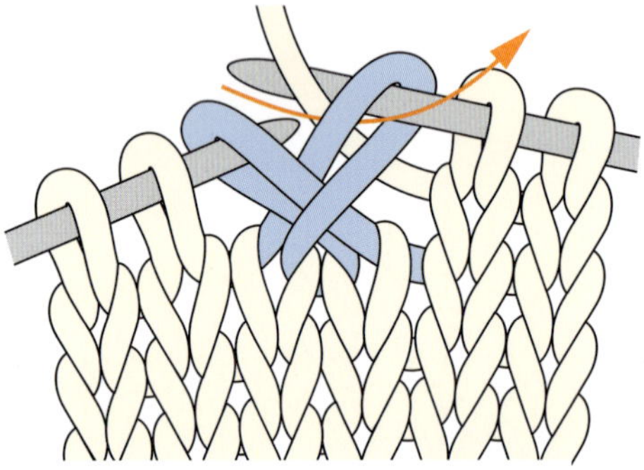

2　右の目を左の目の中に通して、左の目は表目を編む。

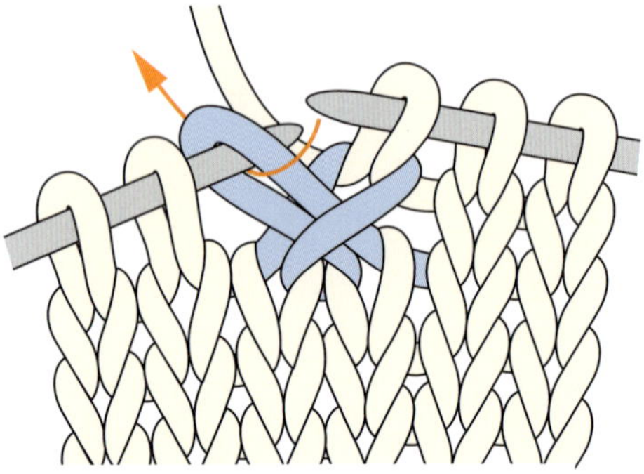

3　右の目も表目を編む。

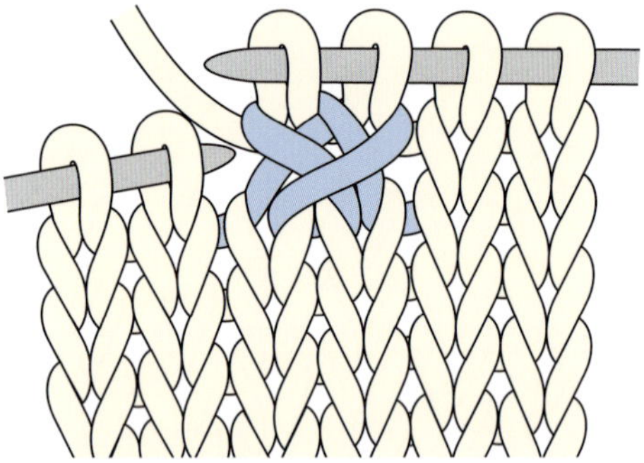

4　右目を通す交差が編めたところ。

左目を通す交差《ひだりめをとおすこうさ》

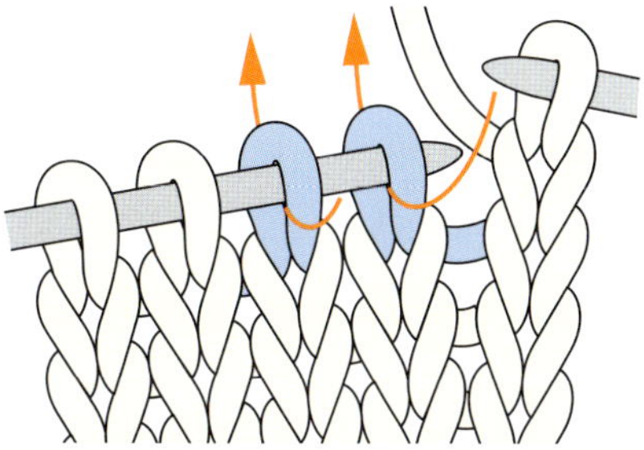

1 左針の２目に、矢印のように順に右針を入れて、編まずに右針へ移す。

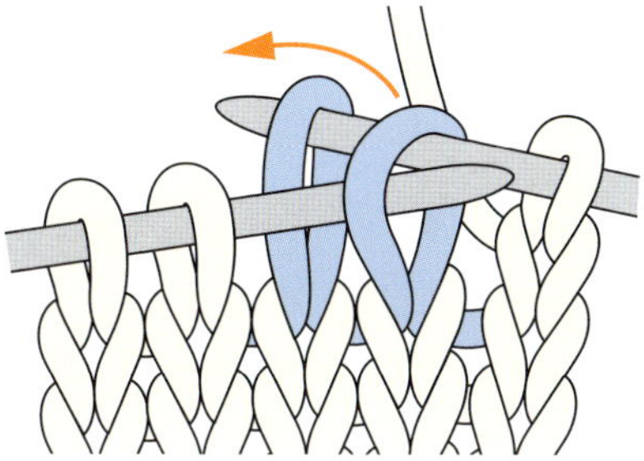

2 移した目のうちの右の目に左針を入れて、左の目を中に通しながら、左針へ戻す。

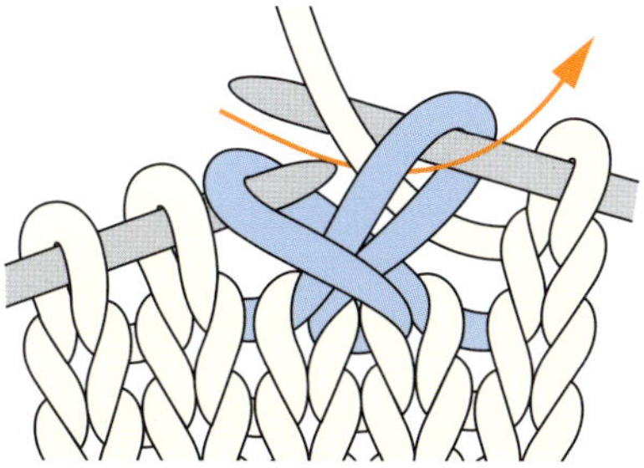

3 右針に残った目は表目を編む。

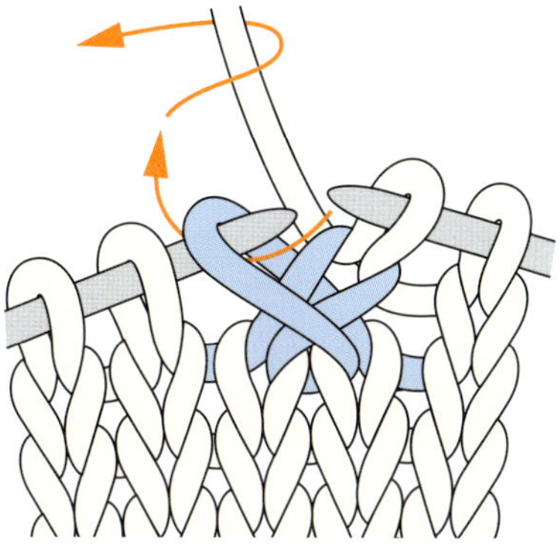

4 左針へ戻した目も表目を編む。

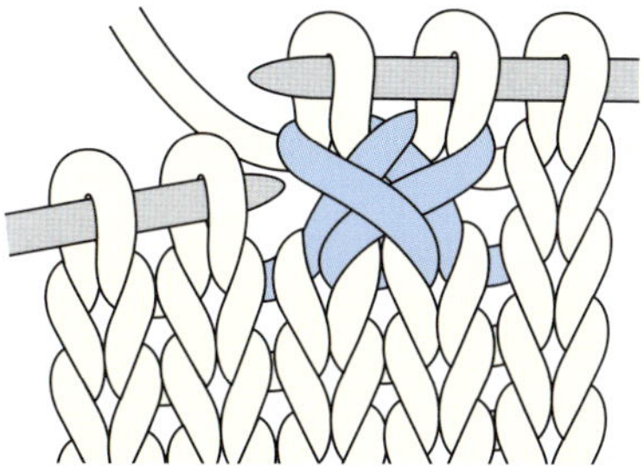

5 左目を通す交差が編めたところ。

すべり目

すべりめ

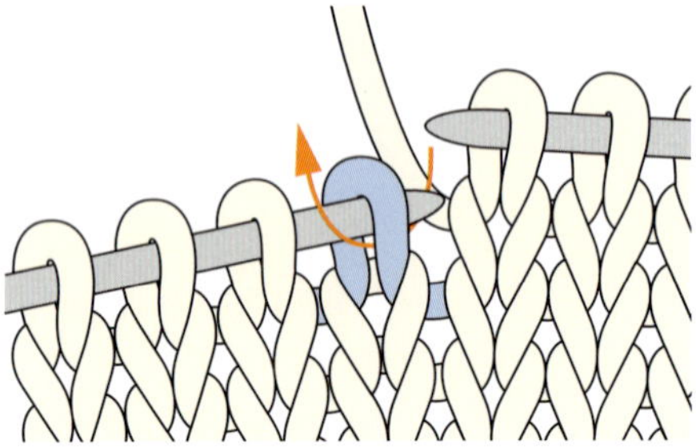

1 矢印のように向こう側から右針を入れて、編まずに右針へ移す。

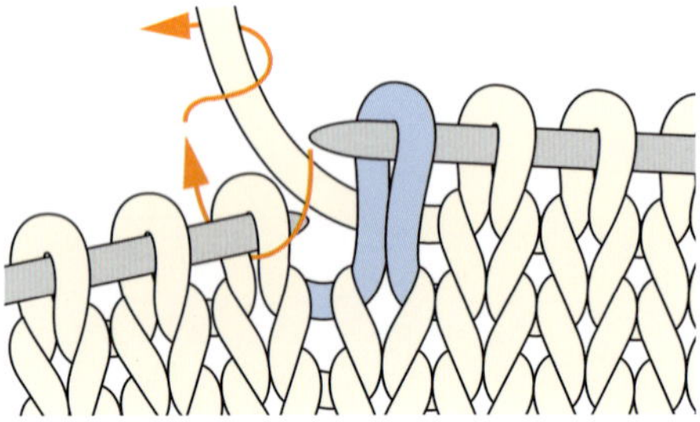

2 次の目は表目を編む。

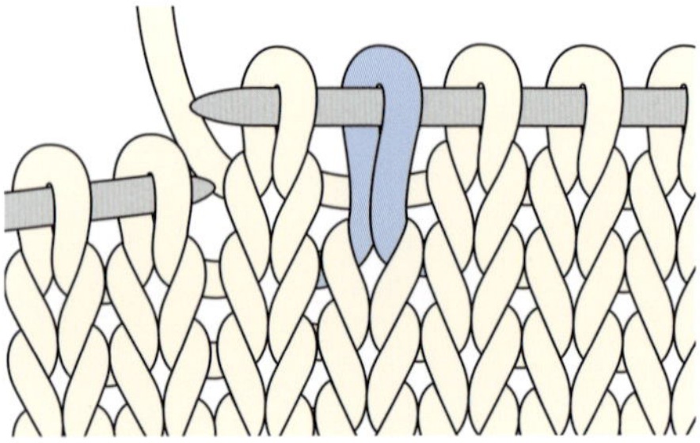

3 すべり目と次の１目が編めたところ。

すべり目（裏目）

すべりめ（うらめ）

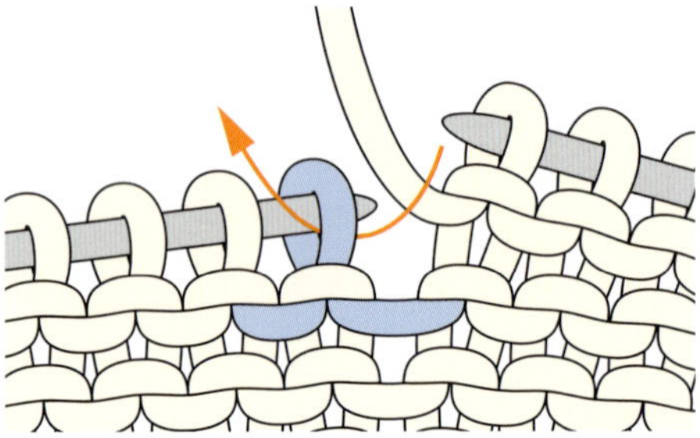

1 矢印のように向こう側から右針を入れて、編まずに右針へ移す。

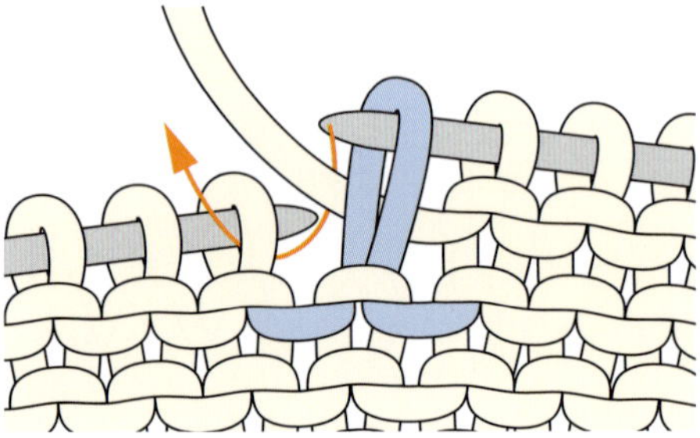

2 次の目は裏目を編む。

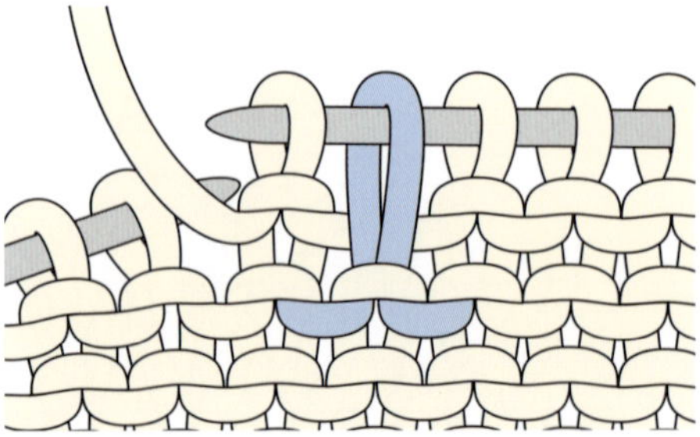

3 裏目のすべり目と次の１目が編めたところ。

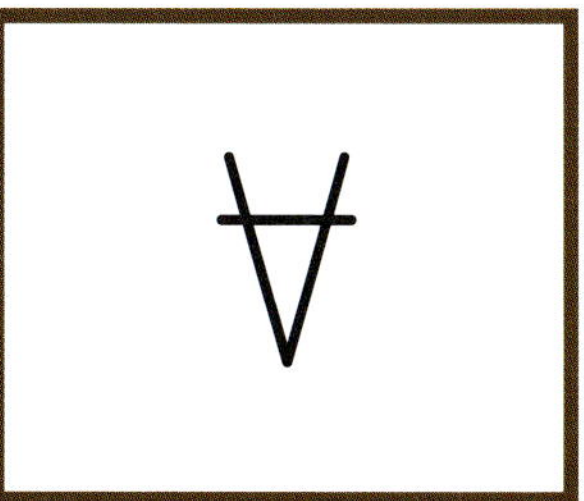

浮き目《うきめ》

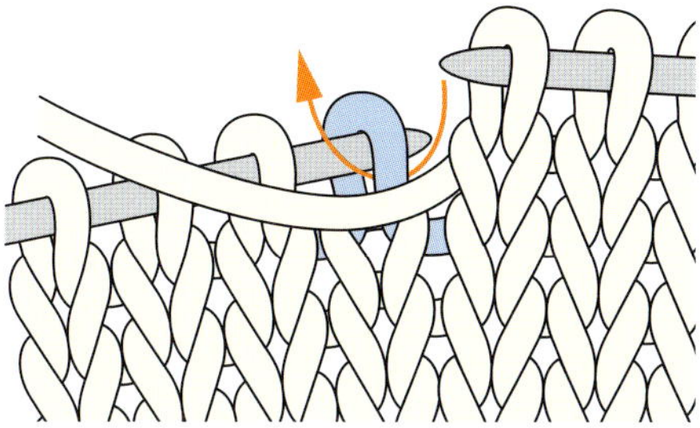

1 糸を編み地の手前側に置いて、矢印のように向こう側から右針を入れて、編まずに右針へ移す。

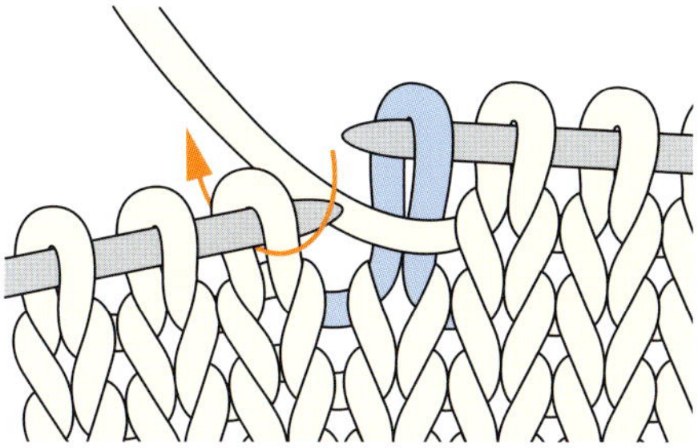

2 糸を編み地の向こう側に戻して、次の目を表目で編む。

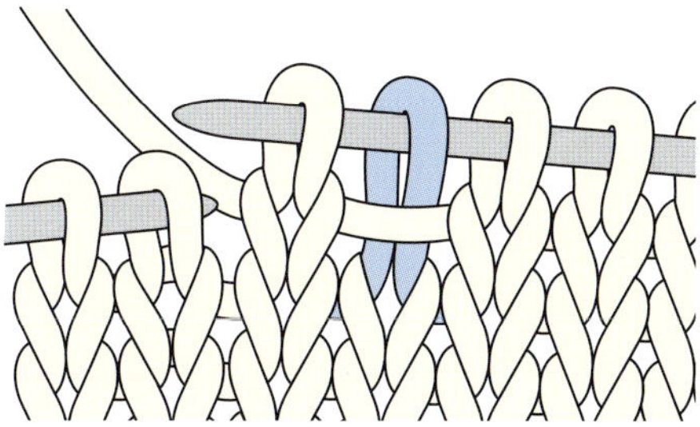

3 浮き目と次の１目が編めたところ。

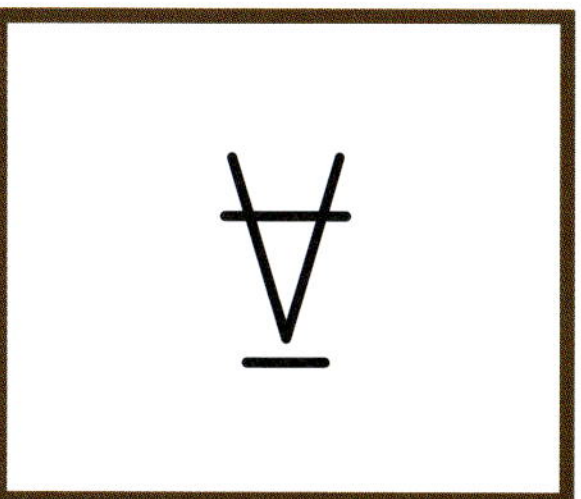

浮き目《うきめ》（裏目《うらめ》）

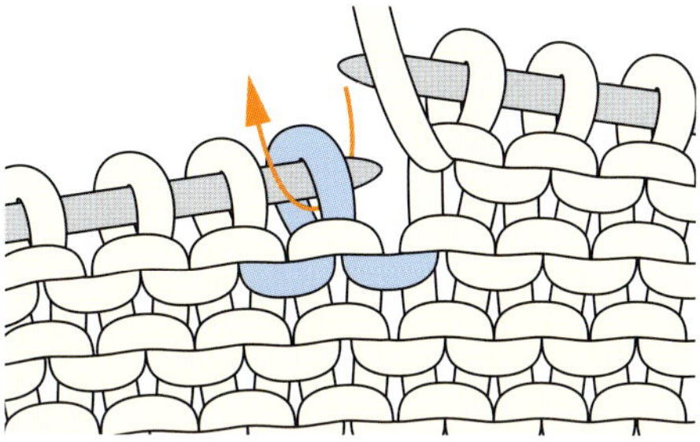

1 糸を編み地の手前側に置いて、矢印のように向こう側から右針を入れて、編まずに右針へ移す。

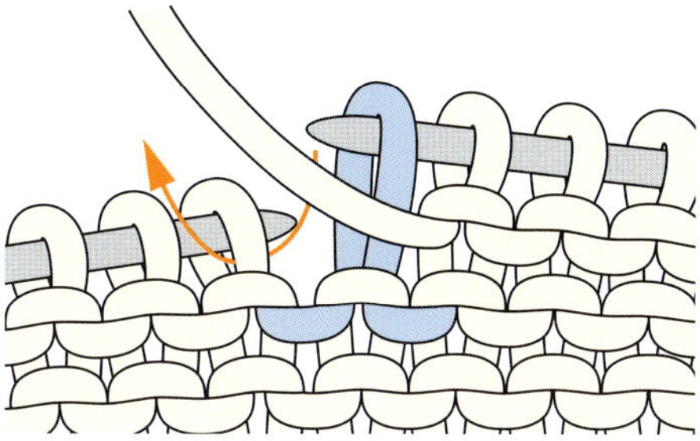

2 次の目を裏目で編む。

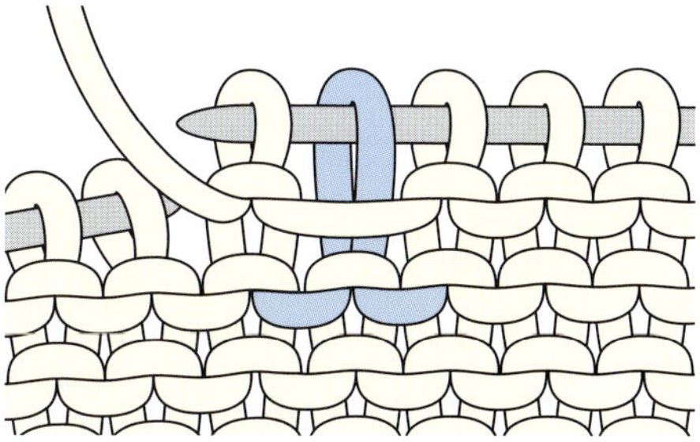

3 裏目の浮き目と次の１目が編めたところ。

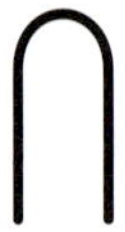

引き上げ目《ひきあげめ》〈かけ目で編む方法〉

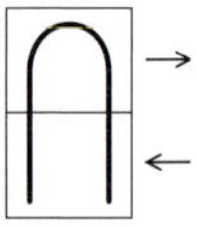

＊ここでは２段の場合で説明します。

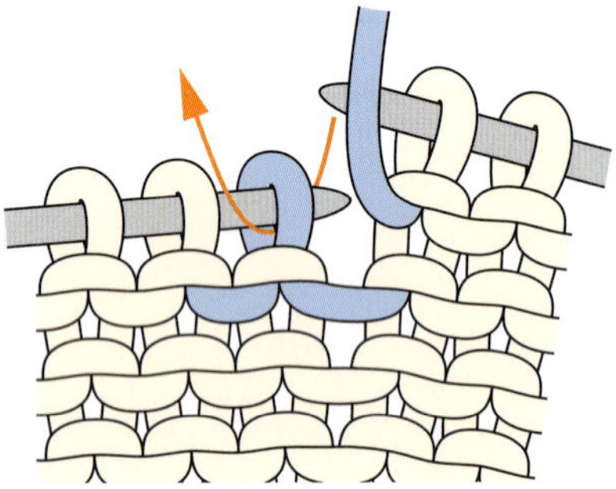

1 矢印のように向こう側から右針を入れ、編まずにそのまま目を右針へ移す(すべり目)。

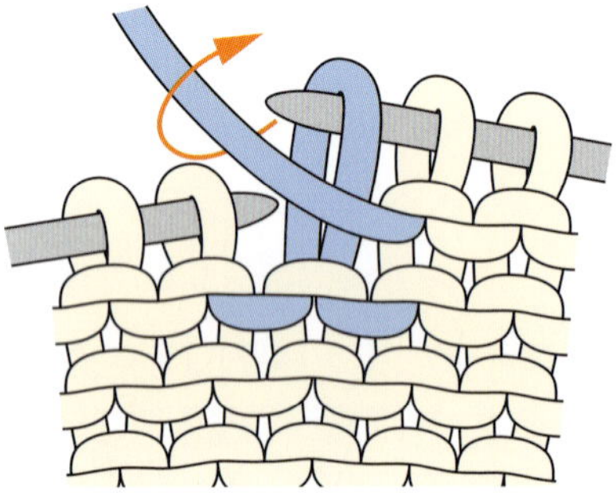

2 矢印のように右針を動かして、右針に糸をかける(かけ目)。

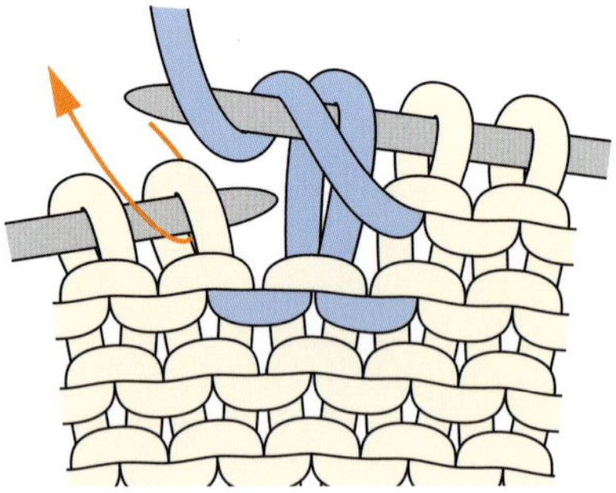

3 次の目を裏目で編む。

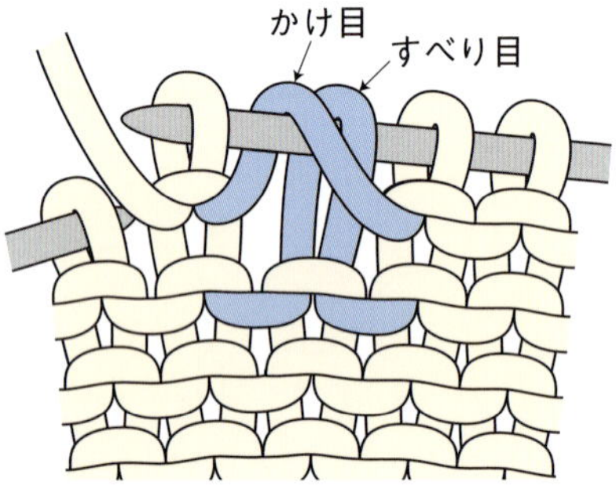

4 3の裏目が編めたところ。

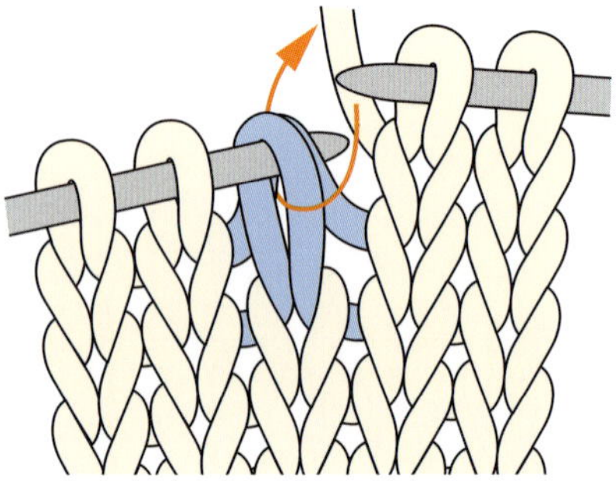

5 次の段で、すべり目とかけ目をした目に、矢印のように右針を入れて、２目一緒に表目で編む。

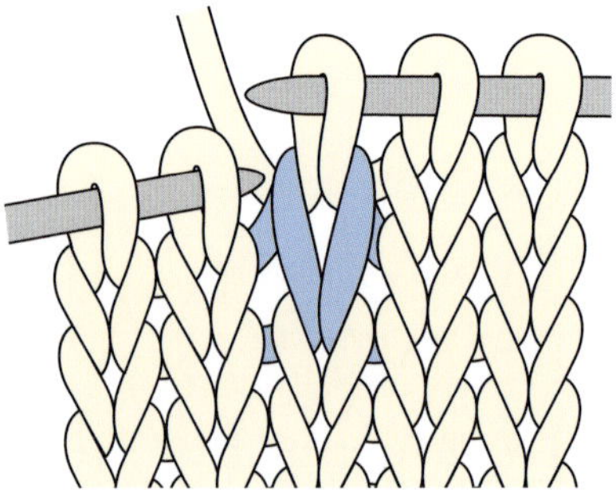

6 ２段の引き上げ目が編めたところ。

引き上げ目《ひきあげめ》〈編んだ目をあとでほどいて編む方法〉

＊ここでは２段の場合で説明します。

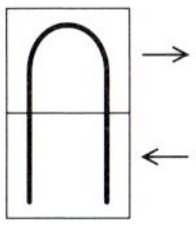

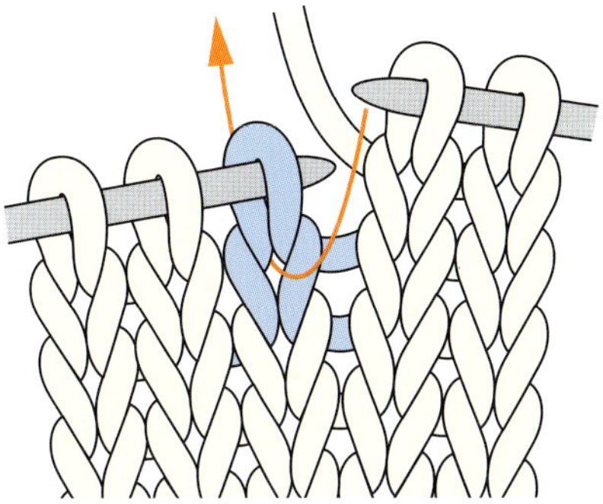

1 矢印のように、１段下の目に右針を入れて引き上げる。

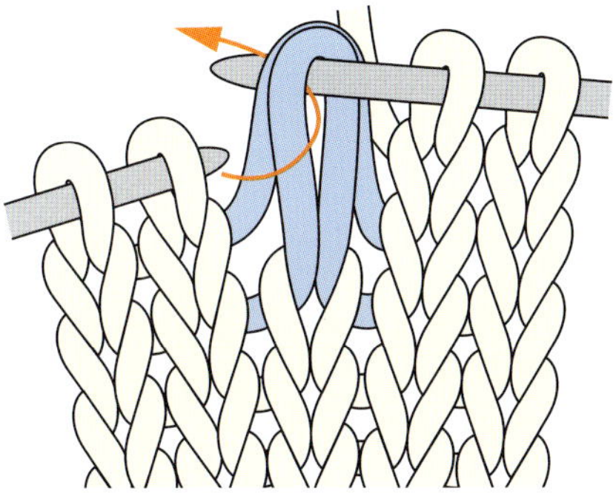

2 1で引き上げた目に、矢印のように左針を入れる。

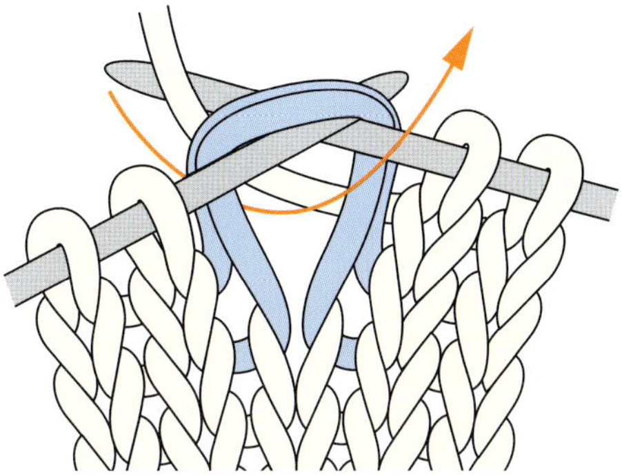

3 右針で糸をかけ、２目一緒に表目を編む。

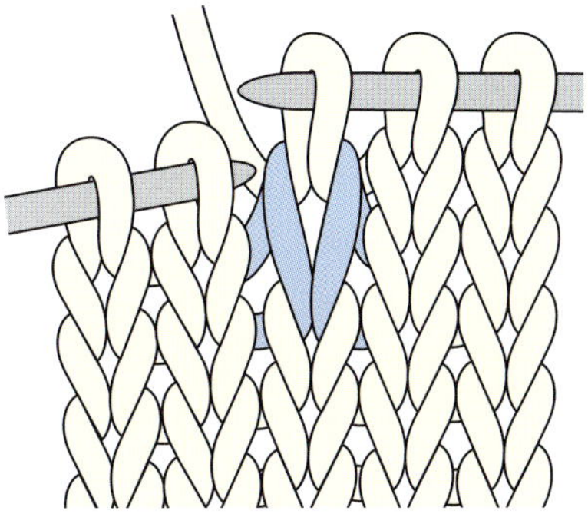

4 ２段の引き上げ目が編めたところ。

ねじり引き上げ目

ねじりひきあげめ

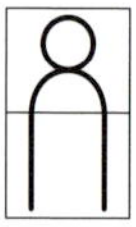

＊ここでは２段の場合で説明します。

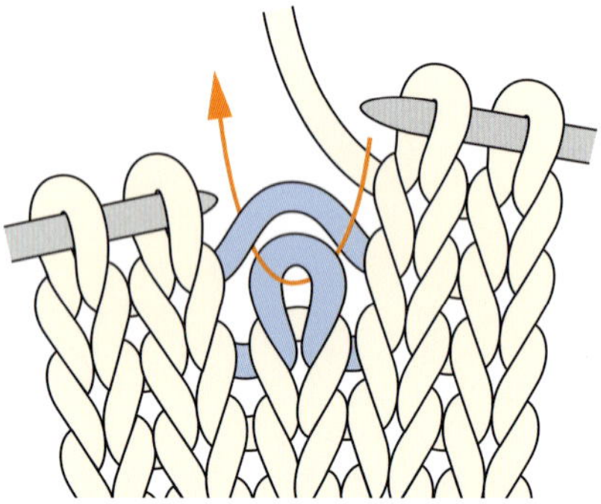

1　１段下の目に矢印のように右針を入れ、上の段を左針からはずして、右針で引き上げる。

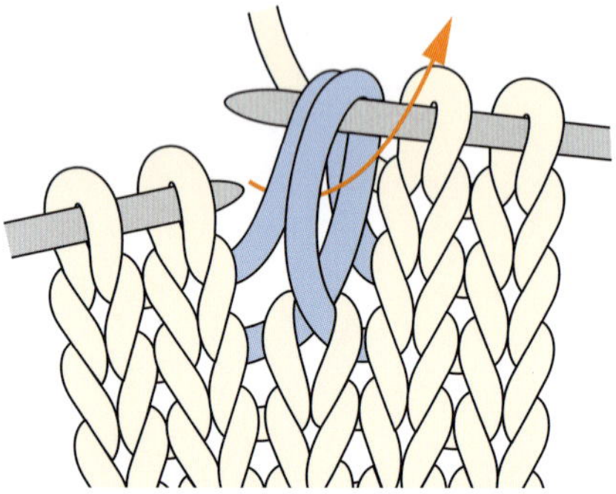

2　1で引き上げた目に、矢印のように左針を入れる。

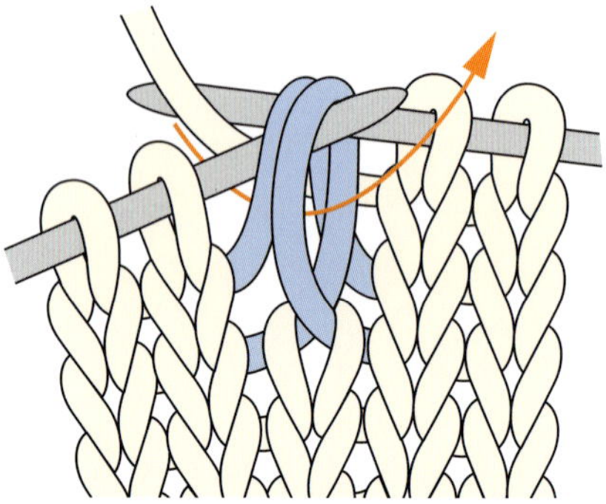

3　右針で糸をかけ、２目一緒に表目を編む。

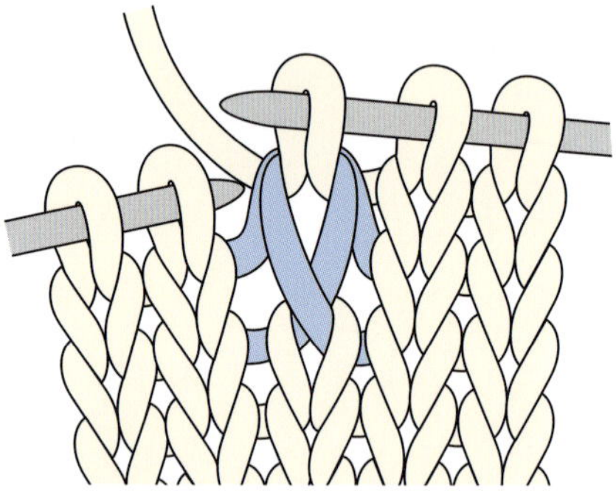

4　２段のねじり引き上げ目が編めたところ。

ねじり目

ねじりめ

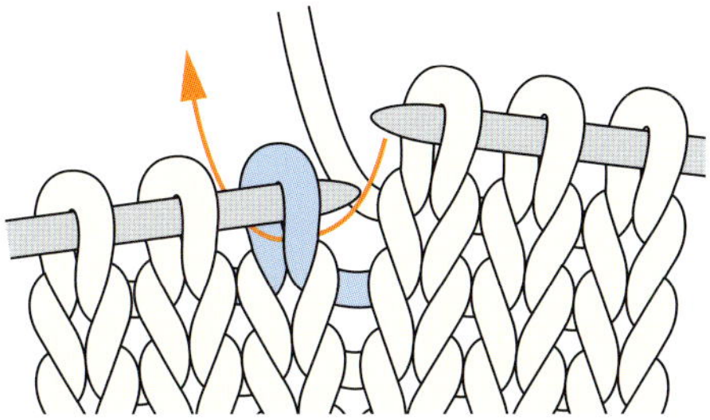

1 矢印のように向こう側から右針を入れる。

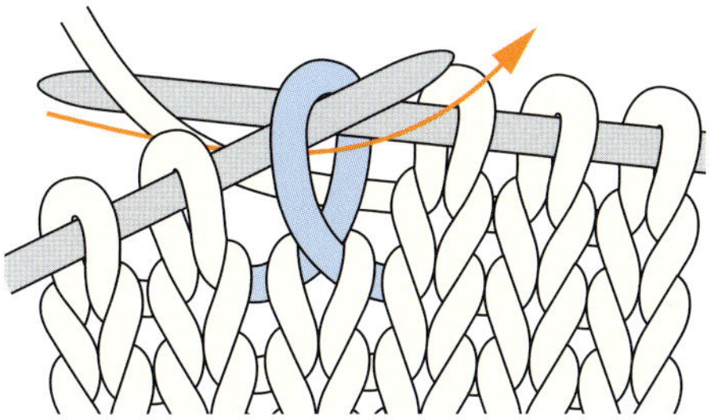

2 表目を編む要領で、右針で糸をかけて引き出す。

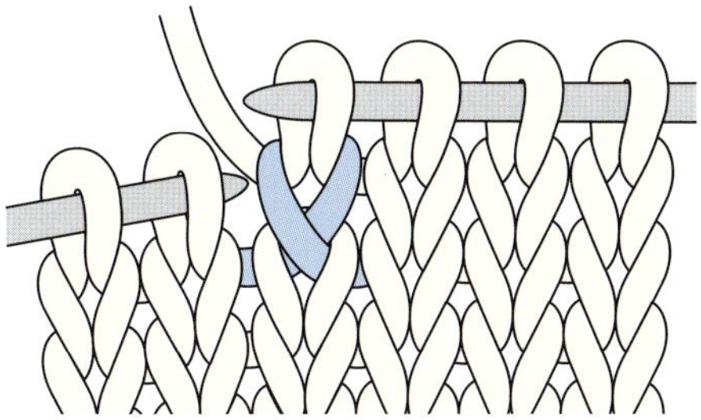

3 ねじり目が編めたところ。

ねじり目（裏目）

ねじりめ（うらめ）

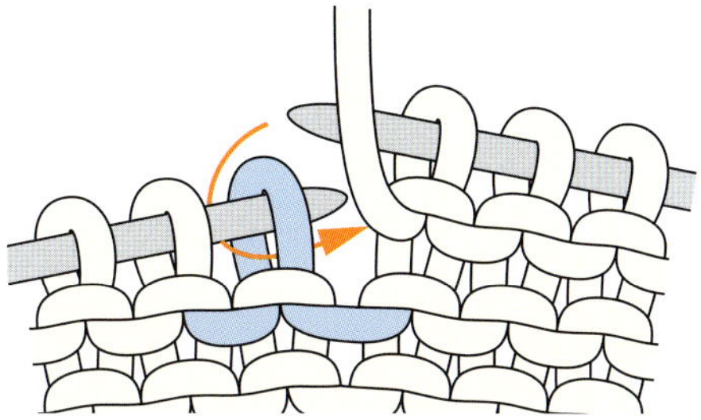

1 矢印のように右針を入れる。

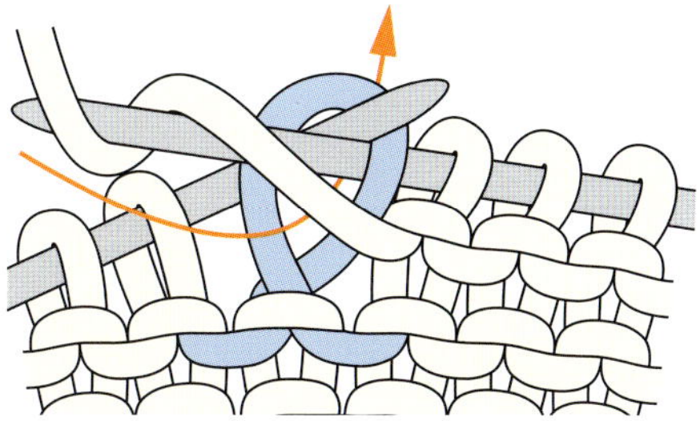

2 裏目を編む要領で、右針で糸をかけて引き出す。

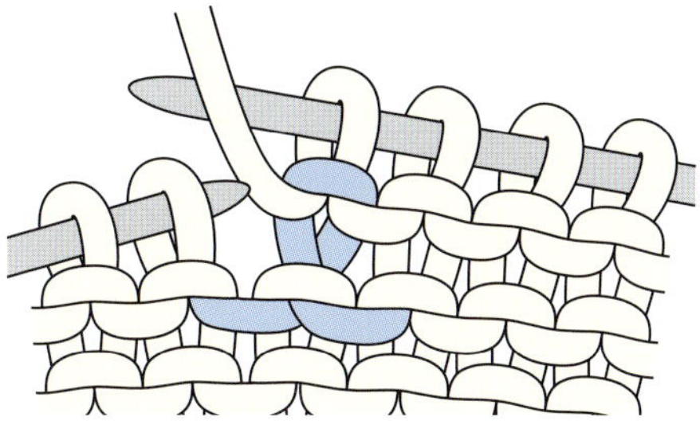

3 裏目のねじり目が編めたところ。

ワンポイント アドバイス

「ねじり目」は、「表目」「裏目」と編み方は同じですが、右針を入れる方向が逆になります。針を逆側から入れることで、目がねじれた状態になります。

かぶせ目（右）
かぶせめ（みぎ）

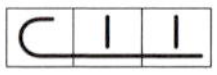

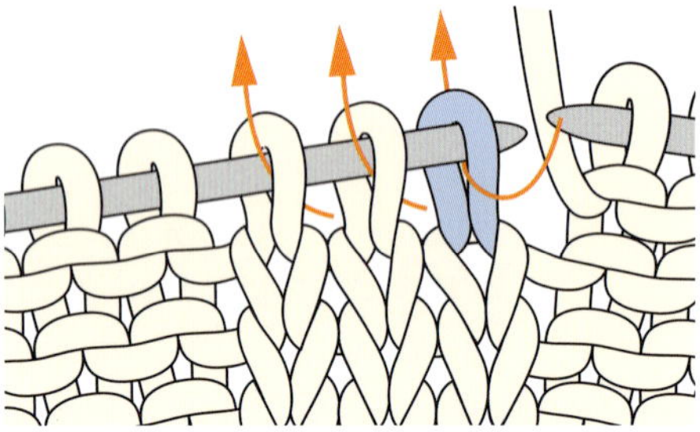

1 右端の目は手前側から、次の２目は向こう側から順番に右針を入れて、編まずに右針へ移す。

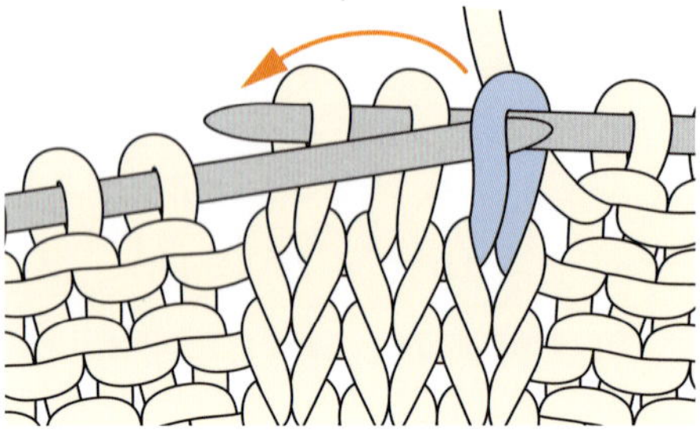

2 右端の目に左針を入れて、左の２目にかぶせる。

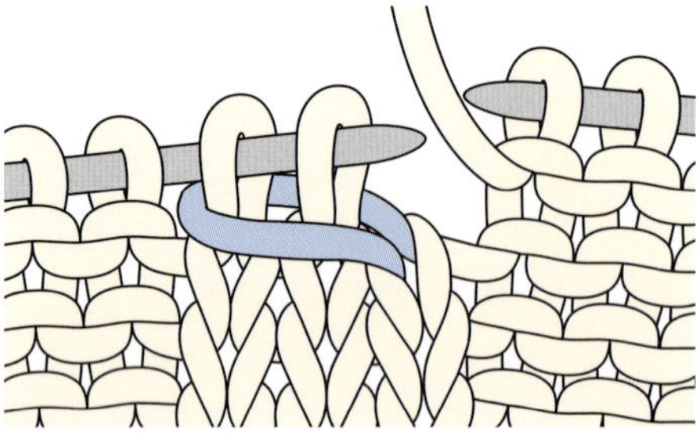

3 残った２目を左針へ戻し、右側のかぶせ目ができたところ。

かぶせ目（左）
かぶせめ（ひだり）

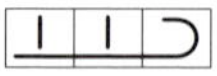

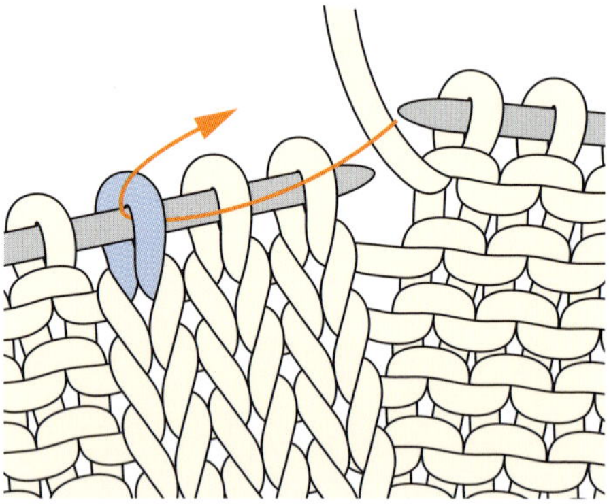

1 左端の目に、矢印のように右針を入れて、右の２目にかぶせる。

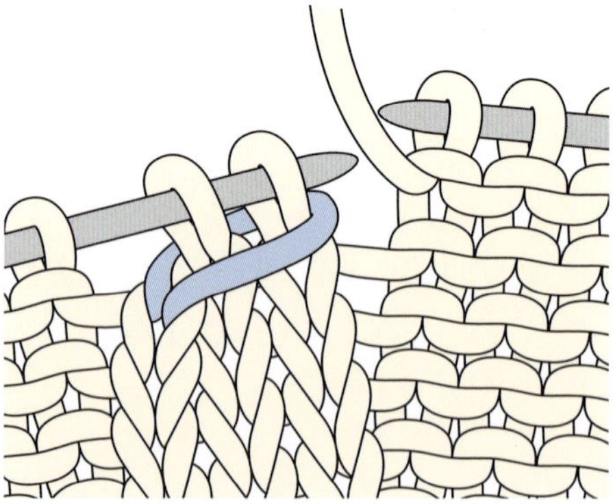

2 左側のかぶせ目ができたところ。

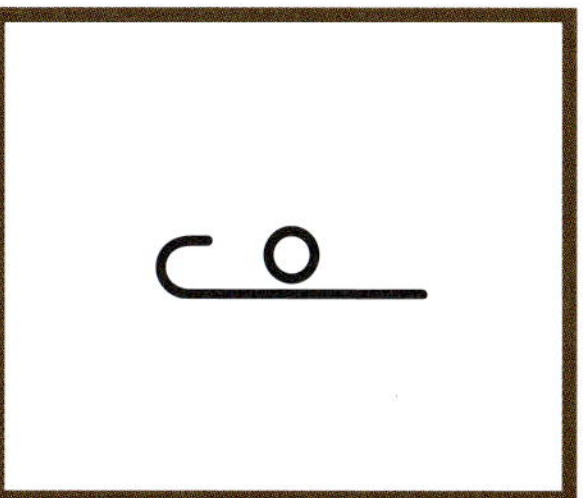

かぶせ目の応用（右）

かぶせめのおうよう（みぎ）

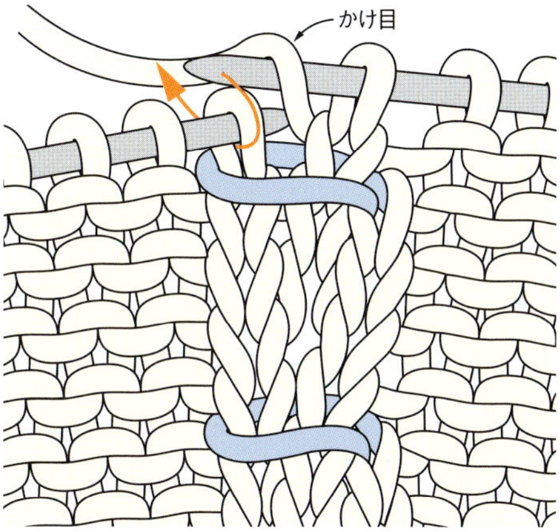

1 「かぶせ目」の要領で目をかぶせてから、右端の目は表目を編み、減った１目分はかけ目をして増し目し、次の目も表目を編む。

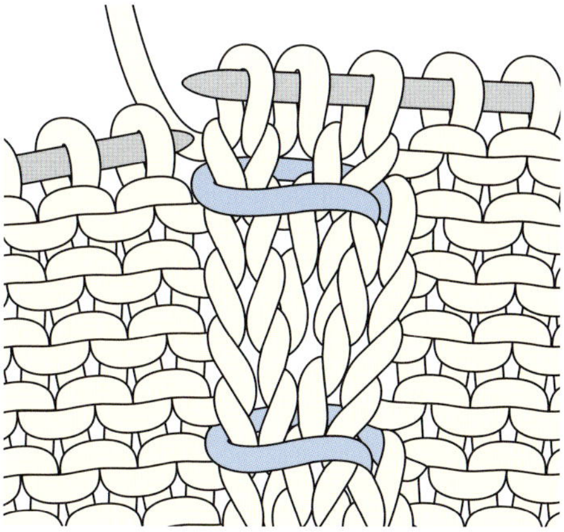

2 右側のかぶせ目の応用が編めたところ。かぶせ目をすると目が減るので、このようにかけ目をして応用されることが多い。

かぶせ目の応用（左）

かぶせめのおうよう（ひだり）

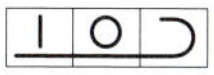

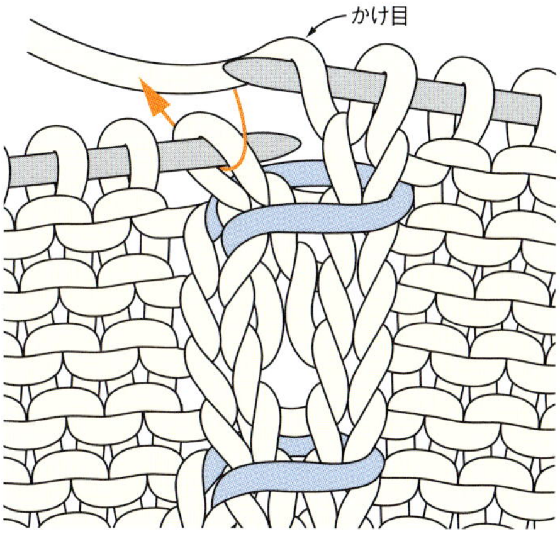

1 「かぶせ目」の要領で目をかぶせてから、右端の目は表目を編み、減った１目分はかけ目をして増し目し、次の目も表目を編む。

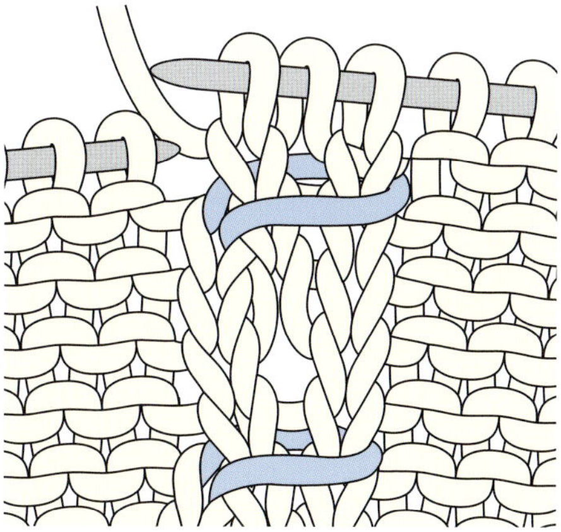

2 左側のかぶせ目の応用が編めたところ。かぶせ目をすると目が減るので、このようにかけ目をして応用されることが多い。

巻き目《まきめ》

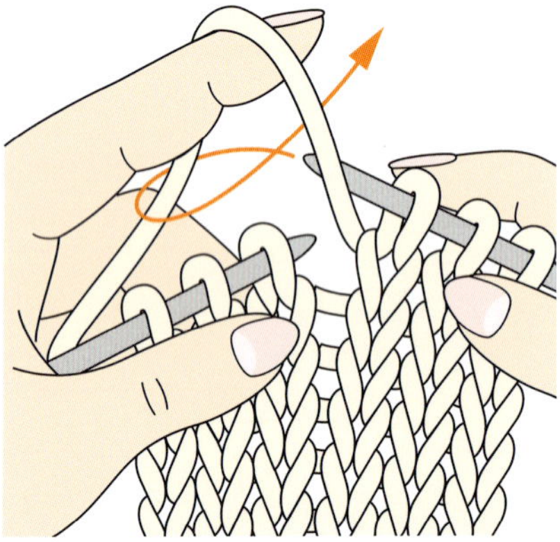

1 矢印のように右針を動かして、右針に糸をかける。

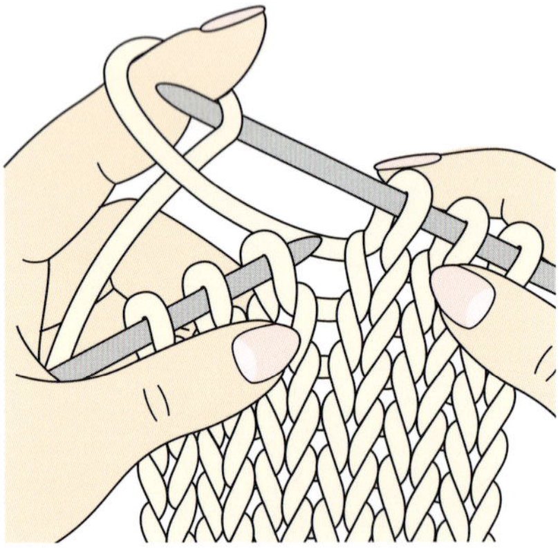

2 1で右針に糸をかけているところ。

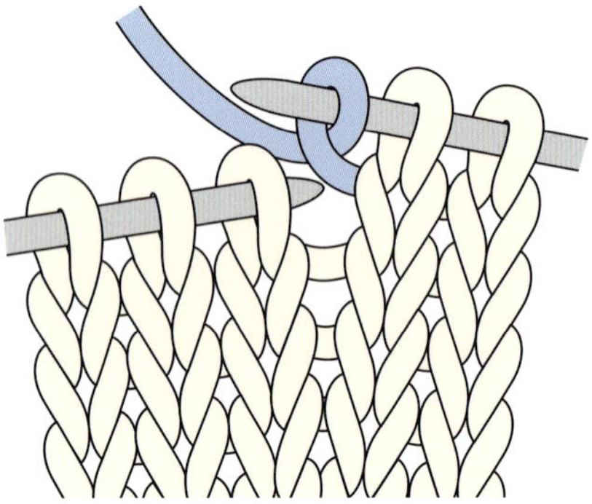

3 右針に糸がかかり、巻き目ができたところ。

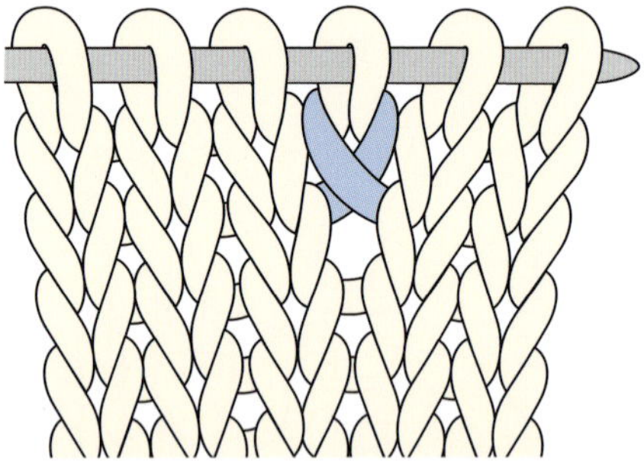

4 3の段を端まで編んで、さらに次の段を編んだところ。巻き目をしたところで、目が1目増えている。

右寄せ目《みぎよせめ》

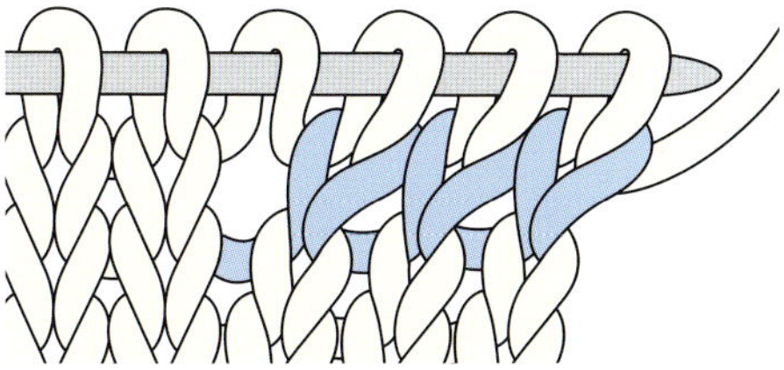

かけ目をして増し目をしたことで、右隣の目が右に傾き、右寄せ目になる（写真）。

減らし目をしたことで、左隣の目が右に傾き、右寄せ目になる。

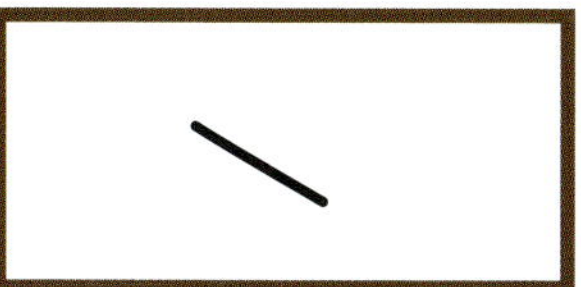

左寄せ目《ひだりよせめ》

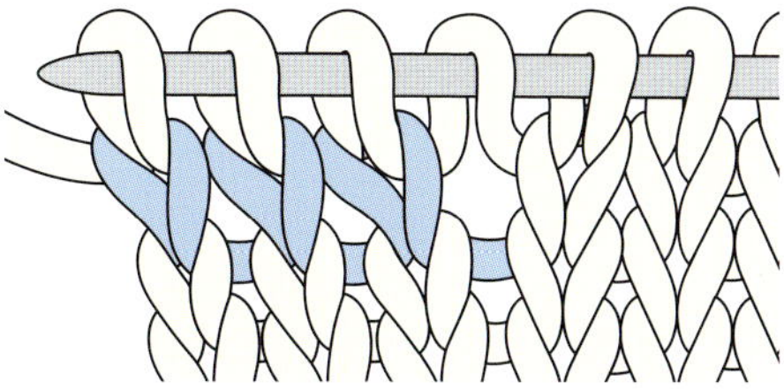

かけ目をして増し目をしたことで、左隣の目が左に傾き、左寄せ目になる（写真）。

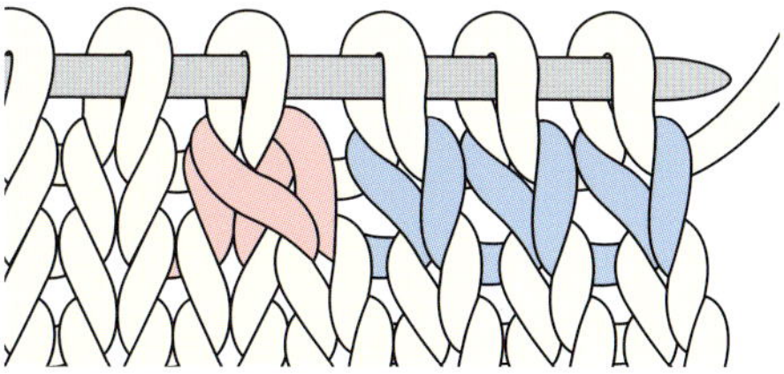

減らし目をしたことで、右隣の目が左に傾き、左寄せ目になる。

伏せ目《ふせめ》

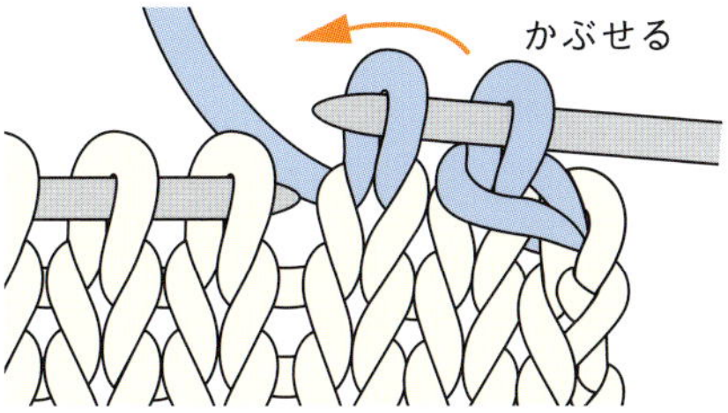

1 表目を２目編んで、右側の目を左側の目にかぶせる。

伏せ目（裏目）《ふせめ（うらめ）》

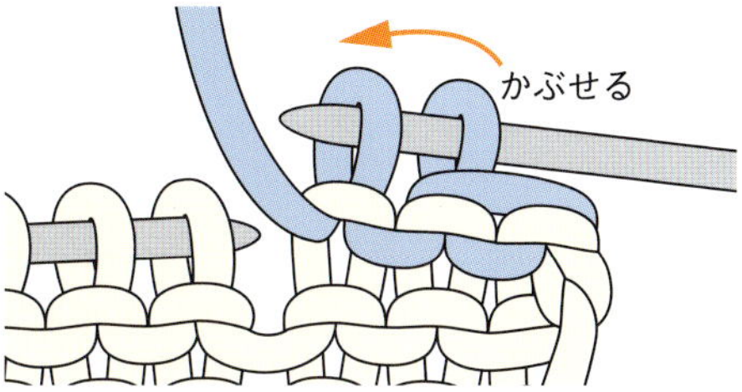

1 裏目を２目編んで、右側の目を左側の目にかぶせる。

・作品編・

ひととおりの編み方がわかったら、実際に作品を作ってみましょう。各章のトビラで紹介したすべての作品の編み方を紹介しています。また、作品作りでポイントとなるテクニックをいくつか取り上げて、写真でプロセスを追って解説してあります。気に入った作品を見つけて、実際に編んでみることが、上達への一番の近道です。

アラン模様のベレー帽（作り方と編み図p.166〜167）

なわ編みと透かし模様のボレロ(作り方と編み図p.168〜171)

作品作りに役立つテクニック

さまざまな編み方を組み合わせて作る模様編みをはじめ、作品を作るときによく使われるテクニックを解説します。

なわ編み

棒針編みの模様編みの中では、代表的なテクニックのひとつです。

●左上2目交差

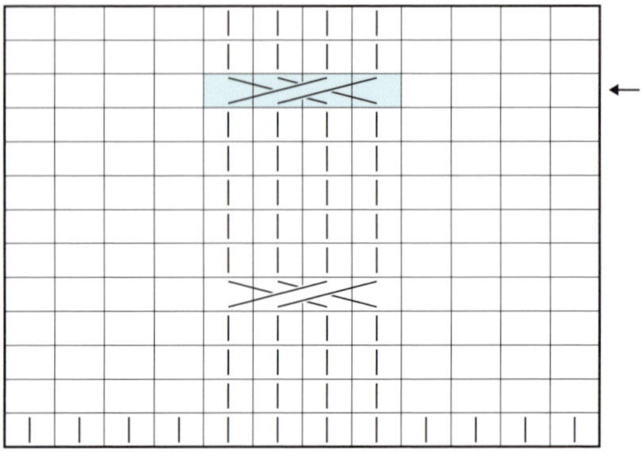

□ ＝ —

※ブルーで示した部分は、手順写真で説明しているところで、右端の矢印は、編む方向を表しています。

1　最初の2目をなわ編み針にとって、向こう側で休ませます。

2　次の2目は表目を編みます。

3　2目表目が編めました。

4　なわ編み針に休ませておいた2目も、表目を編みます。

5　左上2目交差が編めました。

6　段の端まで編んだところです。6段ごとに繰り返すとなわのような模様になります。

●右上2目交差

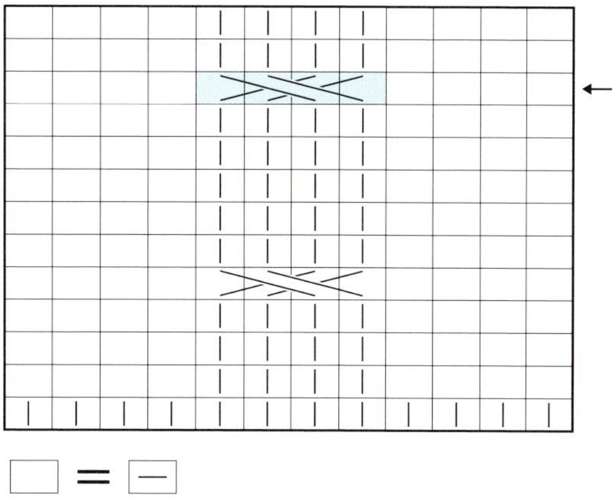

1 最初の2目をなわ編み針にとって、手前側で休ませます。

2 次の2目は表目を編みます。

3 なわ編み針に休ませておいた2目も、表目を編みます。

4 右上2目交差が編めました。

5

段の端まで編んだところです。目数・段数を変えると、さまざまななわ編み模様が編めます。

●左上2目交差（なわ編み針を使わない方法）

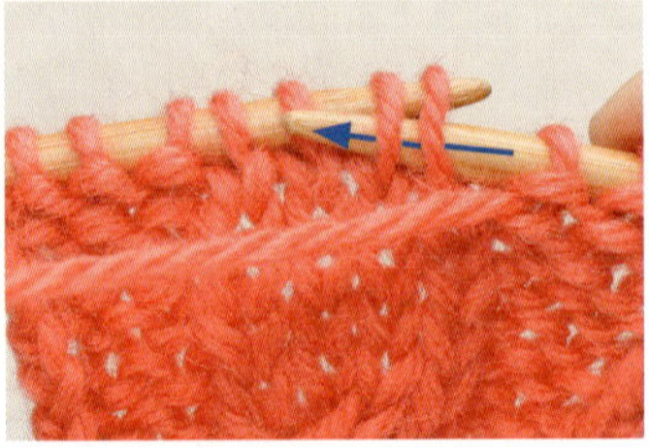

1　糸を手前側において、最初の2目を編まずに右針へ移します。

2　糸を向こう側において、次の２目は表目を編みます。

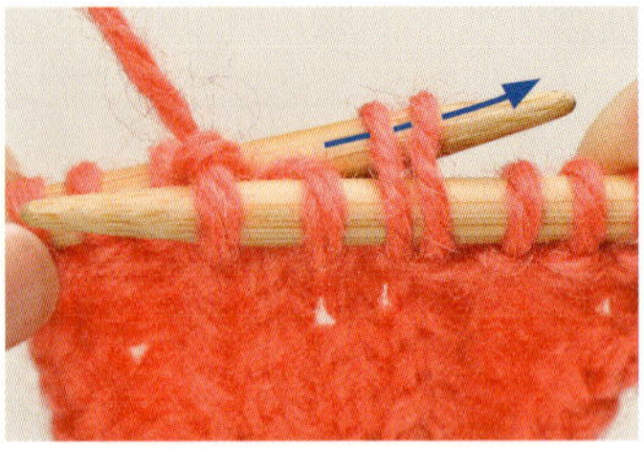

3　1で右針に移した2目に、裏側から左針を入れます。

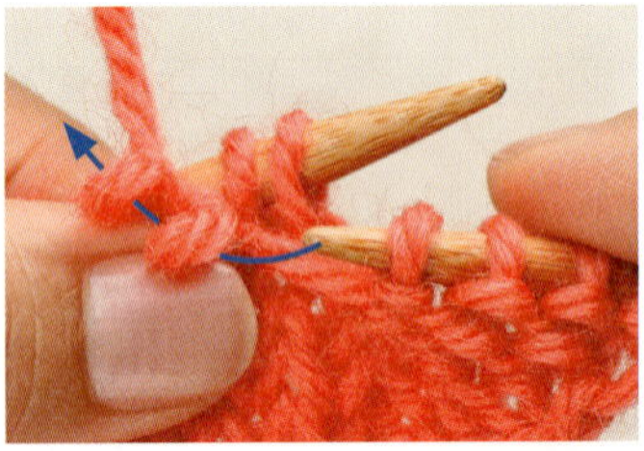

4　目の下の部分をしっかりと指で押さえて、右針を４目から抜き、編み地の手前側から左の２目に右針を戻します。

5　4の2目を右針に戻したところです。残りの2目も表目を編みます。

6　左上2目交差が編めました。

●右上2目交差（なわ編み針を使わない方法）

1　糸を向こう側において、最初の2目を編まずに右針へ移します。

2　次の2目を、表目で編みます。

3　1で右針に移した2目に、表側から左針を入れます。

4　目の下の部分をしっかりと指で押さえて、右針を４目から抜き、編み地の向こう側から左の２目に右針を戻します。

5　4の2目を右針に戻したところです。残りの2目も表目を編みます。

6　右上2目交差が編めました。

交差編み（表目２目と裏目１目の交差編み）

アイルランドの伝統的なアラン模様などで、よく使われる模様です。

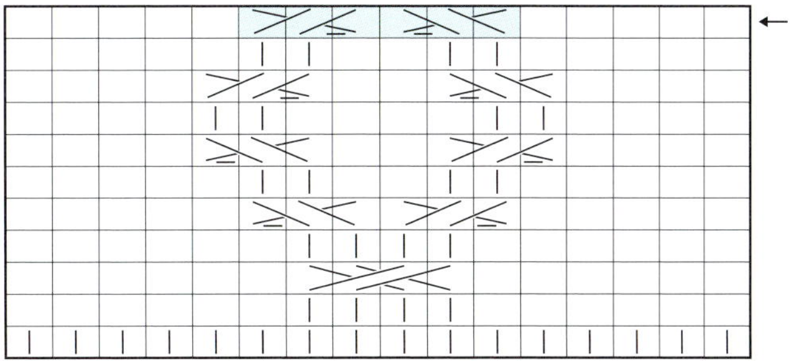

□ ＝ ー

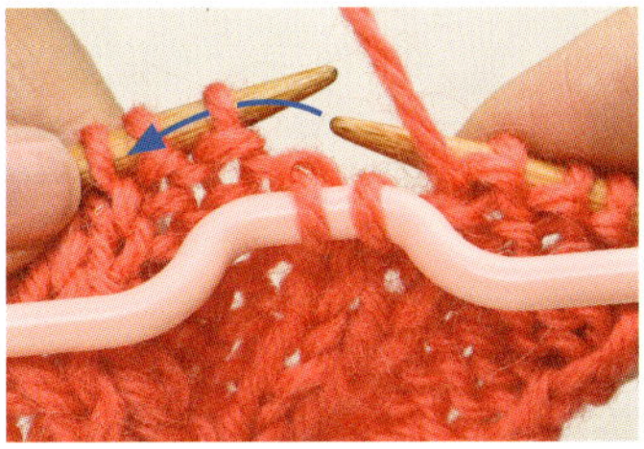

1 最初の2目をなわ編み針にとって、手前側で休ませ、次の1目は裏目を編みます。

2 なわ編み針に休ませておいた2目は、表目を編みます。

3 2の表目2目が編めました。

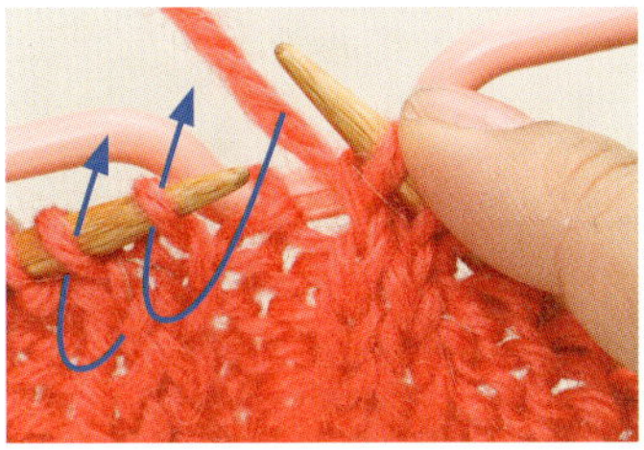

4 次の1目をなわ編み針にとって、向こう側で休ませ、次の2目は表目を編みます。

5 4の表目2目が編めました。

6 4でなわ編み針に休ませておいた1目は、裏目を編みます。

7 交差編みが編めました。

ボッブル編み（3目5段）

コロンとした丸みがかわいらしい飾り編みです。

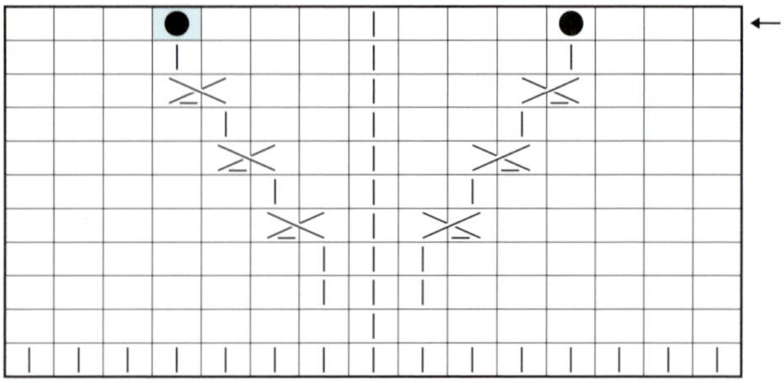

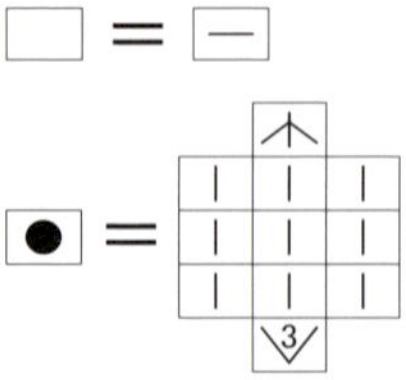

1段め・表側を見て編む段

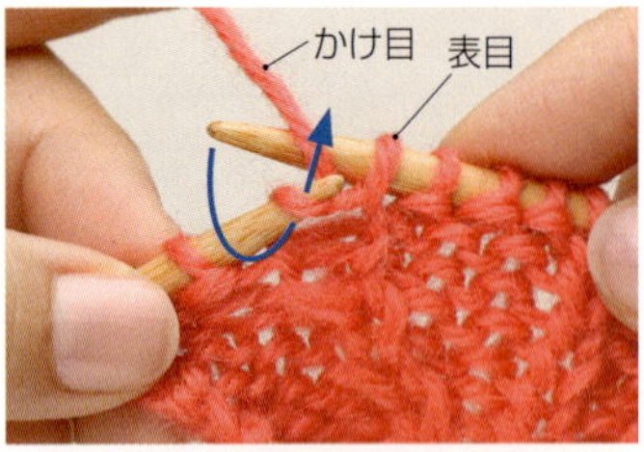

1 最初の1目を表目で編んだら左針を抜かずに、そのまま同じ目でかけ目、表目を編みます。

2 1目の中に、表目・かけ目・表目を編み、3目編み出しました。

2段め・裏側を見て編む段

3 編み地を裏返して、編み出した3目を裏目で編みます。

3段め・表側を見て編む段

4 編み地を表に返して、編み出した3目を表目で編みます。

4段め・裏側を見て編む段

5 再び編み地を裏返して、編み出した3目を裏目で編みます。

5段め・表側を見て編む段

6 表に返して、「中上3目一度」の要領で、編み出した3目のうちの右側の2目に、矢印のように2目一緒に右針を入れて、編まずに右針へ移します。

7 6の2目が移せました。次の1目も矢印のように右針を入れて、編まずに右針へ移します。

8　3目一度に矢印のように左針を入れます。

9　右針を抜かずにそのまま糸をかけて、3目一緒に表目を編みます。

10　ボッブル編みが編めました。

透かし編み（かけ目を使って）

透け感が美しい、かけ目を使った模様編みです。

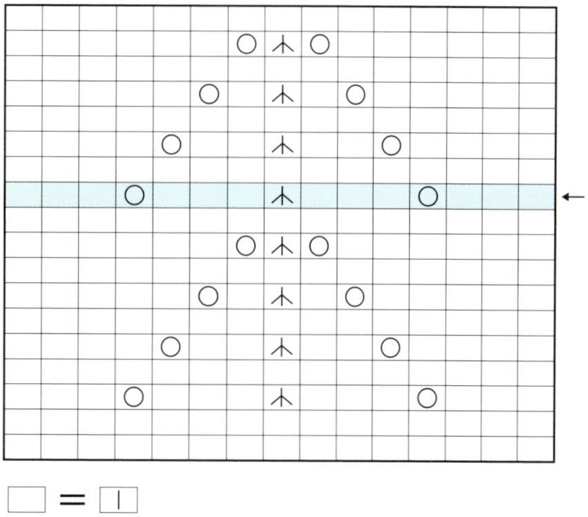

1　表目を３目編んでから、かけ目をします。

2　続けて表目を3目編みます。

3　「中上3目一度」の要領で、2目一度に矢印のように右針を入れ、編まずに右針へ移します。

4　次の1目も矢印のように右針を入れて、編まずに右針へ移します。

5 右針へ移した3目に矢印のように左針を入れます。

引っ張る

横に引っ張ってしまうと、入れようとする目が小さくなってしまって、針が入れづらくなります。
NG!

6 右針を抜かずにそのまま糸をかけて、3目一緒に表目を編みます。3目一度に針を入れるとき、写真のようにタテ方向に編み地を引っ張ると、目に針が入れやすくなります。

7 中上3目一度が編めました。

かけ目

8 続けて3目表目を編んだら、かけ目をします。

9 さらに表目を３目編んで、段の端まで編めたところです。

10
編み図のとおりに、次の段はすべて裏目で編みます。写真は次の段まで編み終わったのを、編み地の表側から見たところです。透かし模様ができました。

スモッキング

ゴム編みの編み目にしぼりを加えた飾り刺しゅうです。スモッキングに使う糸は、デザインに合わせて、色や素材など自由にアレンジしてください。ただし、張りのある糸を使う場合は、ほどけないようにしっかりと結んで、糸端は少し長めに残します。

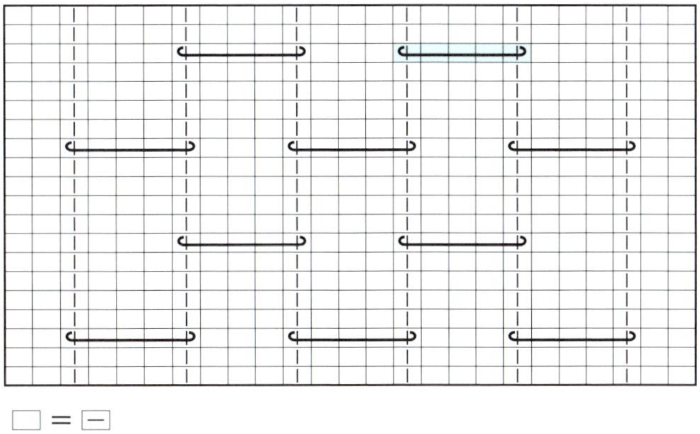

1 編み地の裏側から針を出して、スモッキングする2つの目をすくいます。

2 針を出して、もう一度同じ２目をすくいます。

3 目をしぼるように糸を引いたら、右の表目のすぐ右側に、表側から針を入れ、裏側へ出します。

4 裏返して、ぎゅっと糸を引きます。

5 糸を固結びしてから、糸端を2cmぐらい残して切ります。

くつ下のかかとの編み方

くつ下のかかとを編むときは、編み残す引き返し編みと編み進む引き返し編みの両方のテクニックを使います。

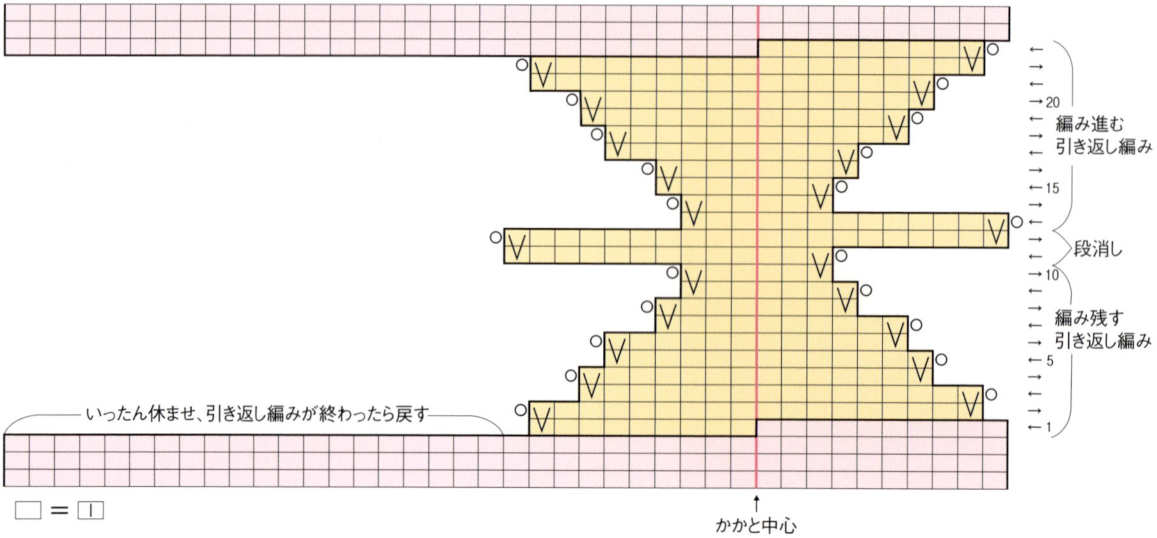

●編み残す引き返し編み

1段め・表

1 かかと中心から編み始め、端の1目手前まで、表目を編みます。

2段め・裏

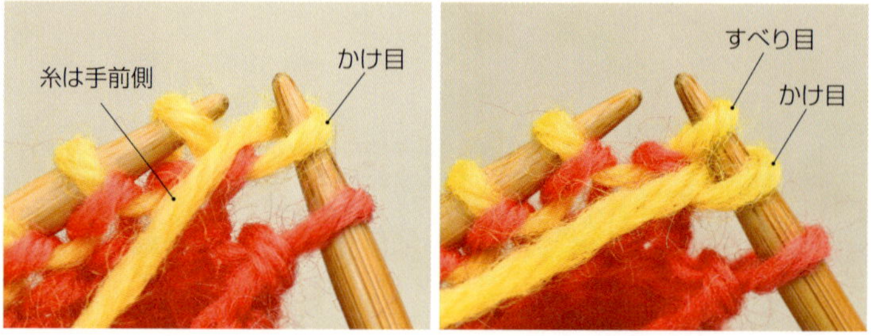

2 裏返して、かけ目をしてから（写真左）、すべり目をします（写真右）。

3 1と反対側の端の1目手前まで、裏目を編みます。

3段め・表

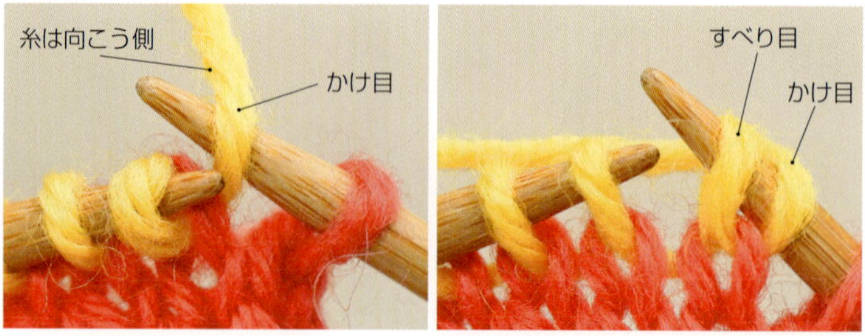

4 表に返して、かけ目をしてから（写真左）、すべり目をします（写真右）。

5 前段の2ですべり目をした目の手前まで（ここでは2目手前)、表目を編みます。

4段め・裏

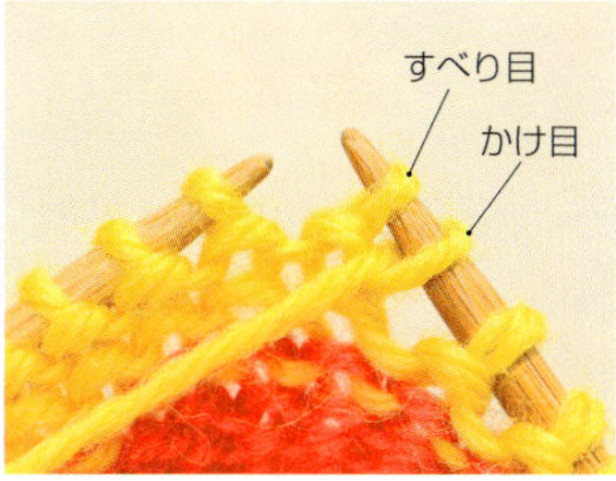

6 裏返して、かけ目、すべり目をします。

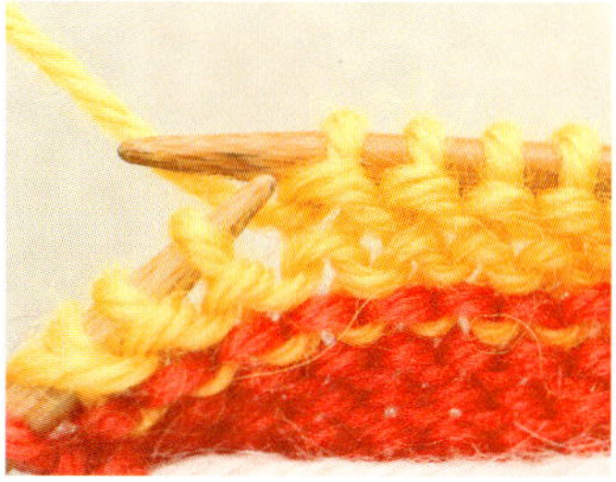

7 前段の4ですべり目をした目の手前まで（ここでは2目手前)、裏目を編みます。

5段め・表

8 再び表に返して、かけ目、すべり目をしてから、前段ですべり目をした目まで表目を編みます。以降、4〜7を編み図のとおりに繰り返します。

11段め・表

9 11段めのかかと中心まで編めました。ここまでで、「編み残す引き返し編み」が終わりました。

●段消し

11段め・表

10 前段ですべり目をした目まで、表目で編みます。かけ目とその次の目に、手前側から2目一緒に右針を入れます。

11 右針で糸をかけて、2目一緒に表目を編みます（左上2目一度)。

12 2目一度が編めました。以降、かけ目をしたところでは次の目と一緒に、10〜11の要領で、2目一度を編んで段消しをします。

13 左端まで編んで、左側の段消しが終わりました。

12段め・裏

14 裏返して、かけ目、すべり目をします。

15 前段でかけ目をした目の手前まで、裏目を編みます。

16 かけ目と次の目に矢印のように右針を入れて、編まずに右針に移します。

17 右針に移した2目に、矢印のように左針を入れて、目の順番を入れ替えて、左針へ戻します。

18 2目一緒に裏目で編みます（裏目の右上2目一度）。

19 2目一度が編めました。以降、かけ目をしたところでは次の目と順番を入れ替えて、16〜18の要領で、2目一緒に編んで段消しをします。

20 端まで編んで、右側の段消しも終わりました。

●編み進む引き返し編み

13段め・表

21
表に返して、かけ目、すべり目をしてから、かかと中心から3目先まで、表目を編みます。

14段め・裏

22
裏返して、かけ目、すべり目をし、かかと中心から3目先まで、裏目を編みます。

15段め・表

23
表に返して、かけ目、すべり目をし、前段のかけ目の手前まで表目を編みます。前段のかけ目をした目と次の目に、矢印のように右針を入れて、2目一緒に表目を編みます（左上2目一度）。

24
2目一度が編めました。続けて、15段めの編み図の端の目まで編みます。

16段め・裏

25
裏返して、かけ目、すべり目をし、前段のかけ目の手前まで裏目を編みます。前段のかけ目と次の目に、矢印のように右針を入れて目の順番を入れ替え、2目一緒に裏目を編みます（裏目の右上2目一度）。

26
2目一度が編めました。以降、22～25の要領で、編み進みながら段消しを繰り返します。

22段め・裏

27 22段めのかかと中心まで編んで、表側から見たところです（写真左）。写真右はかかと中心で折ったところです。かかとがほぼ完成しました。

28 22段めの端まで編んだら、休めていた目を棒針に戻し、輪にして編みます。

23段め・以降は輪編みなのですべて表側を見て編む

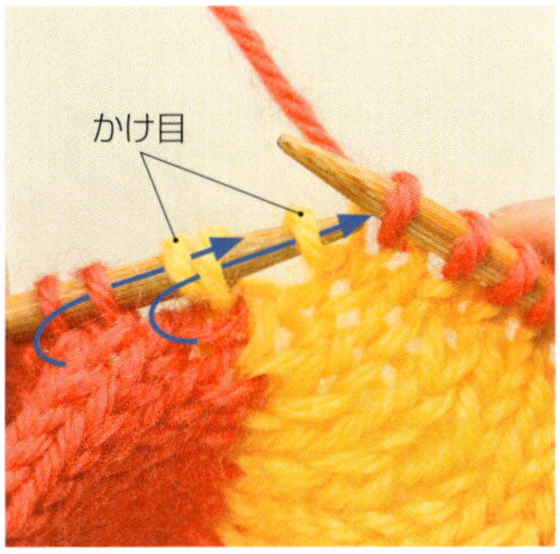

29
表に返し、かけ目、すべり目をしてから、前段のかけ目の手前まで表目を編み、2目一緒に表目を編みます。続けて、次のかけ目も、次の目と一緒に表目を編みます。

30
2回の2目一度が終わったところです。続けて、反対側のかけ目のところまで表目を編みます。

24段め

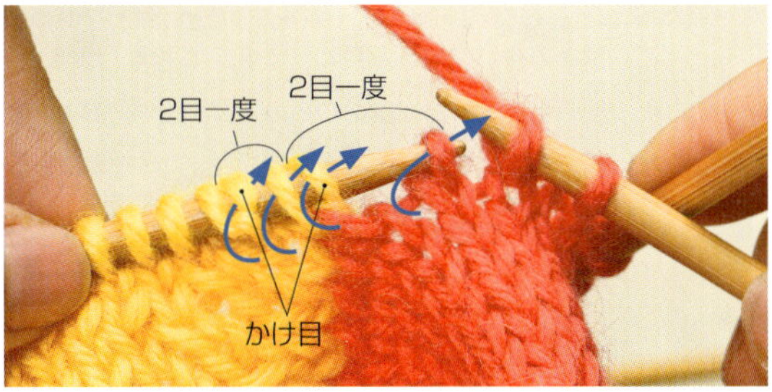

31 かけ目ととなりの目の順番を入れ替えてから、2目一緒に編みます。次のかけ目も同様に編みます。

32 2回の2目一度が終わったところです。これで、編み進む引き返し編みがすべて終わりました。

1目かのこ編みのコースターの作り方

作品は p.7

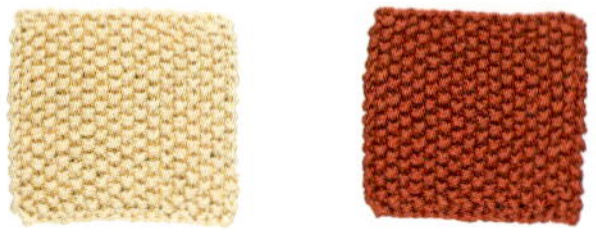

◆用意するもの
糸：ハマナカ かろやかコットン　イエロー(3)　10g
赤(10)　10g
針：棒針 10号

◆サイズ
横 10cm ×縦 10cm

◆ゲージ
模様編み 18目・27段= 10cm 平方

◆編み方
① 糸は2本どりで編みます。共鎖の作り目(別糸を使わずに鎖編みの作り目をする)で、18目作り目をします。
② 編み図のとおり、1目かのこ編み(p.26参照)で 27段編みます。
③ 編み終わりは、前段の記号と反対の目(前段が表目なら裏目)を編みながら、伏せ止め(p.36参照)します。

◆編み方図

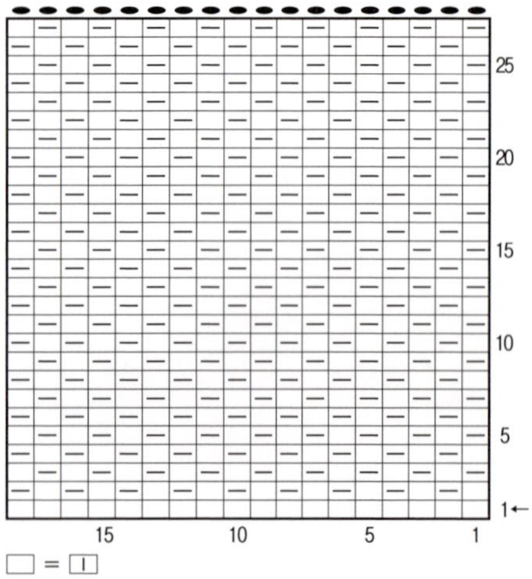

2目かのこ編みのマットの作り方

作品は p.6～7

◆用意するもの
糸：ハマナカ かろやかコットン　イエロー(3)　50g
赤(10)　50g
針：棒針 10号

◆サイズ
横 28cm ×縦 20cm

◆ゲージ
模様編み 17目・26段= 10cm 平方

◆編み方
① 糸は2本どりで編みます。共鎖の作り目(別糸を使わずに鎖編みの作り目をする)で、34目作り目をします。
② 編み図のとおり、2目かのこ編みで 72段編みます。
③ 編み終わりは、前の段の記号と同じ目(前段が表目なら表目)を編みながら、伏せ止め(p.36参照)します。

◆編み方図

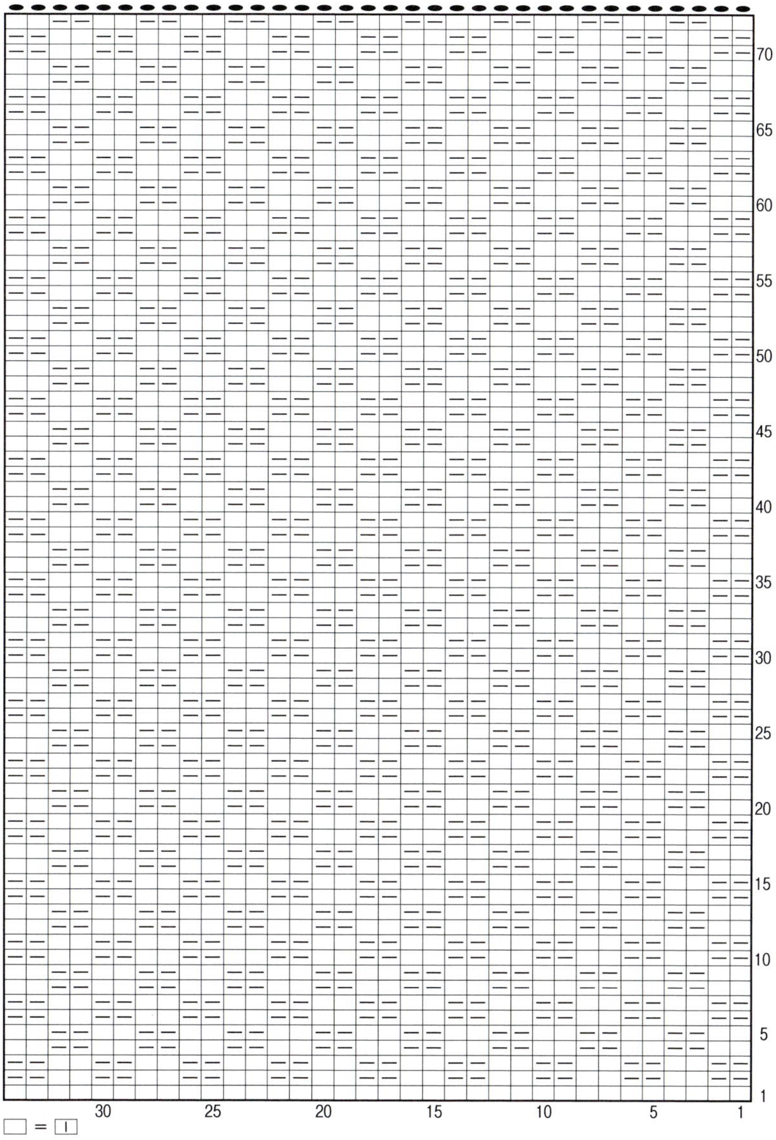

ガーター編みと2目ゴム編みのミニマフラーの作り方

作品は p.44

◆用意するもの

A 糸：パピー アスティファー……ベージュ（1589） 35g
B 糸：パピー ボーボリ……………モカ茶（414） 40g
針：棒針 8 号、10 号

◆サイズ

幅 15cm ×長さ 88cm

◆ゲージ

ガーター編み 26.5 目・33 段、
2 目ゴム編み 40 目・25 段＝ともに 10cm 平方

◆編み方

①糸は 1 本どりで編みます。A 糸と棒針 10 号を使い、一般的な作り目（指にかける作り目／ p.12 参照）で、40 目作ります。

②ガーター編み（p.16 参照）で 40 段編みます。

③41 段めから B 糸と棒針 8 号に替えて、2 目ゴム編み（p.24 参照）を編みます。

④1 玉編みきったら、再び A 糸と棒針 10 号に替えて、ガーター編みを 40 段編みます。

⑤編み終わりは、表目を編みながら伏せ止め（p.27 参照）します。

◆製図

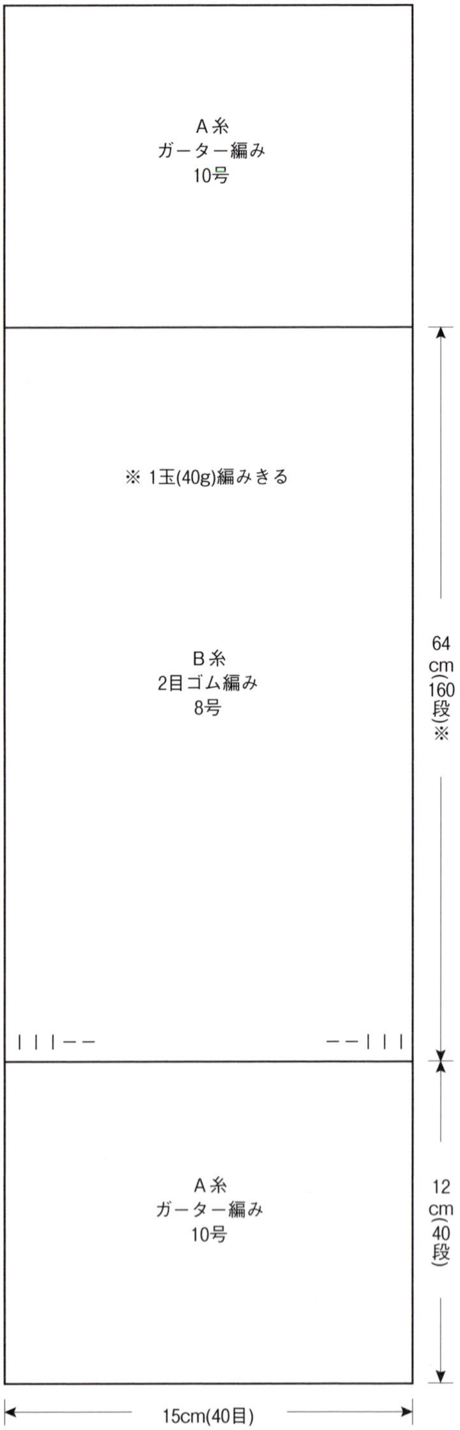

◆編み方図

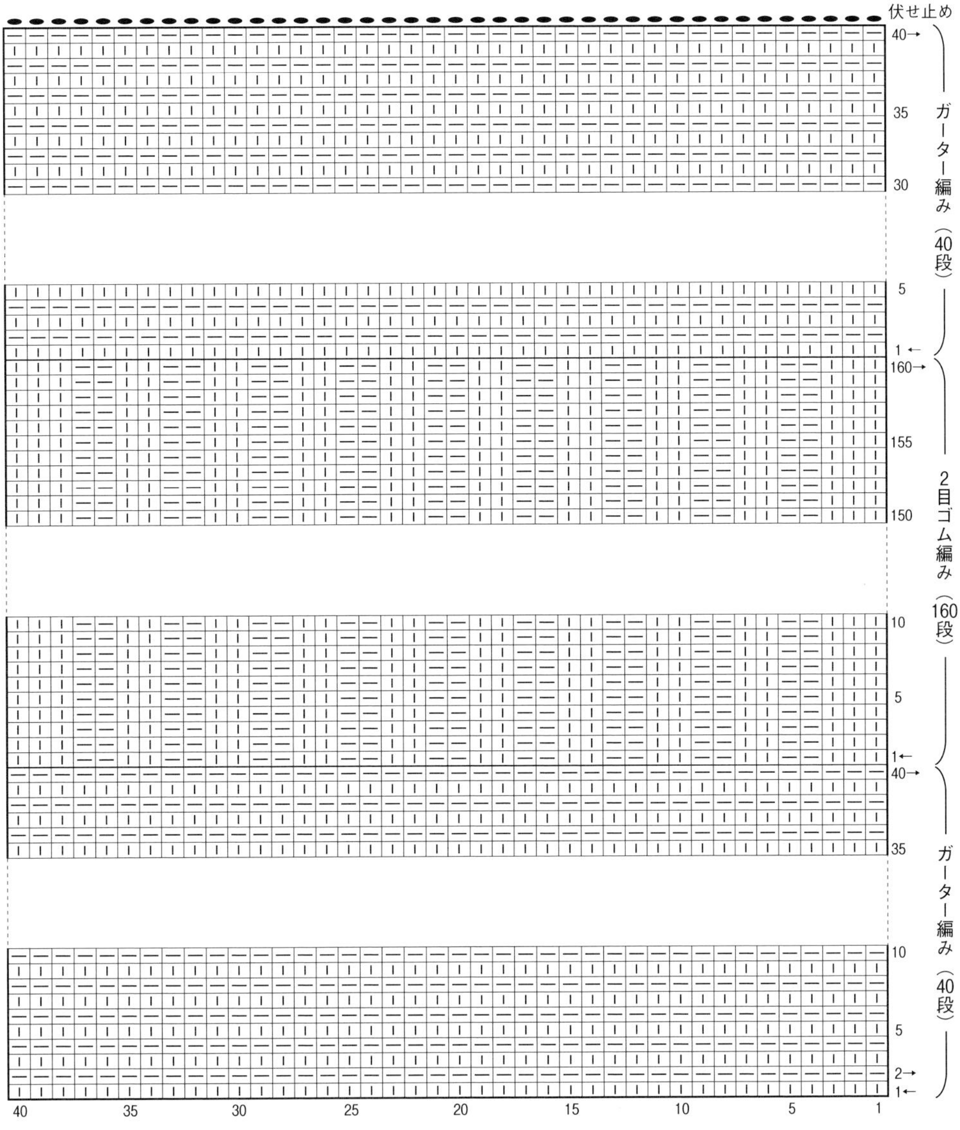
伏せ止め
ガーター編み（40段）
2目ゴム編み（160段）
ガーター編み（40段）
40→
35
30
5
1←
160→
155
150
10
5
1←
40→
35
10
5
2→
1←
40
35
30
25
20
15
10
5
1

スモッキングのバッグの作り方　作品は p.45

表側

裏側

◆用意するもの

糸：ハマナカ ソノモノアルパカウール
　グレーベージュ(42)　200g
針：棒針 8mm、10 号
その他：直径 17cm の竹の持ち手　1 組
　中袋用チェックの木綿布 70 × 30cm　1 枚

◆サイズ

横 30cm ×縦 42cm ×マチ(厚さ)5cm ＜持ち手含む＞

◆ゲージ

8mm 棒針でメリヤス編みを編んだとき
11 目・16 段＝ 10cm 平方

◆作り方

① 糸は 2 本どりで編みます。一般的な作り目（指で作る作り目／p.12 参照）で 26 目作り目をし、編み方図(p.160)のとおりに 42 段編んだら、目を休ませます。

② 作り目から目を拾い、裏側を表側と同じように 42 段編んだら、目を休ませます。

③ 表側だけスモッキングをします(p.149 参照)。

④ 両脇をあきどまり位置まで、すくいとじ（p.90 参照）します。

⑤ 中表にして、マチを引き抜きはぎ（p.86 参照）します（編み方図の★もしくは☆の同じ記号どうしを合わせます）。

⑥ 残りの段(p.160 ～ 161 の編み方図の 29 段め～ 42 段め）から前後つづけて 21 目拾い目(p.76 参照)をします。p.161 右上の縁の編み方図のとおりに 1 目ゴム編み（p.22 参照）を 1 段編んだら、下の段と同じ目を編みながら伏せ止め（p.36 参照)をします。

⑦ 休ませていた目を棒針 10 号に移し、⑥の端（♣）からも 2 目拾って持ち手通しを編みます。編み終わりは表目を編みながら、伏せ止め(p.27 参照)をします。

⑧ ⑦が編めたら持ち手をくるみ、編み終わりの糸端（長めに残しておく）でまつります。

⑨ 中袋を縫い、⑧の内側にまつりつけます。

◆製図

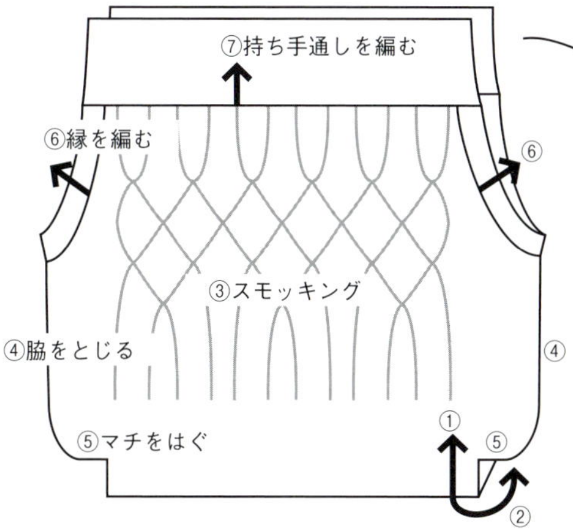

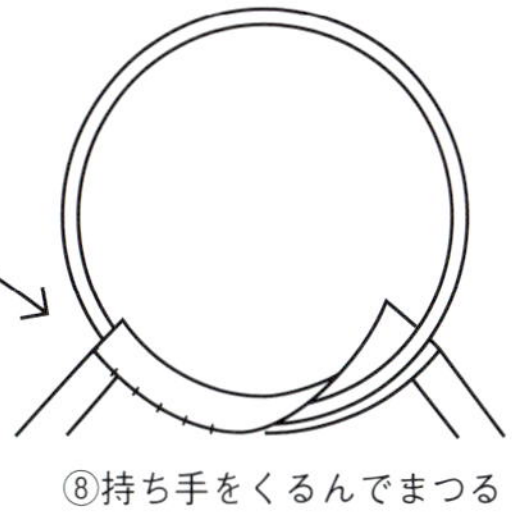

⑨中袋を縫う

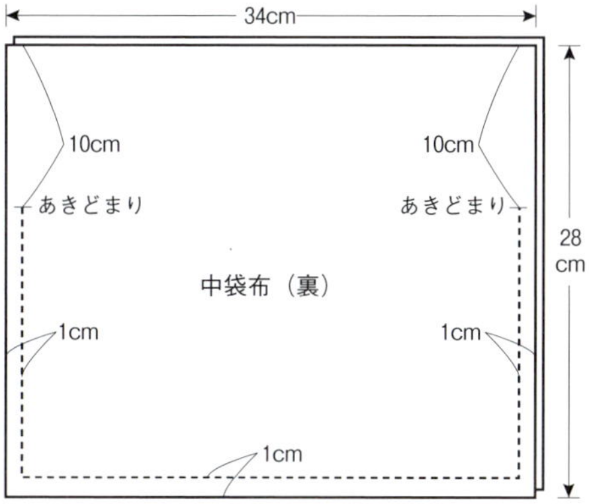

1）中袋の布を中表に合わせて、1cm 内側をあきどまりまで縫う。

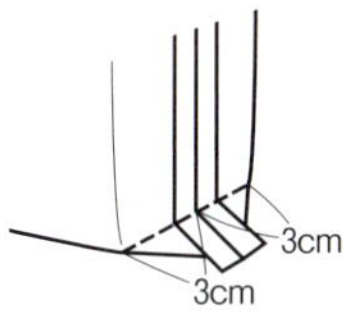

2）マチを縫い、余分な布はカットする。

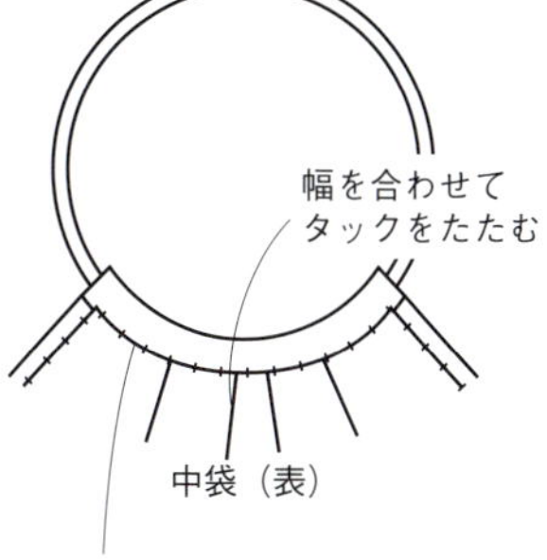

3）袋口の布端の縫い代を 1cm 裏側に折り、袋口の編み地の幅に合わせてタックをたたみながら、バッグの内側にまつりつける。

◆編み方図

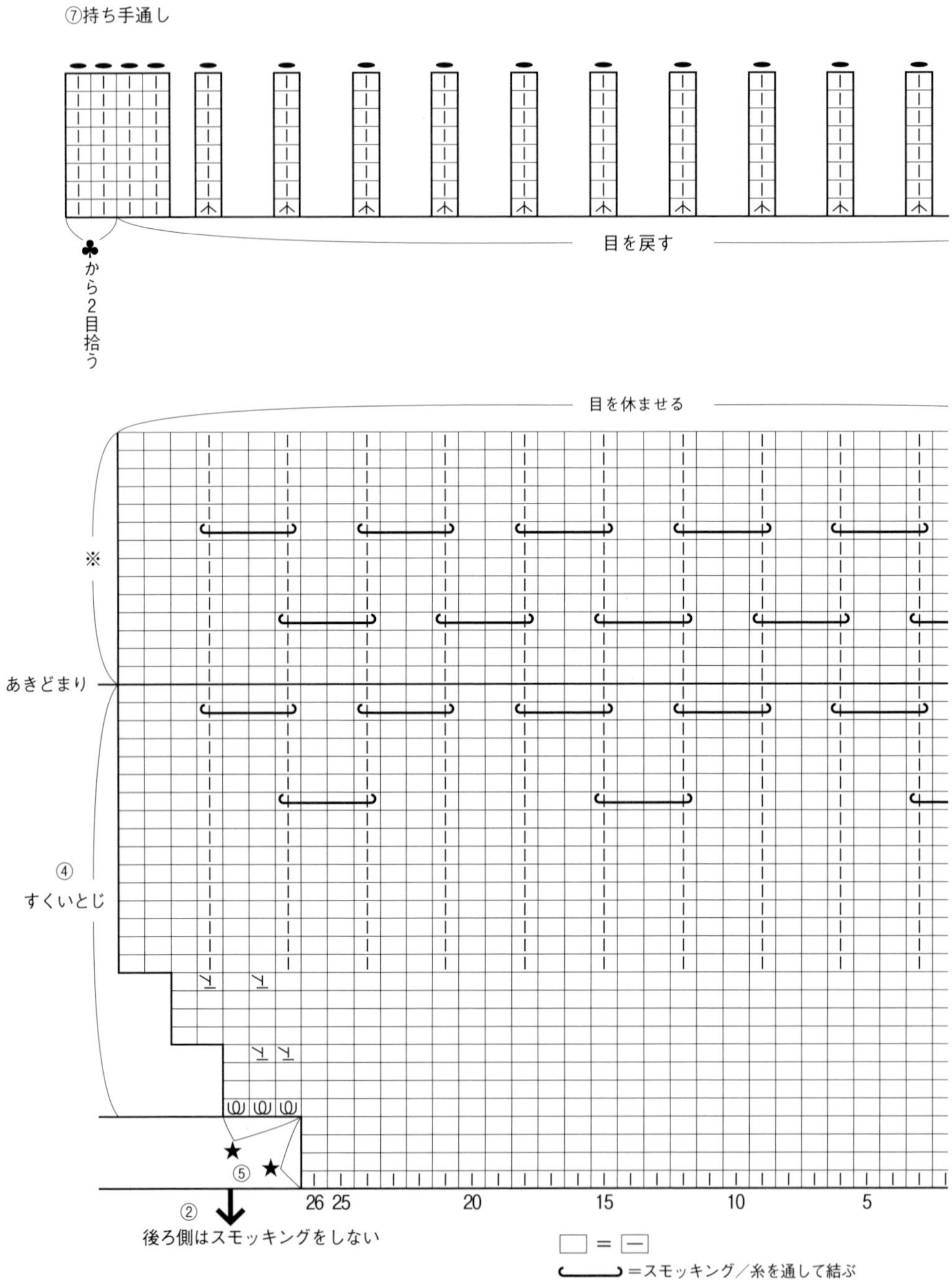
⑦持ち手通し
♣から2目拾う
目を戻す
目を休ませる
※
あきどまり
④
すくいとじ
★
⑤
★
26 25
20
15
10
5
②
後ろ側はスモッキングをしない
□ = ー
=スモッキング／糸を通して結ぶ

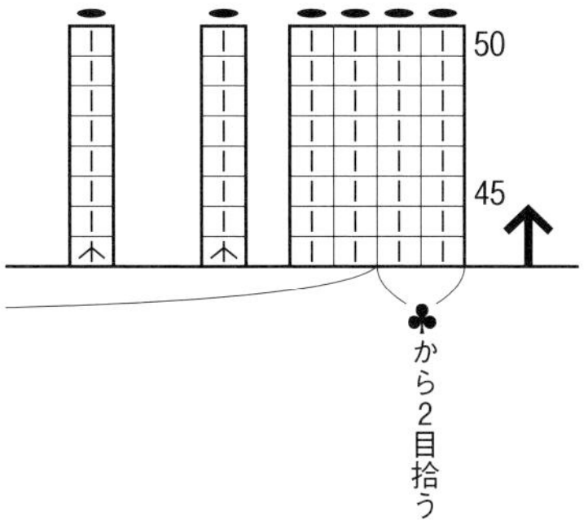

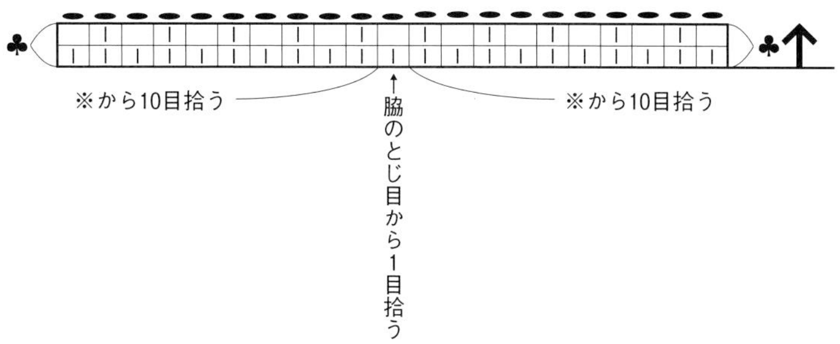

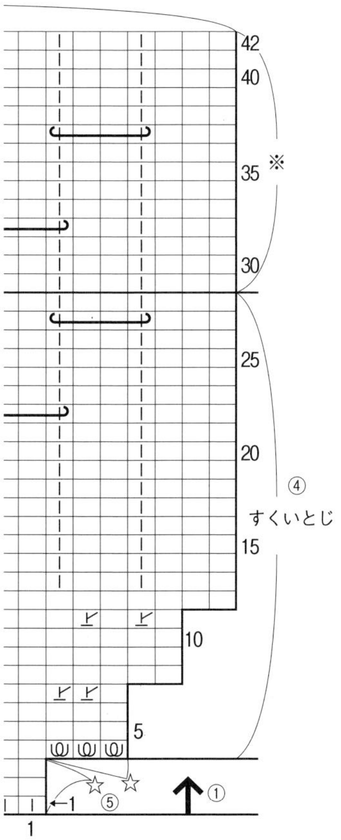

＝巻き目（p.138参照）

＝右増し目(裏目)（p.123参照）

＝左増し目(裏目)（p.124参照）

＝中上3目一度（p.117参照）

シンプルなソックス の作り方

作品は p.108

◆用意するもの
糸：スキー クラフトルームツイード 生成り（1） 70g
針：4本棒針6号

◆サイズ
つま先からかかとまで 22cm、かかとから足首まで 15cm

◆ゲージ
22目・28段＝ 10cm平方

※サイズを調節する場合は、甲の段数を増減して下さい。
見本は 23cm 用です。

◆編み方図

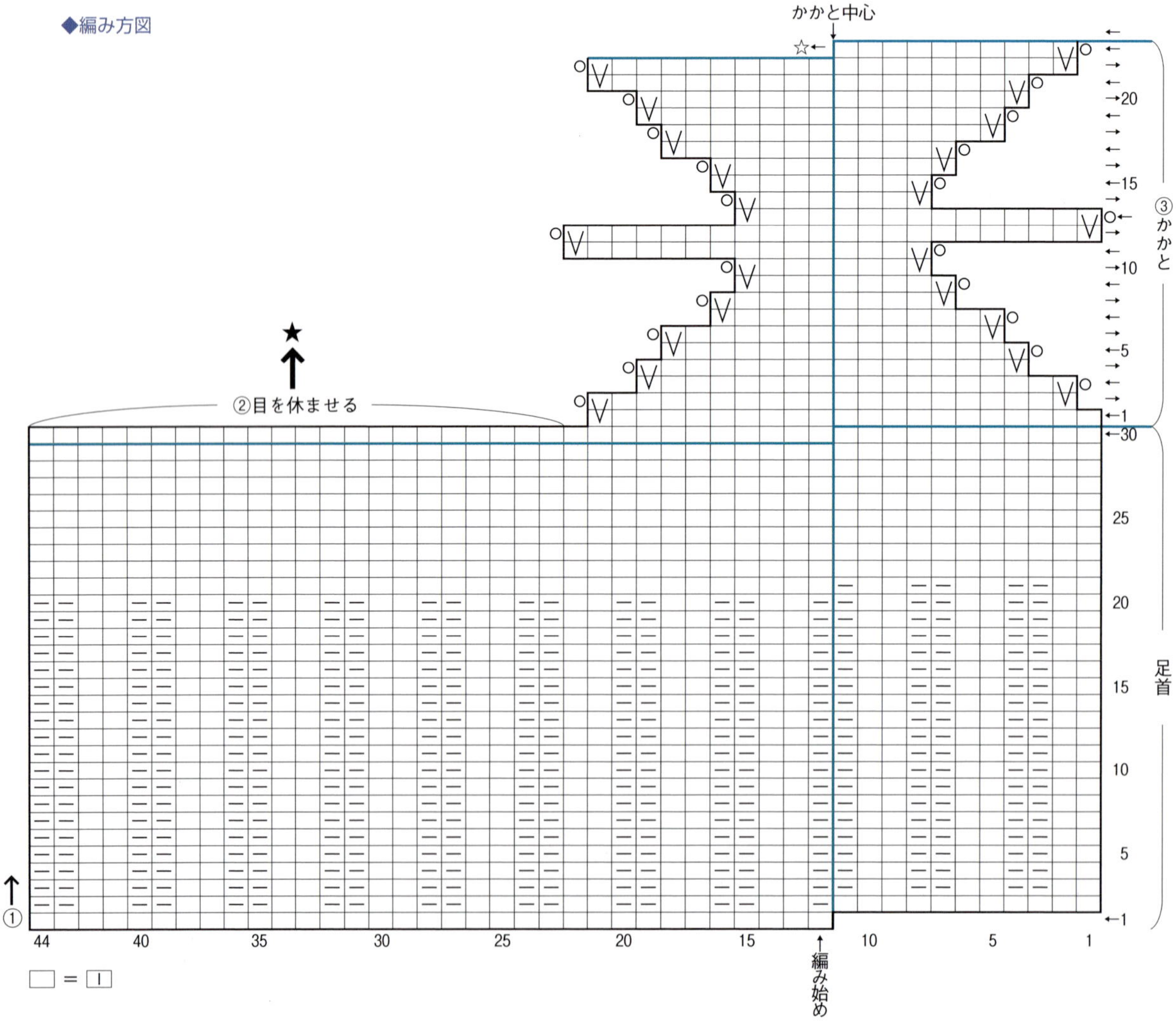

◆編み方

① 糸は１本どりで編みます。一般的な作り目（指にかける作り目／ p.12 参照）で 44 目作り、３等分して棒針に分けて輪にし、２目ゴム編み（p.24 参照）を編み始めます。

② 30 段めまで編んだら、甲側の 22 目を別糸にとって休ませます（編み方図の★の部分）。

③ かかとの１段めは右端から表目を編み、「編み残す引き返し編み」→「段消し」→「編み進む引き返し編み」の順番で、かかとを編みます（p.150 ～ 153 参照）。

④ ②で休ませた目を棒針に戻し、かかとの引き返し編みが終わったら、つま先の手前まで、増減なしでメリヤス編み（p.18 参照）を編みます。ここまでは、段の境界は足首のかかと中心にありましたが、ここからは右端にずれます。

⑤ つま先は、甲側と足裏側でそれぞれ左右１目ずつ「右上２目一度（p.114）」と「左上２目一度（p.116）」で減らし目をしながら６段編みます。

⑥ 最後に残った目は、左右両側で２目一度をしながら、メリヤスはぎ（p.87 参照）をします。

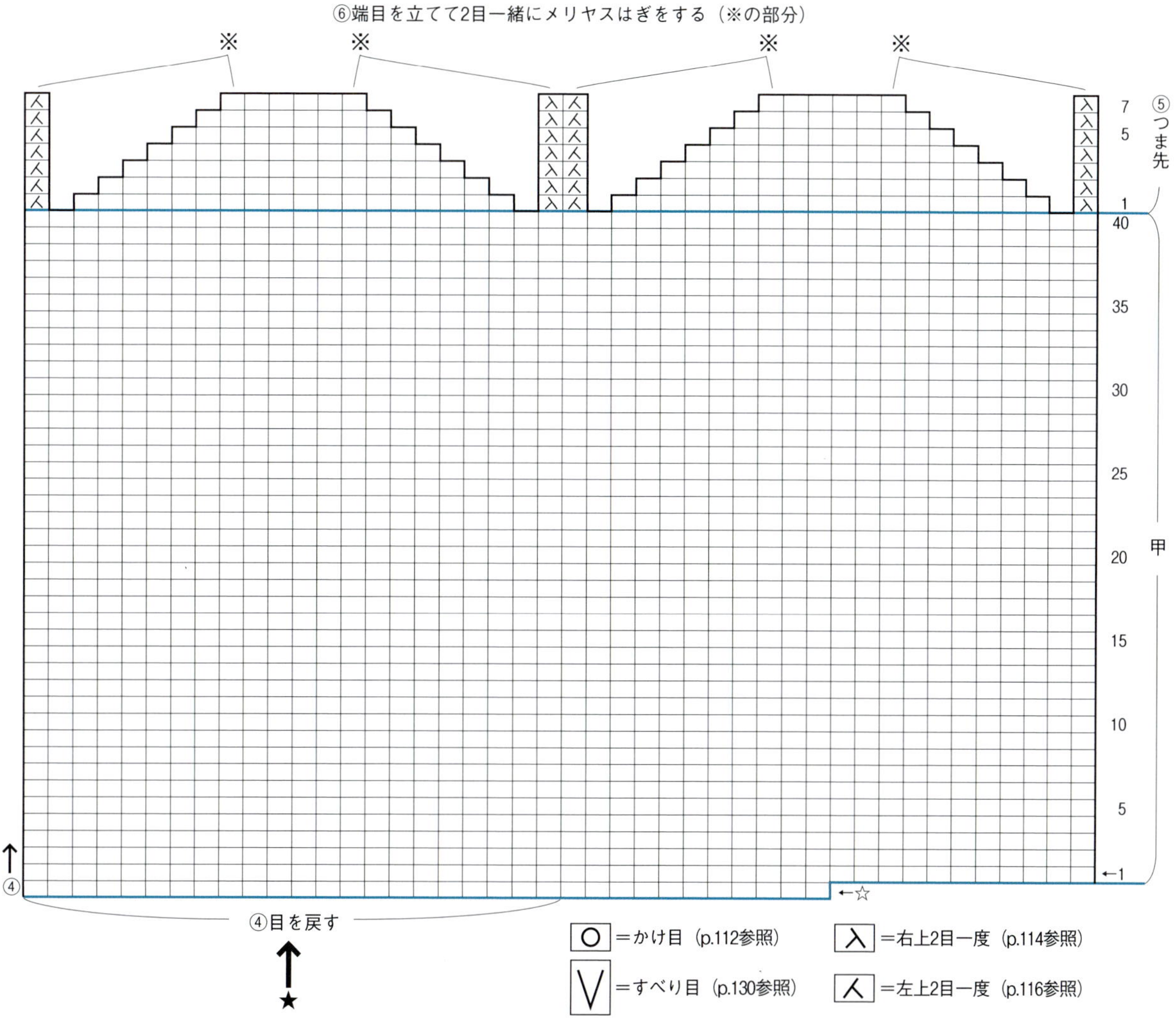

編み込み模様のバッグの作り方

作品は p.109

表側

裏側

◆用意するもの

糸：パピー ブリティッシュエロイカ

オフ白(125) …… 60g	赤(116) …… 20g
イエロー(191) … 10g	ブルー(190) … 10g
オレンジ(186) ……7g	紺(101) …………7g
ピンク(180) ………7g	水色(178) ………7g

針：4本棒針 10号

その他：中袋用花柄木綿布 60 × 28cm　1枚
革持ち手 2cm 幅× 35cm　1組
革ボタン直径 21mm　1個

◆サイズ

横 26cm ×縦 31cm <持ち手別>

◆ゲージ

編み込み模様 18目・20段= 10cm 平方

◆作り方

①糸は1本どりで編みます。オフ白の糸を使い、一般的な作り目（指にかける作り目／p.12 参照）で 96 目作り、3等分して棒針に分けて輪にし、2目ゴム編み（p.24 参照）を編み始めます。

②模様編み A（2目ゴム編み）を編み図のとおりに 20 段編みます。模様編み B の1段め（編み方図 21 段め）はイエローの糸で2目ゴム編みを編みます。

③横に糸を渡す編み込み（p.46 参照）で、編み方図のとおりに模様編み B を編みます。

④続けて、縁編みを編みます。縁編みの編み終わりは、表目を編みながら伏せ止め（p.27 参照）をします。

⑤中表にして、底を引き抜きはぎ（p.86 参照）ではぎます。

⑥中袋を縫い、⑤の内側にまつり縫いでつけます。鎖編みを 30cm 編んでボタンループを作り、間にはさんで縫いつけます。

⑦持ち手を、編み地と中袋両方にしっかりと返し縫いでつけます。

⑧ボタンを縫いつけます。

◆製図

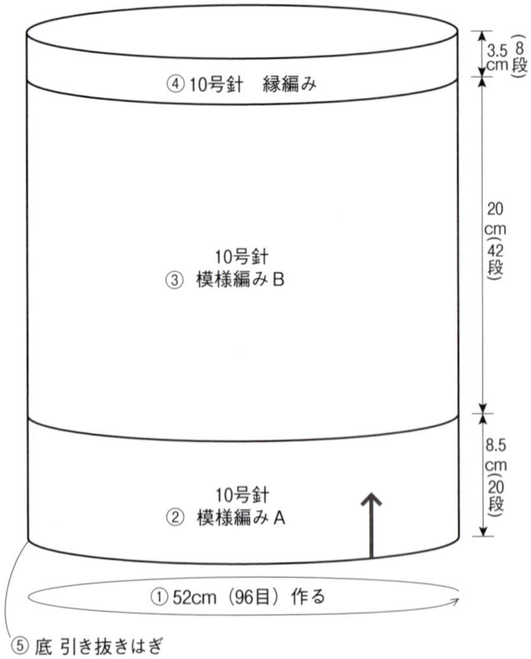

⑥中袋の作り方とつけ方

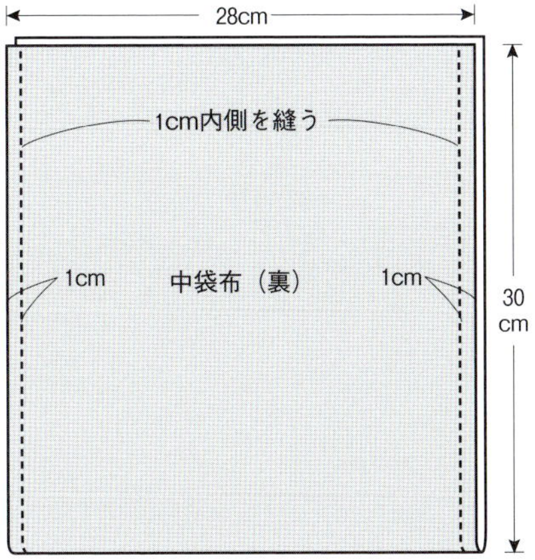

1）中袋の布を中表に合わせて、1cm 内側を縫う。

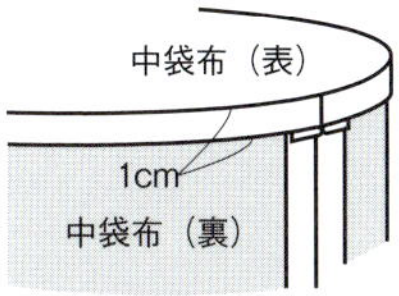

2)上辺を 1cm 折って、バッグの中に入れる。

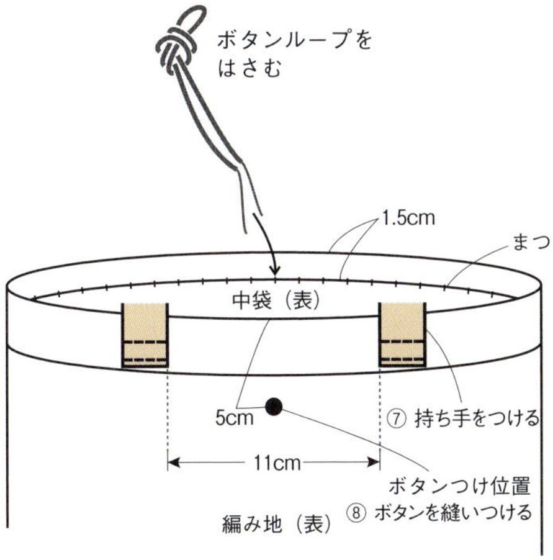

3)間にボタンループをはさんで、バッグの内側に
中袋をまつりつける。

◆編み方図

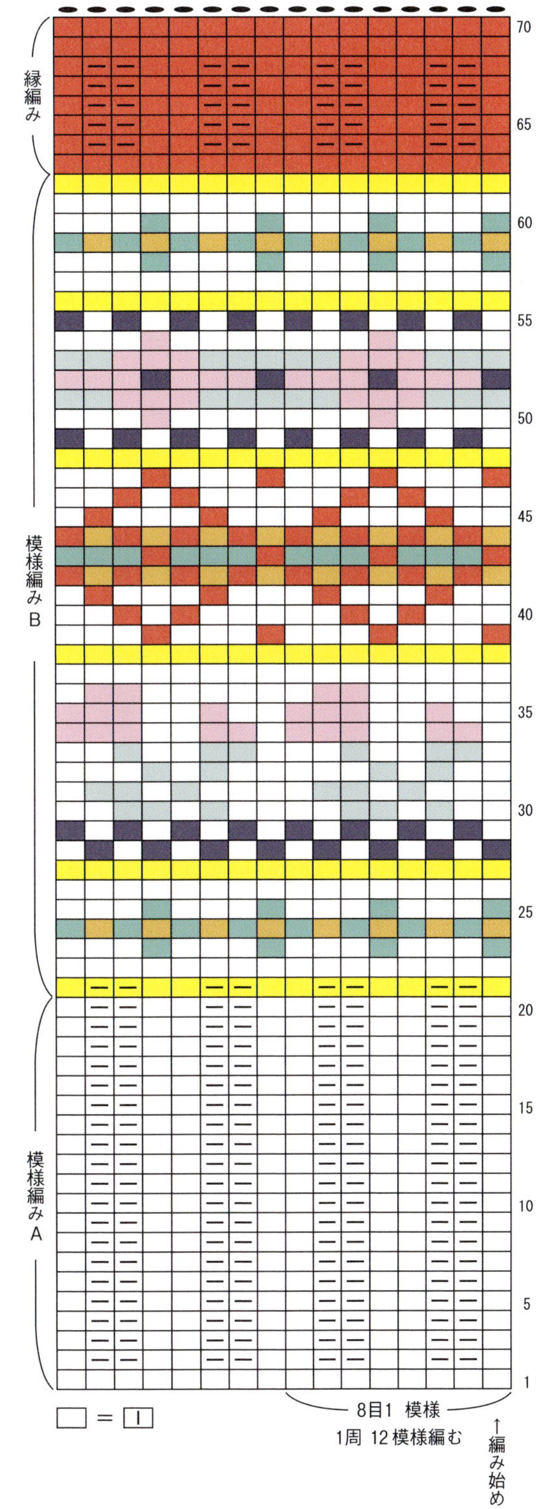

アラン模様のベレー帽の作り方

作品は p.140

◆用意するもの

糸：パピー ブリティッシュエロイカ
　　生成り（134）　100g
針：４本棒針８号、10号

◆サイズ

直径 28cm

◆ゲージ

８号棒針で１目ゴム編みを編んだとき
22目・25段＝ 10cm平方

◆編み方

①糸は１本どりで編みます。一般的な作り目（指にかける作り目／p.12参照）で104目作り目をし、３等分して棒針に分けて輪にし、１目ゴム編み（p.22参照）を編み始めます。

②９段めまで１目ゴム編みを編みます。

③増し目・減らし目の位置と交差編みに注意して、編み方図のとおりに編みます。交差編みは、表目どうしの交差と表目と裏目の交差があるので、注意しながら編みます。（→編み方図中に、編み目記号参照ページあり）

④最後に残った24目は、しぼり止め（p.40参照）をします。

◆製図

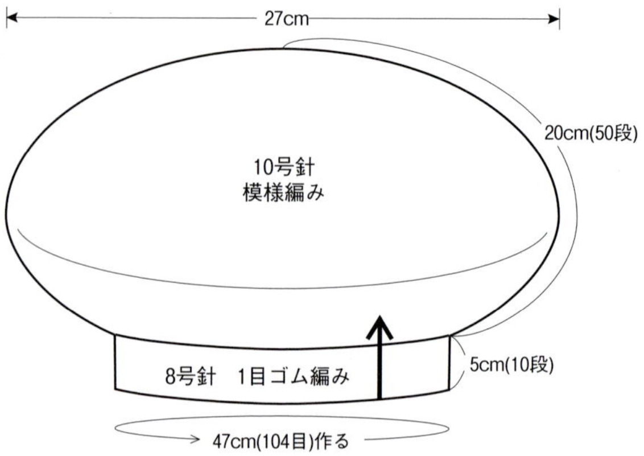

◆編み方図

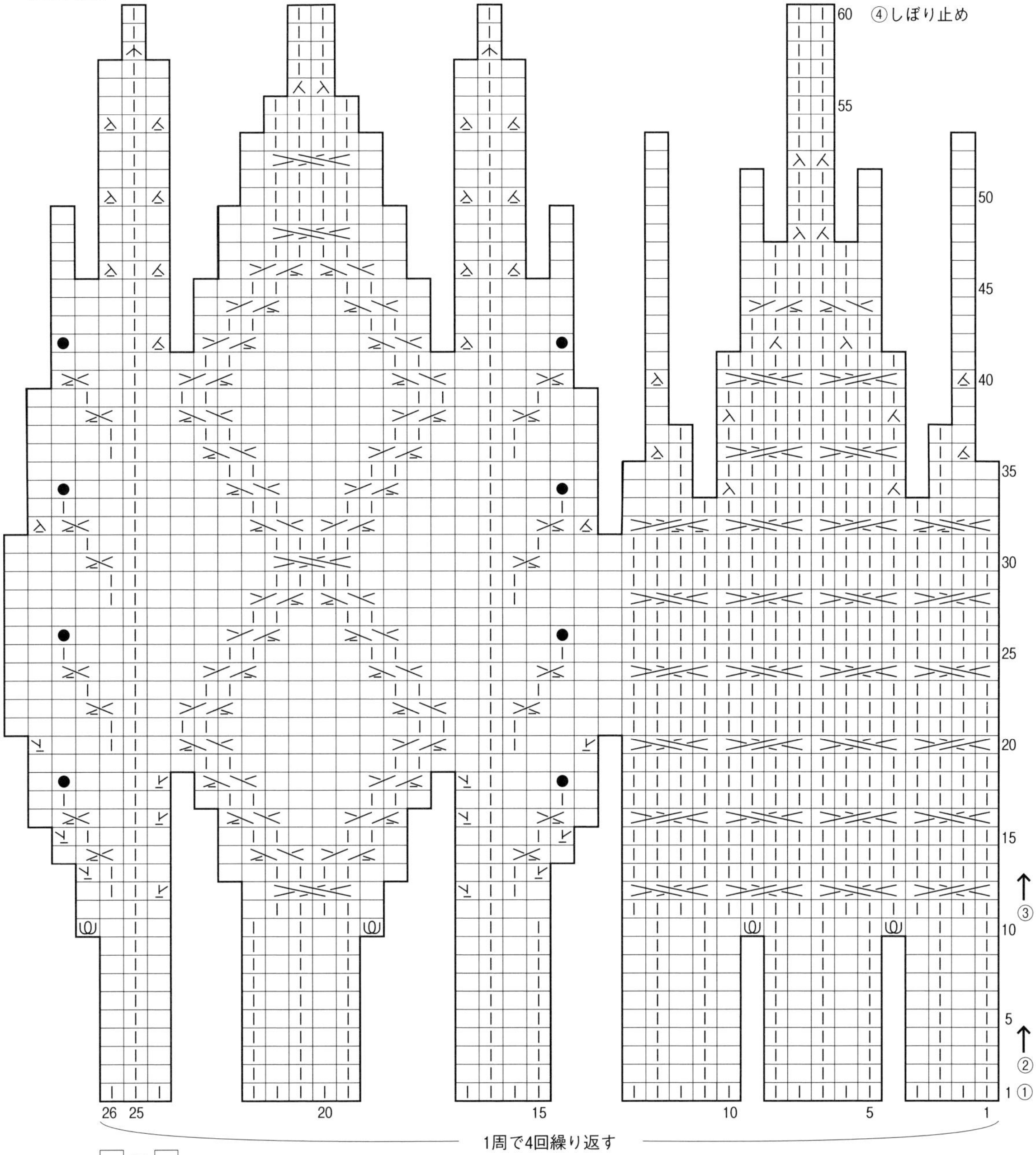

□ ＝ ー

● ＝ 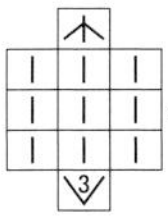 ＝ボッブル編み (p.146参照)

＝中上3目一度 (p.117参照)

＝編み出し増し目(表目3目) (p.125参照)

＝巻き目 (p.138参照)

＝右増し目(裏目) (p.123参照)

＝左増し目(裏目) (p.124参照)

＝右上2目一度 (p.114参照)

＝左上2目一度 (p.116参照)

＝右上2目一度(裏目) (p.115参照)

＝左上2目一度(裏目) (p.116参照)

＝右上交差(表目1目と裏目1目) (p.126応用)

＝左上交差(表目1目と裏目1目) (p.127応用)

＝右上交差(表目2目と裏目1目) (p.145参照)

＝左上交差(表目2目と裏目1目) (p.145参照)

＝右上2目交差 (p.143参照)

＝左上2目交差 (p.142参照)

なわ編みと透かし模様のボレロ
の作り方　作品は p.141

前側

後ろ側

◆用意するもの

糸：パピー クイーンアニー ブルー (962)　280g
針：60cm 輪針 8 号

◆サイズ

胸囲 86cm、丈 45cm、すそ幅 55cm

◆ゲージ

メリヤス編み 22 目・27 段＝ 10cm 平方
ガーター編み 18.5 目・33 段＝ 10cm 平方
模様編み 22 目・27 段＝ 10cm 平方

◆編み方

① 前・後ろ身頃は、一般的な作り目（指にかける作り目／p.12 参照）で作り目をし、編み始めます。前端は 1 段おきにすべり目（p.130 参照）をします。ガーター編み（p.16 参照）とメリヤス編み（p.18 参照）で 54 段めまで編んだら、目を休ませておきます。

② 別鎖（75 目☆）を 2 本編み（分量外）、前・後ろ身頃と別鎖から拾い目をしてヨーク部分を編み始めます。製図の★部分の目は休ませておきます。

③ 模様編みの編み方図（p.170 ～ 171）のとおりに減らし目をしながら編み、編み終わりは表目を編みながら伏せ止め（p.27 参照）をします。

④ 身頃の脇をすくいとじ（p.90 参照）します。

⑤ ☆の部分の別鎖をほどいて針に目を戻し、★部分の目と続けて伏せ止め（p.27 参照）をします。

⑥ 25cm のコードを 2 本編み（p.103 参照）、指定の位置に縫いつけます。

◆製図

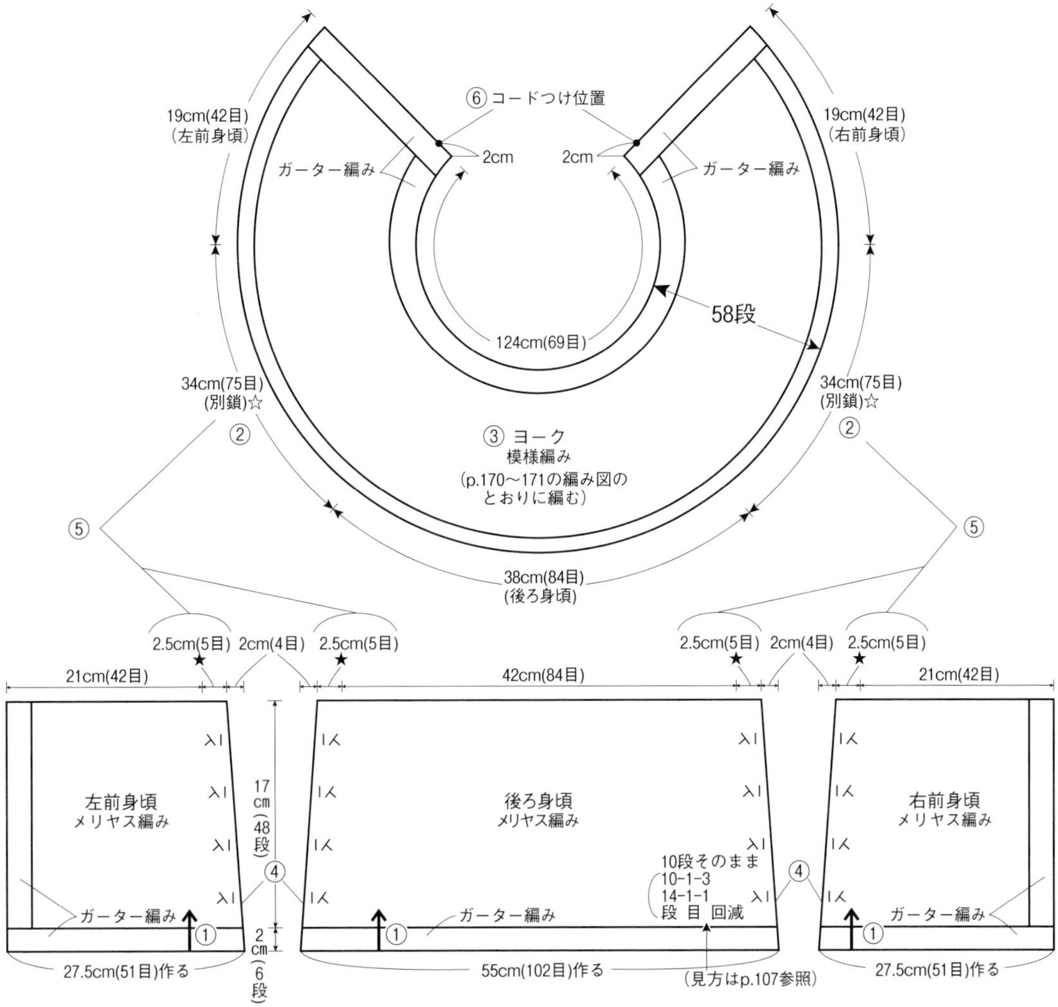
19cm(42目)
(左前身頃)
19cm(42目)
(右前身頃)
⑥コードつけ位置
2cm
2cm
ガーター編み
ガーター編み
124cm(69目)
58段
34cm(75目)
(別鎖)☆
34cm(75目)
(別鎖)☆
②
②
③ヨーク
模様編み
(p.170〜171の編み図の
とおりに編む)
⑤
⑤
38cm(84目)
(後ろ身頃)
2.5cm(5目)
2cm(4目)
2.5cm(5目)
2.5cm(5目)
2cm(4目)
2.5cm(5目)
★
★
★
★
21cm(42目)
42cm(84目)
21cm(42目)
左前身頃
メリヤス編み
後ろ身頃
メリヤス編み
右前身頃
メリヤス編み
17
cm
(48
段)
④
④
10段そのまま
10-1-3
14-1-1
段 目 回減
ガーター編み
ガーター編み
ガーター編み
①
①
①
2
cm
(6
段)
27.5cm(51目)作る
55cm(102目)作る
(見方はp.107参照)
27.5cm(51目)作る

◆編み方図（ヨークの模様編み）

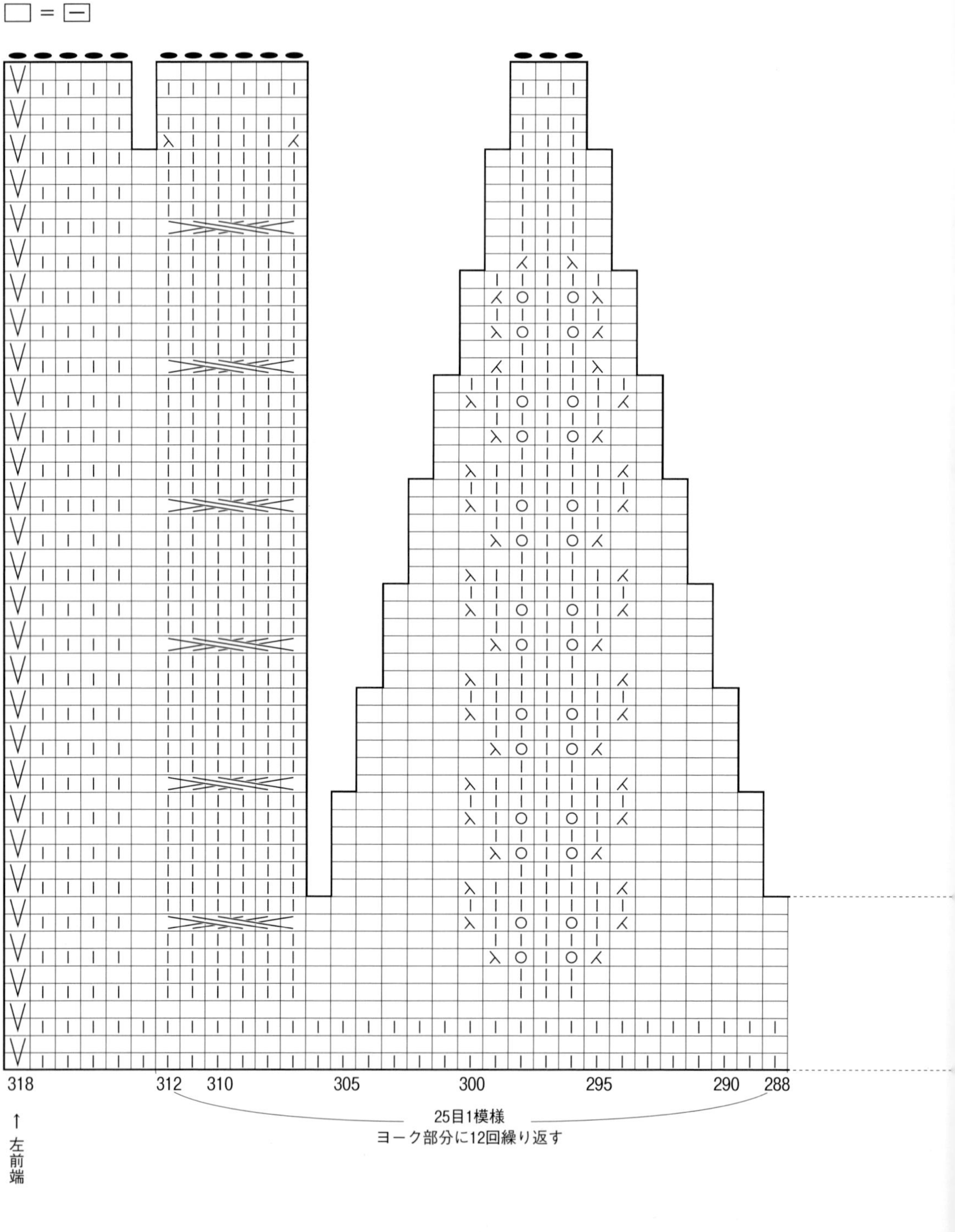

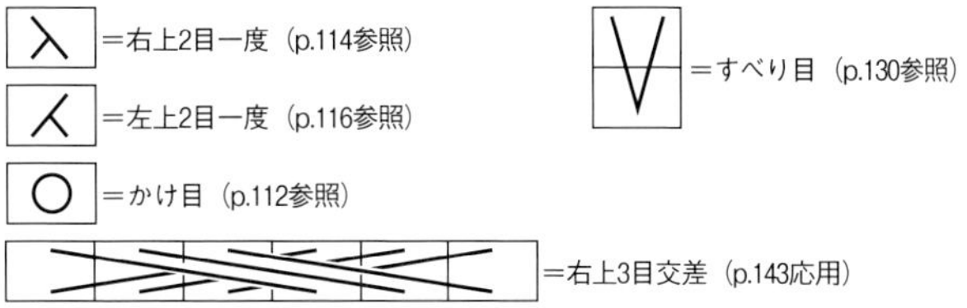
＝右上2目一度（p.114参照）
＝左上2目一度（p.116参照）
＝かけ目（p.112参照）
＝右上3目交差（p.143応用）
＝すべり目（p.130参照）

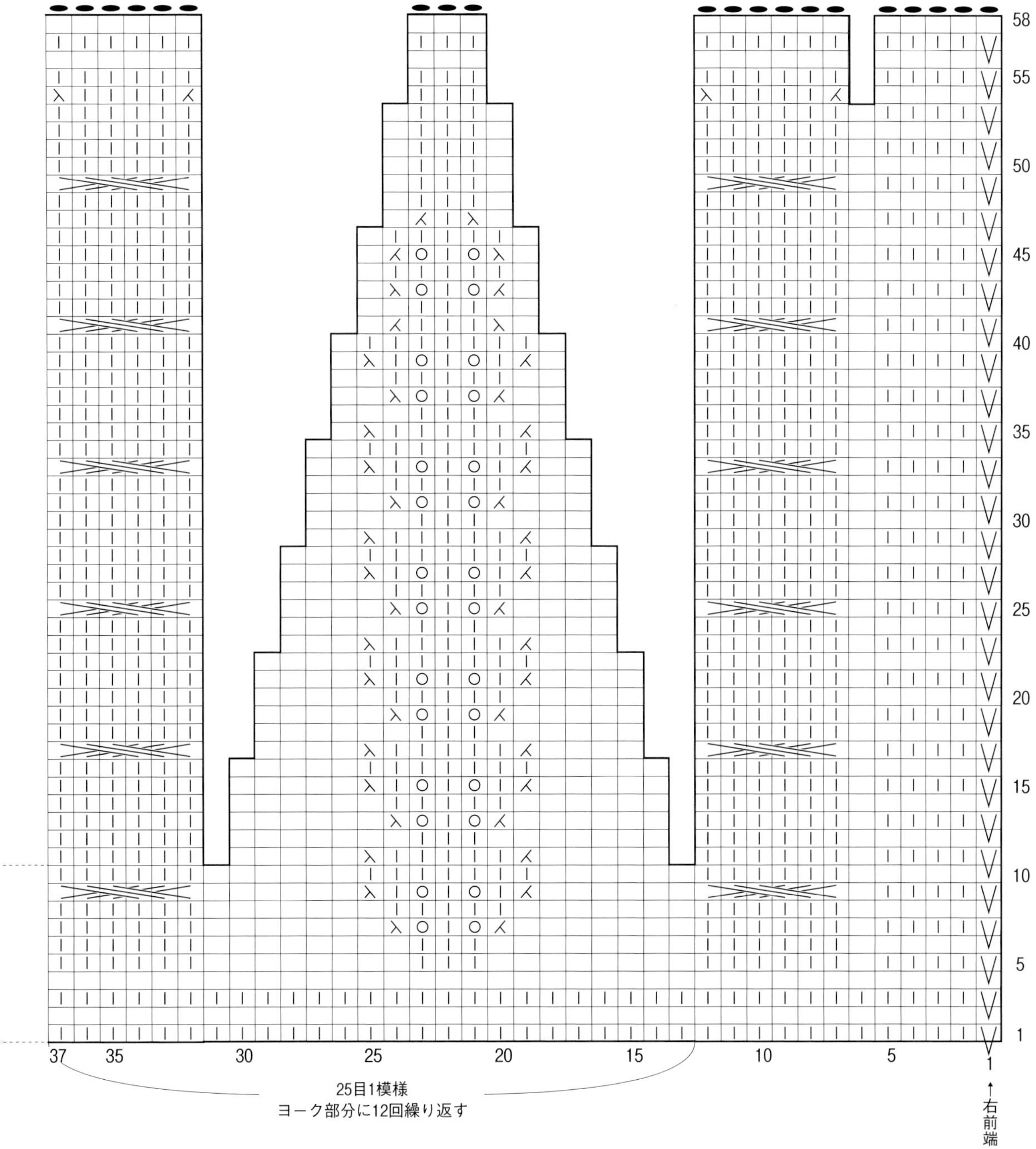
58
55
50
45
40
35
30
25
20
15
10
5
1
37
35
30
25
20
15
10
5
1
25目1模様
ヨーク部分に12回繰り返す
右前端

索　引

● あ ●

● か ●

さ

た

な

は

監修・作品デザイン・制作 ------------------------
せばた　やすこ

日本女子大学卒。婦人服の企画・仕入れに携わった後、手芸作家として活動を始め、手編み、刺しゅうを中心にさまざまなジャンルの作品を制作。雑誌・書籍・TVなどで幅広く活躍している。ヴォーグ手編み指導員、NHK文化センター講師。著書に『かぎ針編みの教科書』（小社刊）、『基本のかぎ針でもっといろいろできるよ』（成美堂出版）などがある。インターネットの手芸雑貨店『Nelie Rubina（ネリー・ルビナ）』運営。

http//nelie-rubina.com

本書の内容に関するお問い合わせは、**書名**、**発行年月日**、**該当ページを明記**の上、書面、FAX、お問い合わせフォームにて、当社編集部宛にお送りください。**電話によるお問い合わせはお受けしておりません。**
また、本書の範囲を超えるご質問等にもお答えできませんので、あらかじめご了承ください。
FAX：03－3831－0902
お問い合わせフォーム：https://www.shin-sei.co.jp/np/contact-form3.html

落丁·乱丁のあった場合は、送料当社負担でお取替えいたします。当社営業部宛にお送りください。

イチバン親切な 棒針編みの教科書

著　者　せばたやすこ
発行者　富永靖弘
印刷所　株式会社新藤慶昌堂

発行所　東京都台東区台東２丁目24　株式会社　新星出版社
〒110-0016　☎03(3831)0743

ISBN978-4-405-07135-3